松本茂章 著
Shigeaki Matsumoto

地域創生は文化の現場から始まる

全国 35 事例に学ぶ
官民のパートナーシップ

学芸出版社

はじめに

本書は、文化芸術が地域振興やふるさとづくり等に貢献している事例を集めた異色の書籍である。筆者は全国各地を旅して「文化の現場」を歩いてきたが、現場から地域創生の息吹を感じることが多々ある。「この取り組みは各地域の人々の参考になりそうだ」「こんな試みを日本中に紹介したい」という心境になった。そのような熱い気持ちを込めて出版したのが本書である。日本各地で展開される文化芸術による地域創生を目指した試み、あるいは真摯に取り組む人々から得た教訓をまとめ、読者の参考や教訓になるように仕上げた。文章に接していただければ、きっと「自分たちもやってみたい」「こんな先例があったのか」と感じるはずだ。

本書の特色は主に3点ある。1つには、「文化の現場」が〈拡張〉している実態を明らかにできた。「文化の現場」というとき、文化会館・博物館・美術館などを思い浮かべがちだが、従来の固定イメージを超えて、駅前広場、公開空地、学校校舎、駅舎、古民家、空き家、道路など実に多様なところが、「文化の現場」に生まれ変わっている実相を浮き彫りにできた。従来型の「施設」から転じて、「文化の現場」が地域全体に広がっている風景を切り取った。2つには、行政と民間で行われる絶妙な連携・協働が、地域課題の解決には不可欠である実態を丁寧に紹介した。言い方を変えれば、官民協働による地域ガバナンス（共治）の実現こそが、地域を元気にする前提なのだとする考え方が、本書の底流になっている。3つには、「文化の現場」が観光・まちづくり・共生社会・福祉・教育・産業などに貢献する好事例を積極的に取り上げた。しかも、単独の課題解決を目指すだけでなく、複数の課題解決と同時並行的に取り組むチャレンジぶりを浮き彫りにした。いわばクロスオーバー型の手法を探し出して集めてみた。

2章から9章は事例編を配置した。文化芸術を活かした地域デザインのありよう、自治体文化政策の現状と課題、アートマネジメントの将来像などを提示しているので、最新の動きを感じ取っていただければ幸いである。

筆者にとって4冊目の単著である本書では、複数の雑誌に連載した原稿を加筆したり修正したりして事例編に集約した。連載時には全国を歩き回り、「文化の現場」を体で感じ取って来た。日本列島の各地から学びを得た。そして何よりも、現場に関わる人々の生き方に共感した。人々を紹介する際には、連載と同様に、敬称略とさせていただいた。ご理解を賜りたい。

政治や行政の世界で「地方を元気に」「地域創生が必要だ」などと語られるが、東京の永田町や霞が関で使われる言葉は、どこか抽象的に映ってしまう。もっと現実や実態を知りたい。地域で活躍する人々の素顔を見たい。そう願って各地を巡ったとき、文化芸術に関わる取り組みが地域を勇気づけ、社会の課題解決の一助となっているケースを確認できた。

本書の内容は、観光・まちづくりなど「地域の課題解決」のために尽力される方々、文化人、芸術家、行政職員、研究者、大学の学部生・院生など、多様な読者層を想定して編纂した。それぞれの立場から、多様な読み方ができるように工夫した。読者のみなさんには、本書に接しながら、心の中で日本各地を旅していただければ幸いである。

印刷工場を改修した「本のある工場」（大阪市此花区西九条）にて
2024年1月
松本茂章

＊従来、「官」は国を示し、「公」は地方自治体を示していた。例えば「官公庁」などと言う場合などである。しかし、筆者は「官」という言葉を、国だけでなく地方自治体を含めて用いている。理由は「公」が自治体だけで独占される訳ではないこと。そして「官官接待」などの用語も世間で日常的に使われているからだ。官民協働や官民連携とは、行政と民間のパートナーシップを示す言葉として用いている。

連載原稿の取り扱いについて

本書の事例編は2つの雑誌連載で構成した。時事通信社の行政専門誌『地方行政』に連載中の「文化で地域をデザインする」（2020年9月10日号以降）と、月刊『公明』に連載した「文化の現場を歩く」（2016年8月号から2023年4月号まで）である。現場を訪れた当時の雰囲気をリアルに伝えたいと考え、連載原稿は原則として掲載時のまま書籍化を図った。各事例の末尾に掲載時期を紹介してある。（『地方行政』に掲載の6本はそのつど明記したが、『公明』に掲載の29本は数が多いので掲載号だけを明記した）。人事異動で役職が変わった場合も当時の肩書のままとした。しかし新たな建物が建設されたり、コロナ禍の前後で事業が変わったりなどした場合、連載原稿の末尾に【補記】を掲載した。【補記】は原則として、コロナ禍以前の原稿に設けたが、必要な場合に添えるなど、いくつかの例外もある。ご理解願いたい。

目次

第1章

地域は文化の現場から元気になる

1 文化の現場は「従来の文化施設」だけでなく「地域」へ広がった

本書『地域創生は文化の現場から始まる』の題目に、「文化の現場」という言葉を使ったのには訳がある。なぜ「文化施設」を用いなかったのか？

本書の狙いの1つは、2020年代の現代社会において、「文化の現場」がいかに多様であるかを提示することである。逆にいえば、文化施設という言葉は限定的な使われ方をしているので、避けたかった。たとえば公益社団法人全国公立文化施設協会は、日本各地にある公立文化ホール（県文化会館、市民会館など）で構成される全国組織であり、研修・情報交換・共同公演などを行う。世間的には公立の博物館・美術館等も文化施設だと理解されているだろうが、行政内部では社会教育施設、あるいは生涯学習施設と位置付けられ、それぞれに日本博物館協会、日本図書館協会などの団体が設けられている。このため公立文化施設協会に博物館・美術館・図書館などは加盟していない。

筆者は2015年、『日本の文化施設を歩く　官民協働のまちづくり』（水曜社）を出版した際、文化ホール、博物館・美術館、図書館、アートセンターなどを幅広く取り上げた。「文化施設」の概念の拡張を図りたかったのだった。「文化施設」を広義で用いた同書では、多くの関係者から評価していただいた。

しかし、2020年代に突入した現代日本では、「施設」とはいえないようなところでも文化的な活動が盛んに展開されている。だからこそ本書では「文化の現場」という言葉を用いて、一層広い概念を示したかった。

筆者自身、行政専門誌などに連載原稿を執筆しながら、このような「文化の現場」の拡張といえる現象に、次第に気づき始めた。相当量の連載原稿が蓄積されると、多様なところが新たな「文化の現場」として活用されている実態を改めて痛感することになった。具体的に言うと、道路、駅舎、空き家、ホテル、空港、駅前広場、公開空地、元小学校校舎……などである。思わぬところで文化芸術が催され、地域社会と協働していた。

「文化の現場」の拡張は、以前からも試みられてきたが、制度的に認められるようになった社会状況がある。たとえば国土交通省は2020年、道路法の一部を改正して、歩行者利便増進道路制度（通称・ほこみち）を創設した。日本で初めて、大阪市の御堂筋、神戸市の三宮中央通り、姫路市の大手前通りの3か所が指定された。姫路市の事例は本書3章で言及した。同制度は「賑わいのある道路空間を構築するため」（国土交通省HP）とされている。その後、全国各地に広がっており、読者のみなさんの地元も指定されたかもしれない。

筆者は、調査研究のために欧州に何度も出向いてきたが、確かに欧州の都市では広場や道路が文化芸術に活用される風景をしばしば見た。こうした光景が日本でも導入されつつある訳である。

本書の2章に登場する大阪･船場の道修町の「ミュージアムストリート」も興味深い。「くすりのまち」だけに、薬業に関連する史料館･資料館･展示施設が集積して、歩いて楽しめるように配慮されている。

6章で言及する大阪府豊中市の事例では、大阪モノレールの大阪空港駅にストリートピアノが置かれ、地元にある大阪音楽大学の音楽家らが演奏を繰り広げている。演奏家は「ここは格別の場。空港は、全国各地に向かったり、各地から帰って来たりする場なので」と筆者に話した。大阪空港に直結する同駅には四国霊場八十八か所の巡礼に向かうお遍路装束の女性が歩いていたり、東京出張から戻って来たスーツ姿のビジネスマンが行き交ったりしていた。芸術を届けるには、まさに「格別の場」なのである。

筆者はこのような、拡張した「文化の現場」の事例を求めて歩き、文化芸術を地域の課題解決に役立てようとする姿を見てきたので、本書の題目に『地域創生は文化の現場から始まる』と名付けた。

2 曲がり角に差し掛かった文化施設経営

公立施設等を取り巻く状況は、一層厳しさを増すであろう。少子高齢化や過疎化に伴い、東京以外の地域は景気低迷に苦しみ、税収が伸び悩むうえ、新型コロナウイルス感染拡大（コロナ禍）によって、未曾有の自治体財政難に見舞われたからである。

たとえば地方自治の実務情報誌『月刊ガバナンス』2022年11月号の特集を見ると、特集名は「これからの公共施設と自治体のマネジメント」だった。「これからの公共施設と官民連携」「ポストコロナと公共施設マネジメント」「意思決定システムがもたらす公共施設集約の困難性」「公共施設等総合管理計画の実効性をどう高めるか」「持続可能な上下水道事業の方向性」「地方自治体における公共空間のデザインマネジメント」「広がる都市公園の可能性」「自治体と公営住宅」「『ビジネスと人権』時代の公共施設管理の課題」などの原稿が掲載されていた。

税収が下がっているなか、限られた予算と人員で、自治体はどのようにして公共サービスを維持していくか、が問われる。文化施設でいえば、地方自治法第244条の改正に伴って導入された「公の施設」の指定管理者制度の導入がその1つの試みである。あるいは公立施設の合理化であろう。

総務省HPによると、総務省は2014年4月22日付にて、大臣名で、都道府県の知事、政令指定都市の市長に宛て、「公共施設等の総合的かつ計画的な管理の推進について」と題した通知を行った[1)]。「我が国においては、公共施設等の老朽化対策が大きな課題となっております。地方公共団体においては、厳しい財政状況が続く中で、今後、人口減少等により公共施設等の利用需要が変化していくことが予想されることを踏まえ、早急に公共施設等の全体の状況を把握し、長期的な視点をもって、更新・統廃合・長寿命化などを計画的に行うことにより、財政負担を軽減・平準化するとともに、公共施設等の最適な配置を実現することが必要になっています」と述べた。そして各地方公共団体に対して「速やかに公共施設等の総合的かつ計画的な管理を推進するための計画（公共施設等総合管理計画）の策定に取り組まれるよう特段のご配慮をお願いします」と言葉を続けた。

この通知とともに、同日付にて、総務省自治財政局財務調査課長名で、「公共施設等総合管理計画の策定にあたっての指針の策定について」と題した通知が出された[2)]。大臣通知を受けた指針を示した訳だが、「第一　総合管理計画に記載すべき事項」のなかで「公共施設等及び当該団体を取り巻く現状や将来にわたる見通し・課題を客観的に把握・分析すること」を求めた。また「公共施設等の供用を廃止する場合の考え方や、現在の規模や機能を維持したまま更新することは不要と判断される場合等における他の公共施設等との統合の推進方針について記載すること」とした。

そして「第二　総合管理計画策定にあたっての留意事項」のなかでは「PPP／PFI の積極的な活用を検討されたい」と述べた。さらに「隣接する市区町村を含む広域的視野をもって計画を検討することが望ましい」と言及。人口・経済・税収が右肩上がりで伸びてきた時代は終わり、シュリンク（縮小）していく日本のなかで、公共施設等の「総合的かつ計画的な管理」が急務となってきた。

PPP とは「パブリック・プライベート・パートナーシップ」の略で、「公民協働」「官民連携」を意味する。PFI とは、「プライベート・ファイナンス・イニシアティブ」の略で、公共施設等の建設、維持管理、運営などを民間の資金や経営する能力、技術的能力を活用して行う手法をいう。日本では、1999 年、PFI 法（正式には「民間資金等の活用による公共施設等の整備等の促進に関する法律」）が制定された。

民間が公立施設を管理運営する指定管理者制度にとどまらず、公共施設の集約化や廃止が今後、進むのではないかと懸念する声が聞こえてくる。

平成の大合併に伴い、自治体の数は3232（1999年3月31日）から1718（2014年4月5日）に減少[3)]。合併後、旧自治体が設置した文化施設を複数のまま運営するケースが出てきている。存廃の論議は避けて通れないとみられる。文化事業も削減される恐れがある。

2014年の同通知から6年後の2020年、わが国は新型コロナウイルス感染拡大に見舞われる。文化施設の閉館・休館や文化事業の打ち切りなどの事態をしばしば聞いた。いかにして「文化の現場」を守っていくのか。すぐに答えは出せないが、全国各地の事例を見ながら、読者とともに考えていきたい。

3 変容する地域経営―地域ガバナンスの重要性

時代の激流のなか、自治体文化政策のありようを見つめ、地域の人々の暮らしに貢献するためには文化施設をどうすればいいのか……。筆者は懸命に考え続けてきた。

筆者の研究は、次の3人に強く影響された。50音順で申し上げると、中川幾郎（日本文化政策学会初代会長。帝塚山大学名誉教授）、新川達郎（日本公共政策学会元会長。同志社大学名誉教授）、そして藤野一夫（日本文化政策学会会長。芸術文化観光専門職大学副学長）である。

第一に、中川幾郎から学んだのは、自治体文化政策は「ヒューマンウェア」があってこそ、次の「ソフトウェア」があり、最後に「ハードウェア」としての文化施設づくりがあること。ところが現実には「箱もの」づくり（ハード）があって、次に文化事業（ソフト）が続き、最後に人材が用意される。物事は逆なのだということを教えていただいた[4)]。

さらに、自治体文化政策は4つの領域に分けられることを学んだ[5)]。文化的な人権を保障する「市民文化政策」、地域の独自文化を育て、支援する「地域文化政策」、まちのアイデンティティを選択的・集中的に構築する「都市文化政策」、まちを代表する歴史遺産を活かす「歴史文化政策」である。中川は何より、「市民文化政策」が最も重要であると、筆者に何度も熱く語り、強く影響を受けた。筆者は文化芸術を活かした地域振興策を研究調査しているが、しかし一義的に自治体文化政策は人権問題であるのだと肝に銘じている。

さらに学ぶことが出来たのは「地域自治システム」と文化政策のありようである[6]。地域では町内会・自治会などの地縁組織（コミュニティ型の思考）とNPO法人などの同志的契約組織（アソシエーション型の思考）が混在しており、その兼ね合いが難しい。これらをうまくつなぎ合わせることが地域活性化のカギとなる。中川は、集団がコミュニティやアソシエーションにおいて議論し、折り合いながら合意を形成する力である「集団的自己決定能力」の向上を問いかける。本書に掲載する事例も、中川の視点から見つめるとき、新たな価値が生じるのではないか。

第二に、新川達郎から学んだのは、これからの地域社会は行政と民間がイコール・パートナーの関係性を築き、ともに地域を経営していくという「共治」の考え方である。この考え方を「地域ガバナンス」と呼ぶ。

新川は「地域経営や地域活性化のための新たな統治形態、秩序形成、地域形成の様式であり、地域を共に協力して治めるという意味をこめて共治あるいは協治とされる」[7]と述べた。そして新川は「これまで自治体が地域政策の決定や実施において中心的な役割を果たしてきたが、これからは住民等との連携協力や役割分担関係に立って活動していくことになる」[8]と指摘する。となれば民間から新たなアクターが登場しなくてはならない。

この考え方は、公共政策すべてに適用されるものだが、公共政策の１つである文化政策も例外ではない。これからの文化政策は、行政と民間のパートナーシップがあってこそ推進できると筆者はとらえてきた。いや、文化芸術は元来、民間主導のものだからこそ、文化政策に地域ガバナンスの考え方を適用させやすいのではないか。

文化政策を進める場合、人材・資金・場のいずれにおいても官民協働が必要であるとの考え方は、同志社大学に提出した筆者の博士論文『芸術創造拠点と自治体文化政策　京阪神３都の事例分析』(2009）の底流であり、今もこの考え方を堅持している。修士論文と博士論文の指導教員だった新川から学んだ官民協働のありよう、地域ガバナンス研究の視点を踏まえて、数多くの連載原稿のなかから本書に掲載する事例を選んでみた。

第三に、藤野一夫から学んだのは、「文化的コモンズ」の重要性である[9]。藤野は文化芸術によるコミュニティ再生が日本各地で試みられているが、その際のキーワードが「文化的コモンズ」であると指摘する。コモンズとは牧草や薪を得る「入会地」のこととされるが、「文化的コモンズとは、地域の協働体の誰もが自由に参加できる入会地のような文化的営みの総体」[10]という。

さらに藤野は次のように主張した。「『文化的コモンズ』を形成する主体は、公立文化施設だけではない。文化団体、NPO、まちづくり団体、図書館、公民館、自治会、商店街、地場産業、お祭り、地域伝統芸能、神社仏閣などが、その主体である。文化的コモンズを形成する主体は、文化施設だけでなくさまざまな場所や組織や活動なのである」[11]。まさに同感である。

第1章1節にて筆者が述べた「文化の現場」の拡張は、藤野による「文化的コモンズ」づくりと通底するものだと受け止めている。

藤野は次のことも指摘している。「文化政策の使命は、一方で市民が自らのライフスタイルを自己決定できる文化芸術環境を整備することである。他方では、芸術文化によって地域社会の課題と関わりながら自分の個性を追求する活動そのものがコミュニティを創生し、地域固有の芸術文化を豊かに育む動因ともなる。このような相互循環によって、いわば〈文化的コモンズ〉が形成されるのである」[12]。心より共感する。

上記3人に加えて、数多くの研究者から学びを得た筆者は、「文化の現場」のありようを見れば、地域の民主主義の力や地域創生の力量を測ることができるのではないか、と思い始めた。このため、本書は、まちづくり、地域振興の書籍であるものの、自治体文化政策がいかに民主主義にとって欠かすことのできない取り組みであるか、を考える書籍でもある。

4 官民協働は文化の現場でこそ現れる

本書を手にした読者には、すでにご承知のことと拝察するが、改めて文化芸術を巡る近年の法整備について触れておきたい。

1つには、2017年に制定された文化芸術基本法である。2001年に制定された文化芸術振興基本法が、推進法なのか、基本法なのか、で論議があり、曖昧なところも指摘されていたが、同法を改正して名称を文化芸術基本法に改めた。注目したいのは第2条で文化政策の総合政策化を図った点である。文化芸術に関する施策の推進に当たっては「文化芸術の固有の意義と価値を尊重しつつ、観光、まちづくり、国際交流、福祉、教育、産業その他の各関連分野における施策との有機的な連携が図られるよう配慮されなければならない」と明記された。各省庁に分かれた文化政策に横串を刺して、横断的にとらえていく姿勢である。文化芸術推進会議には、数多くの省庁が関わっており、文化政策の領域が「拡張」されたことがよく分かる。

同基本法を受けて、翌2018年には「文化財保護法及び地方教育行政の組織及び運営に関する法律の一部を改正する法律」が成立し、2019年に施行された。改正された文化財保護法に伴い、都道府県には、文化財の保存及び活用に関する総合的な施策を定めた「文化財保存活用大綱」の策定を、市町村には「文化財保存活用地域計画」の策定を、それぞれ求めた。国指定文化財の所有者や管理団体などは、個別の文化財の保存活用計画を策定できるようになり、国の認定を得ると、計画に記載された行為については文化財の現状変更などの「許可」を「届け出」にできるなど、手続きが弾力化された。

中川幾郎は、同地域計画策定に関して、伝承や口承、地域固有の生活文化（衣食住）、自然、まちの景観も、自治体が「貴重である」と判断すれば、その対象になり得ることを指摘。地域住民参加のまちづくりを目指す必要性を主張している。

同じ2018年には、「障害者の文化芸術活動の推進に関する法律」（障害者文化芸術活動推進法）が施行され、2022年には「障害者による情報の取得及び利用並びに意思疎通に係る施策の推進に関する法律」（障害者情報アクセシビリティ・コミュニケーション施策推進法）が施行された。これからの文化芸術にとって、共生社会づくりや社会包摂の取り組みが今日的課題になっている。

2020年に施行された「文化観光拠点施設を中核とした地域における文化観光の推進に関する法律」（文化観光推進法）にも関心を寄せたい。文部科学省と国土交通省が共管する法律で、「文化」（文化資源の保存・活用）が「観光」（魅力向上・来訪者の増加）につながり、経済（地域経済の活性化）に役立つという流れで、3つの好循環を生み出すことを狙いとした。ここではわが国の法律上初めて「文化観光」という概念を定義した。「文化観光拠点」（博物館、美術館、社寺、城郭等）に分かりやすい解説紹介を進め、共通乗車券や共通乗船券などの交通アクセス向上について手続きの簡素化などが示された。

しかし、いくら法律が整備されたとしても、世の中がうまく回るとは限らない。文化芸術の場合、実践するのは民間であり、行政は支援する立場である。ここに文化芸術をめぐる地域ガバナンス（共治）や官民協働の重要性が存在する。

本書の2章から9章までに掲載する事例編をご覧いただきたい。全国各地において、実に多彩で有能な民間人材が活躍しつつ、行政でバックアップする実相が見えてくる。筆者が文化芸術振興に関心を抱くのも、文化芸術の価値に感銘を受けるだけでなく、文化芸術の振興そのものが、社会における地域ガバナンス（共治）の実践、あるいは地域における官民協働社会づくりに資するところがあると思うからである。

その視点から見るとき、本書は、文化芸術の振興の書籍であるだけでなく、日本の民主主義、あるいは官と民の役割分担のありようを考える書籍でもあると言えよう。

地域ガバナンス（共治）について、先述したように新川達郎は「地域経営や地域活性化のための新たな統治形態、秩序形成、地域形成の様式」と述べている。そして新川は、ガバメントと地域ガバナンス（共治）の違いについて、ガバメントとは従来型の地方自治体中心の地域経営を意味し、対して地域ガバナンスとは住民・NPO・事業者・専門家・自治体職員・地方政治家などがネットワークを形成し、政策決定や実施に影響力を行使することであると指摘。「これまで自治体が地域政策の決定や実施において中心的な役割を果たしてきたが、これからは住民等との連携協力や役割分担関係に立って活動していくことになる」[13)] と語っている。筆者もまったく同感である。

こうした地域ガバナンスや官民協働の実践は、本書の各事例を読むと、浮かび上がってくる。だからこそ、本書は、地域総ぐるみになって、地域の変革に取り組む物語でもある。決して文化芸術だけの話ではない。

注

1）総務省 HP。https://www.soumu.go.jp
2）総務省 HP。同上。
3）総務省 HP。同上。
4）中川幾郎『分権時代の自治体文化政策　ハコモノづくりから総合政策評価に向けて』勁草書房、2001、41 ～ 47 ページ。
5）「古代淀江ロマン遺跡回廊」推進会議編『文化政策と地域活性化を考える　～ポスト・コロナの視点から』同推進会議、2022　に掲載の中川幾郎講演。16 ページの図 10 参照。
6）中川は 2023 年 4 月 28 日に「本のある工場」（大阪市此花区）で行った文化と地域デザイン講座にて、熱っぽく語った。中川幾郎編『地域自治のしくみづくり　実践ハンドブック』学芸出版社、2022 年、を参照。
7）新川達郎「地域ガバナンスから見た指定管理者制度へのアプローチ」『ガバナンス』ぎょうせい、2005 年 4 月号、21 ページ。
8）新川達郎「ポスト分権・合併時代の地域住民組織と協働（上）」『自治実務セミナー』第一法規、第 43 巻第 9 号、2004、43 ページ。
9）藤野一夫『みんなの文化政策講義　文化的コモンズをつくるために』水曜社、2022、154 ～ 189 ページ。
10）藤野一夫＋文化芸術を活かしたまちづくり研究会編『基礎自治体の文化政策　まちにアートが必要なわけ』水曜社、2020、23 ページ。
11）同上書、23 ～ 24 ページ。
12）藤野一夫／秋野有紀／マティアス・テーオドア・フォークト編『地域主権の国　ドイツの文化政策　人格の自由な発展と地方創生のために』美学出版、2017、3 ページ。
13）新川達郎「ポスト分権・合併時代の地域住民組織と協働（上）」『自治実務セミナー』第一法規、第 43 巻第 9 号、2004、43 ページ。

第2章
【産業・食・建築・風景×観光】
身近な地域の資源で交流を生み出す

2章では、大阪・道修町（どしょうまち）のミュージアムストリート、小田原かまぼこ通り、熊本城、入江泰吉記念奈良市写真美術館、和歌山市立有吉佐和子記念館の5事例を紹介する。共通するのは「歩いて楽しむ」こと。身近にある地域の特色や地元の文化遺産に触れながら界隈を散策する魅力に着目してみた。

文化財保護法が2018年に改正され、翌19年に施行されたことで、文化財を活用しやすい環境整備が図られたとされる。さらに2020年に施行された「文化観光拠点施設を中核とした地域における文化観光の推進に関する法律」（文化観光推進法）も、文化政策をめぐる新たな動きである。同法は文部科学省と国土交通省が共管するもので、「文化」→「観光」→「経済」という好循環を生み出すことを狙いとしている。

法律名に用いられたことで、「文化観光」という4文字がクローズアップされている。京都に移転した文化庁には文化観光推進本部が新設された。政府の観光整備計画によると、大阪・関西万博が開かれる2025年には4000万人のインバウンド（訪日外国人観光客）の実現を目指すとされる。文化と観光の関係は時代の要請かもしれない。

京都府民である筆者は京都観光の人気ぶりを体感している。コロナ禍のなかでもホテルの建設が相次ぎ、感染症の広がりに一定の歯止めがかかると、JR京都駅界隈は観光客でごった返している。今後、大阪・関西万博開催などを契機にして、より大勢の訪日外国人観光客が訪れると期待される。

海外からの観光客による消費が日本国内の経済活動に刺激を与え、景気が浮揚するとの考え方を否定するつもりはない。とはいえ、いったい何を文化観光の対象にするか、が分岐点となる。神社仏閣の歴史的な建築物、あるいは重要伝統的建造物群保存地区（重伝建地区）などの「歴史性」を強く海外に売り込むのか。もしくは和食など「日本の食文化」をアピールするのか。現代文化芸術の魅力を伝えるのか。多様な戦略があり得よう。

筆者が周遊性や回遊性に着目したのには訳がある。特定の文化施設や歴史的建築物だけが賑わうよりも、地域全体に人々が訪れることで、エリア全域の活性化が持続可能性を高めると思うからだ。

筆者は、1章で触れたように「行政と民間が力を合わせてともに地域を治める共治」や「官民協働のまちづくり」の大切さを指摘してきた。官も民も重要なのだが、観光政策に限れば民の自主的努力に注目したい。

この考え方でいえば、大阪市中央区・船場のまちで進められている「ミュージアムストリート」の取り組みが興味深い。道修町は製薬メーカーが集積する全国屈指の「くすりのまち」なのだが、ここで民間設立の史料館・資料館・展示スペースなどが計6つも誕生し、まち歩きをしながら歴史を学ぶことができる。公立文化施設ではなく、あくまでも民の取り組みであり、行政の補助金を頼らずに、企業や神社という民間が連携したところに関心を寄せた。本来はライバル企業なのだが、「道修町の伝統」を踏まえて協働する。江戸時代から続く企業間ネットワークと仲間意識は強く、地図を作成して無料配布している。

小田原市のかまぼこ通りの取り組みも興味深い。相模湾沿いの道路には蒲鉾製造業者が集積しており、蒲鉾を食べ歩きする楽しみがある。会社によって練り方や温度などの製造方法が異なるそうで、界隈を散策しながら、各社の味を食べ比べできるからだ。2章掲載の他の事例にも期待したい。

これらのストリートの実践事例を知るとき、全国各地でも地域ならではの企画が広がっていくことを予感させる。「東京にないもの」の価値を再発見して物語化できれば、まちの魅力向上に貢献できるのではないだろうか。

1 伝統的な地場産業を活かしたまち歩き

大阪市・くすりのまち道修町の「ミュージアムストリート」

大阪・船場にある道修町

道修町は大阪市中央区の北船場に位置する。東西を貫く道修町通りの界隈に薬業関連企業が集中する「くすりのまち」である。最寄り駅は、大阪メトロ（地下鉄）・京阪電鉄の淀屋橋駅あるいは北浜駅だ。

なぜ製薬会社が集まったのか？　話は江戸時代にさかのぼる。

江戸時代の「大坂」が、全国各地から物産が集まる「天下の台所」だったことはよく知られている。各藩が集めた年貢米の多くは中之島周辺の蔵屋敷に集められ、売り買いされた。この堂島米市場は8代将軍・徳川吉宗の時代、幕府に公認された。先物取引所の世界的な先駆として知られる。

薬種（薬の材料。調剤前の薬品）も米と同様だった。豊臣時代から道修町周辺に薬種業者が集まっていたが、吉宗は1722（享保7）年、道修町の薬種中買株仲間を公認し、薬種取引を統制した。株仲間とは同業組合のこと。薬種の品質を検査し、適正な値段を決め、卸売りをする民間組織で、124軒（後に129軒に増株）の薬種商が株を持った。長崎に輸入された唐薬種のほとんどが道修町に集まった。同じく和薬種も株仲間で取り扱い、共に全国に供給された。

このまちには「くすりの神様」の少彦名神社（道修町2丁目）がある。境内に立つ社務所ビルの3～4階に「くすりの道修町資料館」が設けられている。館長の深澤恒夫（武田薬品工業出身）によると、株仲間の薬種商は特権を認められた分、必ず現在の道修町1～3丁目の地域内に住むことを課せられたという。表通りに店を構えないと、株を持てなかったそうだ。このため、世界でもまれな「くすりのまち」が成立した。深澤は「江戸時代の薬は『草根木皮』で、地方から船で運ばれ、安治川沖で小船に積み替えられ、船場の東横堀川まで届けられた」と話した。

資料館は薬に特化した民間ミュージアムだ。1997年に開設され、同神社の下に発足した道修町資料保存会が運営する。約200社の企業会員と約180人の個人会員による会費で切り盛りされている。深澤は「江戸時代の大坂には155の橋があったが、幕府が設けた『御公儀橋』は12だけ。他の橋は商人らがお金を出して建設した。大坂は民のまちだった」と指摘。「道修町は江戸時代からの仲間が保持され、ライバル同士が結束している。こんなまちは全国どこにもない。『自利利他』の精神がある」と笑顔で述べた。

深澤は武田薬品工業の本社総務部で主席部員を務めていた。「体を張って企業防衛や危機管理に携わった」という。労働組合の役職も経験した。2009年には神戸市・御影にある武田史料館の初代館長を拝命。67歳で退職したものの、実績が評価されて12年、くすりの道修町資料館の3代目館長に就任した。

「当時の来館者は1日5、6人だった」と振り返るが、持ち前のバイタリティーで広報に力を入れ、紙芝居を用いて分かりやすく道修町の由来や製薬会社の歴史を語る講演を繰り返すなどした結果、新型コロナウイルス感染拡大の前には修学旅行生や薬学部の学生、歴史ファンらを中心に年間1万人が来訪するようになった。筆者が聞き取り調査を行った2023年4月は、製薬各社の新入社員研修を担当するなど、講演に追われていた。

館内は7つのコーナーに分かれている。「道修町のあゆみ」「商い」「品質管理」「結束と繁栄」などで、パネル展示に加えて古文書や当時の道具類などを展示。4階の資料室では貴重な古文書を保管する。入館は無料。コロナ禍の際は一時閉館していた。

主な所蔵品は株仲間の寄合所に残されてきた古文書だ。1872（明治5）年に株仲間は解散したものの、近代的な同業組合の道修町薬種商組合に移行。江戸時代の文書を一括して保存してきた。これを「道修町文書」と呼ぶ。江戸時代の近世文書（3000点）と、明治に発足した商組合の近代文書（3万点）で構成される。道修町の界隈は太平洋戦争の空襲時も奇跡的に焼けず、今に伝わる。

同文書の散逸を防ぐため、製薬業界が資金を持ち寄って整理。専門家の指導を得て、整理番号を付けていった。整理番号の1番は「薬種御改指上申一札控帳」だ。「にせ薬」取り締まりに関し、1658（明暦4）年に出された文書で、最古の資料である。

「くすりの神様」として知られる少彦名神社

江戸時代、株仲間の親睦団体「伊勢講」（伊勢神宮に参拝する団体）が、「神農さん」（炎帝神農＝古代中国の伝承に登場する三皇五帝の一人で、医療と農耕の術を教えたとされる）を信仰していたが、1780（安永9）年に京都から少彦名命（医薬などの神）を寄合所に勧請し、神棚に祭った。天保以降、寄合所の庭に小さな社を建てた。これが少彦名神社の前身に当たる。

伊勢講を引き継ぐ形で、1884（明治17）年に薬祖神の崇敬者団体「薬祖講」が結成され、明治になって生まれた同神社を保持・運営してきた。薬祖講は道修町の薬業関係者で構成されており、「住民の氏子がいない」という珍しい形態である。明治になって解散した株仲間のうち、有力な薬種問屋は洋薬製造を開始する。民間主導で薬学の講習会や夜学校が開かれた。道修町の有力薬業家らが結束し、大阪薬品試験会社を設立するなどして医薬品の試験業務を行った。江戸時代の仲間組織の結束が背景にあったとみられる。

これらの伝統は今も引き継がれ、「製薬関連の各社では、何かあると総務や広報の部門ごとに勉強会を開き、情報交換を行う」（製薬会社幹部）そうだ。共存共栄の精神がある。

少彦名神社宮司の別所賢一（1972年生まれ）は「2022年は、幕府が薬種業者を株仲間として公認してから300年という節目だった。これからも道修町の伝統を守り伝えていきたい」と意気込んだ。

民間ミュージアムが集まるまち

共存共栄や結束の一例として「道修町ミュージアムストリート」を紹介しよう。東西に走る道修町通りの1丁目から3丁目まで、医薬品に関する展示施設が、約300mに6カ所も集中していることから、田辺三菱製薬史

図1　田辺三菱製薬史料館の内部。明治初期の店構えが復元されている（2023年4月撮影）

料館ができたことを機に、提携するため、同館が呼びかけて名づけられた。

開設の年代順に紹介すると、①少彦名神社内の「くすりの道修町資料館」(1997年)、②武田薬品工業に関連する武田科学振興財団の「杏雨書屋」(2013年移設)、③住友ファーマの展示ギャラリー（2014年)、④「田辺三菱製薬史料館」(2015年)、⑤塩野義製薬の本社展示コーナー（2016年)、⑥コニシ株式会社の「旧小西家住宅史料館」(2020年）――である。

おしゃれなイラストを添えた地図が配布されている。作成したのは、道修町3丁目に本社を構える田辺三菱製薬である。

同社は2015年、本社ビルを14階建てに建て替えた。これを機に、本社2階に史料館（広さ220m^2）を新たに設けた。翌2016年、同社が費用負担して「道修町ミュージアムストリート」の地図を作成。その後も施設が増えるたびに地図を更新してきた。

史料館館長の泉川達也（大阪コーポレートコミュニケーション部長）は「商売ではライバルだが、寄り合って物事を決めてきた昔からの株仲間。総合的な資料展示の方が盛り上がる。お互いさまの精神で」と述べた。

泉川によると、同ストリートのウェブサイト開設、印刷費、デザイン料などの初期投資や、その後の更新作業などに一定の経費を要するが、「部長決裁の裁量範囲」という。しかし、地図のどこにも「作成：田辺三菱製薬」の文字を入れていない。「各社のミュージアムにとって、他社が作成した地図だと置きにくいだろうと配慮した」。

2023年4月13日に史料館を訪れてみると、「田邊五兵衞商店」の店構えが目に飛び込んできた。明治期、この地にあった元店舗の姿だ。幅は原寸大。当時の登記簿謄本や写真から間口を忠実に再現した。タイムスリップした気分になる。50分の1の模型も置かれ、屋敷全体の構造や薬取引でにぎわった様子も示されている。

旧・史料館（広さ123m²）は、大阪市淀川区の大阪工場内に設けられ、入館は関係者に限定されていた。しかし新たな本社ビルが建設されたことで、道修町に約2倍の面積を確保して新築移転した。泉川自身、研究開発職として大阪工場に勤務した経験を有し、「旧・史料館には海外のお客さまをご案内した思い出がある」と振り返る。一般公開に踏み切ったのは「社会貢献（CSR）」や「社のブランド向上」のためだという。入館は無料で、史料館のホームページ（HP）から来館予約をしてもらう。

史料館には当時の船場の様子を伝える「本物」が幾つか展示されている。一つには「根元本家　たなべや薬」と書かれた木製の看板である。創業以来、軒先に掲げられていた物で、江戸時代の物だ。向かって右側には「第一さんぜんさんご打身によし」とするうたい文句が刻まれ、左側には「調合所　田邊屋五兵衞製」と明記された。いろいろな生薬を配合したもので、出産前後の薬としてよく売れたという。「たなべや薬」が家業の繁栄をもたらし、初代田邊屋五兵衞は「禁裏御用」を務め、京の朝廷から注文を受けるようになる。今で言えば「宮内庁御用達」である。

二つには「勅許看板」である。「御振薬調合所」と中央にあり、右側に「田邊屋五兵衛」と書かれ、左側は官位で「黒川大和大掾藤原金永」と記された。泉川は「かつて厚生労働省の元職員が訪れた際、『とても珍しい』と感心された」と語る。

なぜ残されたのか？

泉川によると、1945年の大阪大空襲の際も田辺製薬本店は燃えなかった。しかし翌1946年に本店で火災が発生。「当時、火事などの緊急時には大切な物を運び出す担当者が決められていたそうなので、事前の取り決め通り、社員が両看板を持ち出して避難させたのではないか」という。そのおかげで来場者は「本物」を体験できる。オフィスビルや高層マンションが林立する船場で、往時の雰囲気を感じ取れるのだ。

同ストリートに新たな施設が加わった。2020年に開館した旧小西家住宅史料館（道修町1丁目）である。接着剤の製造・販売などを手掛けるコニシ株式会社が運営する。同社の前身は1870年創業の薬種商で、戦後に合成接着剤を開発。現在は「ボンド」のブランドで知られる。

史料館は旧本社で、1903年に完成した木造の歴史的建築物である。2001年には国の重要文化財に指定された。2019年まで関連会社が使っていたが、創業150周年を迎えた2020年に約1億円をかけて再整備した。

広さは約1000m²。店舗として使われていたスペースを改装して展示ゾーンを設け、すずり箱、ちょうちん、会社の印章などを公開する。住宅部分は書院、仏間、庭、台所、内玄関などを保存している。

事前予約制で、毎週火曜と金曜に案内する。入館は無料。1回8人まで。毎月200人ほどが来館するという。石井隆康（大阪総務グループ参与）ら総務担当社員2人が同社の法被を着て、案内を担当する。石井は「田辺三菱製薬さんが作成された道修町ミュージアムストリートの地図は、史料館の待合室に置いている。『他にも見学できるところはありますか？』と質問された場合、この地図をお渡ししている」と答えた。

見学者は多様で、歴史に関心を持つ年配者や建築を学ぶ大学生もいる。文豪・谷崎潤一郎の小説「春琴抄」は道修町の商家が舞台となっており、役作りのために演劇関係者が来訪したこともあったという。

「くすりのキャラクターパレード」も

田辺三菱製薬の本社1階ロビーでは、ふわふわした白い毛並みの「たなみん」が来訪者を迎える。2016年に誕生した同社のキャラクターである。営業から広報に異動してきた史料館担当の岡村美香（大阪コーポレートコミュニケーション部）は「本社の営業時間内なら『たなみん』の撮影は、どなたでも歓迎です。『たなみん』の壁紙も当社のHPからダウンロードできます。どうぞ、かわいがってください」と笑顔を見せた。

少彦名神社の例大祭「神農祭」（毎年11月22～23日）に合わせ、田辺三菱製薬の本社前の公開空地には製薬各社のキャラクターが集まる。「くすりのキャラクターパレード」と銘打ち、2013年に始まった。愛らしいキャラクターが東西を貫く通りを練り歩くと、大勢の子どもたちが笑顔で駆け寄り、写真を撮影する。大変なにぎわいになる。

図2　道修町には、くすりのキャラクターが集まり、大勢の人が詰めかける（田辺三菱製薬本社前にて）（大阪家庭薬協会提供、2022年11月23日撮影）

大阪家庭薬協会（51社）が参加を呼び掛ける。専務理事の田中祥介（1956年生まれ）は「商品PRよりも、道修町を盛り上げたいという気持ちからだ」と説明。「道修町を読めない方が増えてきたので、まちの知名度を高めたい」と願う。

スタートした2013年は4体だけだった。コロナ禍前の2018年には16体が登場し、過去最多だった。コロナ禍の2020年と2021年は中止されたものの、復活した2022年は14体が参加した。

協会のまとめによると、2022年に参加した製薬各社のキャラクターは次の通り（会社名の50音順）。

▽かんちゃん（イチジク製薬）▽カイゲンの風神さん（カイゲンファーマ）▽熱さまくん（小林製薬）▽せんせん（千寿製薬）▽正露丸くん、糖衣Aちゃん（大幸薬品）▽たなみん（田辺三菱製薬）▽打破山眠太郎（常盤薬品工業）▽シンヤくん（日本新薬）▽カルノちゃん（浜理薬品栄養科学）▽仁丹王子（森下仁丹）▽龍角散ダイレクト君（龍角散）▽ロッ太くん（ロート製薬）

このほか、大阪科学技術館（大阪市西区）の「テクノくん」が駆け付けた。

小林製薬の「熱さまくん」、大幸薬品の「正露丸くん」、森下仁丹の「仁丹王子」と言えば、読者も「ははん」と分かるかもしれない。家庭薬に限らず、医療用医薬品メーカー、東京の製薬会社にも参加を呼び掛け、全国規模になってきた。協会の事務職員である岩永裕子（1951年生まれ）は「集客力がすごい。歩けないほど人々が集まる」と驚く。参加キャラクターの数は今後増えていく可能性がある。

道修町のまちづくり

道修町まちづくり協議会（2015年発足）と大阪市は、協働しながら無電柱化工事と歩道拡幅に取り組んでいる。道修町通りは公道幅が7.8mと狭く、歩道もなかった。そこでまち歩きや車いす利用者のため、南北両側に歩道を設計。無電柱化に向け、変圧機能を持つ地上機器を民間所有地に置いてもらう。2023年6月現在、道修町の堺筋から御堂筋までの約500mの間（道修町2～3丁目）に歩道が完成している。堺筋の東側（1丁目）や御堂筋の西側（4丁目）は今後の検討課題だ。例えば田辺三菱製薬の本社前は2022年6月に歩道ができた。2024年の後半に電柱を抜き去る工事を予定しており、2025年の大阪・関西万博に間に合わせたいという。

まちづくり協議会の事務局は、田辺三菱製薬本社の総務部に置かれている。初代の会長を同社の会長が務めた縁からだという。2022年3月には「道修町通地域景観づくり協定」が、同協定に同意する地権者と協議会の間で締結され、大阪市に認定された。市の都市景観条例に基づき、道修町全体のブランド価値を向上させる。今後は、まちなみ形成のルールに関する行為を行う場合、事前に同協議会の協定委員会に届けることになった。有効期間は「10年」である。

協議会の資料によると、かつて道修町の軒下は人々の交流の場で、床几（しょうぎ）が置かれた。この伝統を現代に引き継ぎ、敷地をセットバックして植栽したり、憩いの場を設けたりするという。田辺三菱製薬の本社ビル前の公開空地はその一環として、薬草などの植栽を行い、通りに面した低層部の壁面はレンガとガラスを用いた。

同協定では「1階の壁面の50％以上は透過性のあるもの」を推奨し、サイン・屋外広告は必要最小限としている。

今後の課題

道修町のまちづくりを巡り、大きな課題となっているのは土日・祝日の対策である。都心のオフィス街だけに、平日の昼間は製薬関連業界の会社員や商用来訪者でにぎわっている。しかし土日・祝日は、人の姿がグンと少なくなる。飲食店なども閉まってしまう。

大阪家庭薬協会の岩永は「1979年から協会に勤務してきたが、この辺りは昔、休日になると人っ子一人いなかった」と証言。しかし「近年はマンションが立ち並び、住民が増えてきた。さらにホテルやゲストハウスができ、スーツケースやキャリーバッグを持った外国人観光客が急増している」と語る。

観光名所になり得る文化資源はあるものの、薬業関連のオフィス街なので、対応が難しい印象である。少彦名神社の宮司で、道修町まちづくり協議会の常任理事を務める別所は事態を懸念する。別所は「歩道を新設し、電柱を地下化しても、結局は多くの人々に歩いてもらわないと意味がない」と指摘。そして「大阪・関西万博は『いのち輝く未来社会のデザイン』をテーマに掲げており、くすりのまち・道修町にふさわしい。万博の会場だけで大阪の歴史や魅力を伝えるのは限界がある。その点で、道修町は『第二の万博会場』になり得る」と夢見る。

別所の構想を実現するためには、くすりの道修町資料館や企業の展示施設の「休日公開」が求められるだろう。別所は「せめて大阪・関西万博が開かれる2025年の半年間だけでも、休日開館できないものか。大阪府や大阪市にも状況を理解していただき、支援を求めたい」と問題提起した。さらに「万博会場に、くすりのキャラクターたちを登場させることはできないか」とも期待する。

筆者は2023年の3月から5月にかけて計4日間、道修町に通った。かつて大阪で全国紙記者を務めていたものの、ここまで詳しく道修町界隈で聞き取り調査を重ねた経験はなく、初めて知ったことが多かった。

展示施設の集中は民間による文化政策であると理解できるし、少彦名神社の来歴も興味深い。歴史を生かした道修町のまちづくりは「地域×文化×デザイン」のありようを考える上で、好事例に思えた。

（『地方行政』2023年7月24日号）

2 地元の食文化から生まれる食べ歩き観光

神奈川県小田原市「小田原かまぼこ通り」

かまぼこ通りと交流施設

神奈川県小田原市の「小田原かまぼこ通り」は東西2本、南北1本の計3本の道路（長さ計1.5km）の愛称である。相模湾沿いに蒲鉾業者8社が本社を置く。各社ごとに蒲鉾の味や食感が異なり、食べ歩きを満喫できる。かつて魚市場が近くにあり、海産物業者が集積した。

この通りで2020年10月3日～25日の土日曜計8日間、「秋酒あじわい巡り」が実施された。蒲鉾店、干物店、そば店など7店舗が参加。揚げ蒲鉾、干物などをつまみに県内全13酒造の地酒を楽しんでもらう企画だ。前売料金は大人2500円（税込）。国道1号線に面した市立の小田原宿なりわい交流館に受付が置かれ、えんじ色の法被を着た同館副館長、小西里奈（1979年生まれ）らが申込客にひも付きの紙トレーを手渡した。利用客は首からトレーを下げて酒のコップを置いて各店舗を巡った。2019年春にも「さくら新酒めぐり」を行うなど、近年、同通りで盛んに行われる行事は民間団体・小田原かまぼこ通り活性化協議会の主催だ。同協議会専務理事も務める小西は「歩くことで地域の魅力を体感していただければ」と笑顔で話した。

図1 「小田原かまぼこ通り」の看板。この界隈には蒲鉾製造業者の店舗や工場が集まっている。左は小西里奈さん

なりわい交流館は旅籠風の外観をした木造2階建て。1932（昭和7）年に建てられた網問屋跡で、市が取得して「お休み処」に改装、2001年に開館した。1階座敷では観光客に無料でお茶の接待をする。2階は市民活動の場だ。

協議会には市内の蒲鉾業者全

11社が加わるほか、まちづくり関係者等を含めて約50人が入会。市から239万円（2019年度）の補助金を受ける。協議会有志で設立した合同会社小田原かまぼこ発信隊が2020年4月以降、市から同館の管理運営業務を委託された。委託料は年間約850万円。市は民間の活力を導入することで同館の魅力と機能を高め、「まちなか回遊の拠点にしたい」と考え、業者選定にプロポーザル方式を導入し、委託先に同発信隊を選んだ。

仕掛け人の登場

活性化の旗振り役である協議会会長は田代守孝（1975年生まれ）である。同発信隊の代表社員を兼ねる。本業は1781（天明元）年創業の老舗蒲鉾会社「鱗吉（うろこき）」の経営者だ。2015年にはギネスブック登録に挑み、仕掛け人として一躍知られるようになった。許可を得て同通りに蒲鉾製造の板枠を設置、両脇から蒸気を送り込んで長さ87.95mの板蒲鉾をつくり、市民に振る舞った。複数のテレビ局が取材に訪れ、同通りの名を広めた。

協議会は2016年から毎年10月、許可を得て同通りに畳を敷いて地酒を楽しむ「小田原宿場祭り」を主催。2019年は300畳を敷き詰めた。1日だけの行事に2万人が集まり、大いに賑わう。2020年は「密」を避けて中止を余儀なくされた。代替行事が先述の秋酒あじわい巡りである。

田代は20数年来サーフィンを愛する。日本大学芸術学部写真学科を卒業した芸術家肌の人物でもある。「老舗のボンボンだった」と自ら語る田代は2001年～2015年、小田原青年会議所（JC）の活動に従事。同JC専務理事、日本JC常任理事特別補佐を歴任。そして2014年に協議会を立ち上げた。田代は「新しい仲間をいつも探している。男性が多くを占める協議会なので女性会員を求めていた」と言い、小西を仲間に誘った。小西は元保育士。小学校PTA副会長を務めるなど社交的な性格だ。保険業を営む夫が田代とJC仲間だった。

宿場町だけに着物の似合うまちにしたい、と田代らは夢見る。同発信隊は市の補助金を得て同通りの空き倉庫を改装して着物レンタル店舗づくりを計画。2021年7月に開店予定だ。

まち歩きによる魅力向上

田代が「地域の生き字引」と慕うのが平井丈夫（1953年生まれ）である。発足当初の協議会で副会長を務め、現在はアドバイザー。協議会がまち歩き地図を作る際に文章を提供したり、宿場祭りの企画を助言したりする。白髪姿がダンディだ。平井は小田原城・箱根口門そばの旧武家屋敷街で生まれ育った。日本大学生産工学部を卒業後、ホテル勤務を経て「ケントスコーヒー」店を開業、コーヒー豆卸売も続けてきた。市内に借りていた店舗が老朽化したので、2017年、旧魚市場跡の前の空き家を見つけて自店を移転させた。「田代守孝君らが頑張っているものの、かまぼこ通りにはまだ店舗数が少ない。まずは僕自身で出店しなくては」と考えた。

平井は店舗のあった地域商店街の組織づくりに尽力し、商店街連合会青年部の発足に関わった縁から、市が2000年に政策総合研究所を設立した際、市民研究員に就任。「研究員時代、旧東海道沿いのまちづくりを研究した。当時は民間所有だった旧網問屋（現なりわい交流館）の売却話が出て、壊されると噂された」と振り返る。懸念して研究所の紀要『小田原スタディ』第1号に提言をまとめた。「『海のなりわい』の文化を象徴する、小田原宿のシンボル的な交流拠点として活用すべき」「まち歩きを通じて来訪者に小田原1000年の物語を発見してもらいたい」と提言した構想は今、実現した。

さらに平井は仲間らとNPO法人小田原まちづくり応援団を設立し、2017年まで同NPO理事長を務めた。小田原城址公園そばには侯爵・黒田長成の別邸「清閑亭」が残されていた。市が同亭を入手して小田原邸園交流館に活用する際、同NPOで管理運営を引き受けた。周辺には東京の政治家・経済人の別邸が集積しており、各邸宅を歩いて回るガイド業務を考案。同応援団スタッフが赤いベレー帽をかぶって案内する「邸園さんぽ」事業を始めた。2019年3月には「日本まちあるきフォーラム」を小田原に誘致。意欲的な各地の事例に刺激を受けた。

この結果、同市観光協会のもと、小田原まち歩き実行委員会が2019年

4月に発足した。小田原城界隈の案内を主に行うNPO法人小田原ガイド協会、邸園文化に詳しい同応援団、平井が代表を務める小田原まちセッションズなどで構成する。同団体は「メンバーを固定せず行事ごとに集う」(平井）といい、かまぼこ通りを中心に2時間半の徒歩コースを設定してガイドする。

図2　小田原のまち歩きの拠点である「にぎワイ交流館」は昭和初期に建てられた網問屋の建物を活用している

なりわい交流館、松原神社、相模湾の御幸（みゆき）の浜、田代の店舗「鱗吉」等を回る。定員15人、参加費1人2000円。平井は「まち歩きの一番の楽しみは面白い地元の人に出会えること」と語った。

行政による歴史まちづくり

田代や平井ら民間人の動きに触発されて同市も動き出した。平井によると「旧東海道のなりわい文化を顕彰するべきと提唱しても、市側は強い関心を示さなかった」そうだが、市は近年、組織横断で本腰を入れる。契機は2008年制定の歴史まちづくり法である。2011年に同法に基づく市歴史的風致維持向上計画（10年間）をまとめ、県内第1号として国に認定された。同計画の歴史的風致の1つに「宿場町・小田原の水産加工業」を位置づけた。

2019年には歴史的建造物利活用エリアコーディネートプランを策定。2020年には企画、総務、文化、経済、都市、建設、消防の7部にまたがる計19課を集めて同利活用プロジェクトチームを編成した。検討チームのサブリーダー、田邉周一（1974年生まれ。まちづくり交通課副課長）が調整役を担う。田邉は都市部勤務11年目で根っからの土木技師。同計画等に関わり、歴史的建造物を生かしたまちづくりを担当し続けてきた。「歴史まちづくり法ができるまで文化政策に関わったことは一切なかった。最初、文化政策担当の職員とは考えが合わなかった。しかし互いに意思疎通を図り、縦割り意識をなくしていった」と打ち明けた。

市は2017年に同協議会の支援を始めた。まちづくり交通課が同チームの事務を担う。増える空き家の対策、景観修景、なりわい交流館の活用に対策を打ち出した。たとえば2017年の社会実験では、小田原城を訪れる多くの観光客に足を伸ばしてもらうため、かまぼこ通りまで「500m」などと歩道に表示シールを貼り付けた。国道1号線に同館の案内表示を出した。空き家を埋めるためには補助金制度を設けた。おかげで2019年度には元酒販店を改装して多拠点生活のためのシェアハウスができ、平井が「家守（やもり）」に就任した。2020年度の申請は2件で、このうちの1つが先述したレンタル着物店である。

とはいえ、蒲鉾業者の減少や人口減少などの課題が山積する。市によると小田原蒲鉾協同組合の加盟社は1940年の25社から1966年には16社に。そして2020年12月に1社が脱退して現在は11社まで減った。高齢化が市内平均より著しく、定住者が減って空き家が目立つ。

本町3丁目地区の人口は2007年の902人から2015年の805人に落ち込んだ。複数の地元関係者の話を総合すると、小田原観光は箱根の玄関口とのイメージが強く、箱根の動向に左右されがちなうえ、観光客の70%は小田原城に集中していたという。このため今後のカギは、小田原城からさらに足を伸ばして市内各地にまで訪れてもらえるかどうか次第であると筆者は受け止めた。

実は2015年、小田原の観光・経済人を震撼させた事態が起きた。箱根・大涌谷の噴火警戒レベルが上昇。相当期間、道路閉鎖やロープウェイ休業が続き、小田原の観光客も減少した。だからこそ民間も行政も「小田原を最終目的地にしなければ」と誓い合う。その熱意の1つが、かまぼこ通りの活性化という訳なのだ。

(2021年2月号)

3 被災文化財の復旧工事を観光資源に

熊本市・熊本城「くまもとよかとこ案内人の会」

赤シャツと黄シャツの案内人たち

強い日差しを受けて熊本市内の最高気温は29度まで上昇した。2017年6月11日の日曜日、熊本城に向かうと、中国の団体観光客が観光バス130台で訪れ、大混雑だった。前年（2016年）4月14日と16日の2度、震度7の地震に見舞われた熊本だけに、予想外のにぎわいは意外だったが、城内を歩いてみると印象が一変した。あちこちで櫓や石垣が崩壊している。フェンスに囲まれた入場可能区域を歩くと、戌亥櫓が見えた。石垣の角石1列だけで櫓を支える「奇跡の一本石垣」の光景が、地震当時の姿を保っていた。

くまもとよかとこ案内人の会の会長（当時）、吉村徹夫（1949年生まれ）が団体客10人余を案内して歩いていた。「熊本城の広さは東京ドーム21個分。石垣50カ所が崩れた。みなさん、復興までにもう一度来てください」。汗を流しながらの懸命の説明だった。

吉村は城下町に生まれ育った。実家は江戸時代からの米穀店。11歳のとき熊本城天守が再建され、記念行列「千人清正」に参加した。五福小の男子児童が加藤清正の装束で練り歩いた。藤園中学は熊本城そばにあり、天守を見上げながら登下校したものだ。電電公社（NTT）の社員時代も熊本支店は城と至近距離。「生活の中に熊本城があった」。定年前の2008年、同会に入会して案内活動を開始。

図1　地震被害から1年後の熊本城で、黄色のシャツを身に着け、実在の細川藩士がモデルとなった「るろうに剣心」の絵を掲げて団体客を案内する吉村徹夫さん（2017年6月撮影）

地震直後の2016年4月から会長に就任した。いつも一生懸命で笑顔を心がけている。身長167cm。ふくよかな体型から修学旅行生らには「くまモンみたい」と評判だ。

熊本国際観光コンベンション協会から業務委託を受ける同会の会員は70人。交通費を受け取るだけのボランティア団体である。城内の事務所に常駐して当日受付OKの赤シャツ3人（繁忙期4人）と事前予約客を案内する黄シャツに分けられる。地震2カ月後の6月17日からガイド活動を再開した。「無我夢中の1年でした。昨年4～5月は団体客のキャンセル電話が鳴りっぱなし。しかし九州旅行に補助する政府の『ふっこう割』が導入されると、9月から観光客がどっとやって来た。熊本の観光経済が息を吹き返した。本当にありがたかった」（吉村）。

2016年度のガイド実績は6万886人に達した。2015年度の4万6673人を上回り、過去最多を記録した。

復興まで「概ね20年」

熊本市の同城復旧基本方針（2016年12月）によると、復興までに「概ね20年」かかるという。石垣の29.9%に被害が出た。膨らみや緩みが517面で見られた。地盤は70カ所計1万2345m²に陥没や地割れがあった。重要文化財建造物は13棟（うち倒壊2棟）に、再建・復元建造物では20棟（うち倒壊5棟）に被害が生じた。被害額は石垣425億円。重要文化財建造物72億円。再建・復元建造物と公園施設137億円。総額634億円である。文化財には文化庁から、都市公園には国土交通省から補助金が支出される。同方針には「修復に際しては可能な限り崩壊原因を調査し、（中略）独自の伝統技法を用いるなど、文化財的価値を損なわない丁寧な復旧を進めます」

図2　石垣が崩れていた熊本城（2017年6月撮影）

と記された。

同市は、復旧・活用・調査・保存に取り組む熊本城総合事務所を設け、下部組織として熊本城調査研究センターを設置している。責任者の副所長、網田龍生（1964年生まれ）は市採用第一号の文化財専門職である。「地震前に有料だった区域が立入禁止になっている。余震がなくても危ない。雨が怖い」と言い、安全確保に懸命である。実際に、地震2カ月後の2016年5月10日には白煙を上げて馬具櫓の石垣が崩れたほどだ。

熊本城調査研究センター

自治体が城専門の調査研究機関を持つのは珍しい。それほど熊本城が大規模なのだ。従来の事務所が被災したので、2016年8月19日、城北側に面した旧国税局の建物に移転した。文化財専門職10人など嘱託も含めて計15人が詰めている。ここから崩壊した石の調査に出向き、大きさを測ったり加工具合を調べたりする。1つずつ番号を振って将来の復旧に備える。他自治体から応援職員が赴任してくれた。

2017年4月から仙台市と滋賀県の職員が勤務。同10月からは松本市職員が駆けつける。いずれも仙台城、安土城、松本城という重要城郭を抱えており、熊本城の惨状は決して他人事ではない。関根章義(1981年生まれ)は仙台城史跡調査室から異動してきた。福島県出身。中央大学大学院では奈良平安時代の土器研究を行った。「東日本大震災で崩れた仙台城の石垣を直した経験があり、そのノウハウを伝えたい。熊本城は石垣が高くて面が多い」と話した。

副所長の網田は「文化財所管の文化庁、都市公園を担当する国土交通省ともに、これほどの大きな被害が出たことはなかった」と指摘したうえで「全国各地の石工さんや技師がここに派遣されて復旧を経験することに。熊本城が技術継承や実地研修の場になる自負を持ちたい」と語った。そして「我々は今後20年を〈熊本城の勉強期間〉と位置づけ、定期講座を始めた。20年続ける」と言う。全国からの講師派遣依頼も年間100件を超えている。

文化財保護と観光開発と

「負けんばい！熊本」の熱い気持ちに感銘を受けた多くの人たちから復興・復旧の寄付が寄せられている。2017年5月31日現在、「復興城主」（寄付者が復興のための城主になるという趣旨の寄付）に11億2000万円、同城災害復旧支援金に16億4000万円が集まった。計27億6000万円。「復興城主」には当初予想を大きく超える善意が届けられた。網田は、国の補助金では面倒を見てもらえない自治体負担の工事等に充てたいと考えている。

こうした文化財保護と観光の兼ね合いが今後の政策課題となろう。熊本市観光が決して順調ではないという背景がある。先述した熊本国際観光コンベンション協会の総務課長、大川滋（1966年生まれ）によると、九州観光は縦ライン（福岡—鹿児島）と横ライン（大分—阿蘇—長崎）があり、交差するのが熊本だった。しかし阿蘇に大きな地震被害が出た。「阿蘇と熊本をつなぐJRと国道57号線が現在でも不通。非常につらい」と打ち明ける。「熊本城の立入禁止区域をもう少し縮小して観光客に開放できないか。工事のない日なら特別公開できるのでは」と期待を込め、市側と交渉を始めたいと願う。

2019年に大きな節目がやってくる。ラグビーW杯と女子ハンドボール世界選手権の開催、そして市中心部に広さ3万m^2の（仮称）熊本城ホールが完成する予定だ。これらに合わせる形で、同年に大天守の復旧工事を終える目標が市によって明らかにされた。

国際観光客の増加を意識して、案内人の会は、会員を対象にした語学講座を新たに開設した。英語と中国語（入門と上級）、ハングルの5講座で、原則毎月1回実施する。会員70人中56人が参加を希望した。担当する副会長の多堀亞夫（1944年生まれ）自身、これまで駐日大使4人を英語でガイドした経験を持つ。

元国土交通省職員の多堀は「外国人のガイドは事前準備がとても大切。語学の勉強だけでなく、歴史を学ぶ必要がある」と強調した。熊本城の籠城が成功した西南戦争は「サツマ・レベリョン」、天守閣は「メイン・タワー」、見張り櫓は「ウォッチ・タワー」と表現するそうだ。

同会は同市市民公益活動支援基金の助成金と会の自己資金で60万円を捻出し、会場費と外国人講師の謝金に充てる。

熊本訪問は新鮮な体験だった。文化財の保護と活用は矛盾せず、文化財保護のプロセスが新たな観光開発につながる可能性を感じさせるからだ。「我々は傷んだお城を見世物にしている訳じゃない。復興･復旧していく過程をご覧いただいている」。会長の吉村が案内の際に熱く語った言葉を思い出した。

これからの20年、熊本城は文化財保護と観光開発の「社会実験の場」になる。自治体文化政策の取り組みとして大変興味深い。今後も注目していきたい。

(2017年8月号)

【補記】

書籍化にあたり、「くまもとよかとこ案内人の会」の吉村徹夫さんに連絡を取ると、会長を退かれていた。とはいえ、今も案内人の会のボランティア活動を続けられており、お元気な声だった。吉村さんによると、同会は現在、一般社団法人となった。法人格を有して、精力的に活動を継続しているという。

連載原稿に登場していただいた熊本城調査研究センター副所長の網田龍生さんは現在、所長に就任されている。網田さんからうかがった「その後」の動きを紹介したい。

1つには、「熊本城復旧基本計画」の見直しである。連載原稿にあるように、地震から2年後の2018年3月に策定され、計画期間を「20年」と定めた。計画は5年ごとに見直すことになっており、2023年3月に計画期間が「35年」に延長された。

網田さんによると、当初の想定よりも調査、設計、委員会検討に時間を要することが分かったためだ。さらに今後の工事にて急激な増減を避けるために平準化の視点でスケジュールを見直したという。

2つには、熊本城の公開が進んでいることである。復興のシンボルとされた「天守閣の復旧」を最優先とすることにして、予定通り、2021年3月に竣工した。同年6月から一般公開され、多くの人々が来城している。また、大天守の外観復元完了に伴い、2019年10月から、工事が休みの日曜・祝日に特別公開が始まった。そして、特別の見学通路が2020年6月から供用開始された。復旧工事の推進と来城者の安全確保を図り、平日でも本丸に入れるようになった。

網田さんが所長を務める熊本城調査研究センターは、毎年、文化財専門職員の新規採用を行い、センターの体制強化に努めている。連載原稿にあるように、現在も、他の自治体からの職員の応援を受け付けているそうだ。

寄付については、2023年1月末段階で、復興城主が約29億5000万円、復旧支援金が約24億8000万円、がそれぞれ寄せられたという。

熊本城を再訪したいと願う。

4 地域の風景を再顕彰、回遊型まち歩きルートを文化施設がつくる

奈良市「入江泰吉記念奈良市写真美術館」

古都奈良の風景を写真に

奈良奥山ドライブウェイの途中から見下ろす東大寺大仏殿と興福寺五重塔の風景。大池越しに眺める薬師寺の東塔・西塔の姿。いずれの現場にも「奈良県景観資産」の看板が取り付けられていた。写真家・入江泰吉（たいきち）（1905〜1992年）が愛した撮影ポイントである。

筆者は2023年1月9日（月曜・祝日）、入江泰吉記念奈良市写真美術館・主任学芸員の説田晃大（こうだい）（1971年生まれ）の運転するフィアット社製白色小型車に同乗させてもらい「絶景」現場を訪れることができた。

説田は奈良県桜井市の出身。京都の大学で民俗学を学び、同館開館翌年の1993年、学芸員に採用された。入江の研究を続けており、写真を撮影した場所を歩き、カメラを構えた位置を特定してきた。「入江は県内各地をよく散策した。太陽光線や光の加減によって撮影まで時間を要するときには界隈を歩き回り『その時』を待った」と説田は語る。さらに「蛇行した河川が護岸工事に伴って直線に変わったり、池の護岸がコンクリートに施工されたりして風景が変容することに心を痛めた。晩年、花の写真を撮影するのは万葉の花に魅せられたほか、地域開発で奈良の風景が変容したことも背景にあったのかもしれない」と解説した。

山梨県富士吉田市出身の写真家、桑原英文（えいぶん）（1953年生まれ）は8年間、入江の弟子を務めた。入江に手紙を書いて志願した。奈良市内に移り住み、アパートを借り、入江の自宅に毎日歩いて通った。「僕が弟子入りしたころ、先生は仏像に加えて花の写真撮影に励まれておられた。風で花びらが揺れていると風が止まるまでじっと待っていらっしゃった」と証言する。

〈古代の森〉のそばにある美術館

入江は奈良市に生まれた。1931（昭和6）年に大阪で写真店を開業。文

楽の撮影をした。1945年3月の大阪大空襲に遭い自宅兼店舗が全焼。古里に引き揚げた。終戦直後の同年11月、奈良の貴重な仏像等が米国に接収されるとの噂を聞き、記録することを決意。大和路の仏像・風景・伝統行事などの撮影を精力的に続けた。戦後を代表する写真家である。

生前の入江から、大和路風景などの写真現場やプリントなど計8万点が同市に寄贈されたことを受け、写真美術館が1992年4月に開館した。入江自身は開館前の同年1月に亡くなった。開館後も入江の妻から仏像などの写真原版等が寄贈され、現在は約15万点に達する。芸術家が作品を寄贈する前例はあるものの、著作権ごと寄贈されたのはとても珍しいという。美術館用地を探したところ、新薬師寺の旧境内地にあたる高畑町600番地の国有地が選ばれた。親交を深めた作家・志賀直哉の旧宅の近く。歴史的なまちなみが残された地域で、入江自身、しばしば散策した界隈だったからだ。

建物は地上1階地下1階で延べ2300m^2余。周囲の景観に影響を与えないように瓦屋根にされ、展示場は地下に収められた。建築家の黒川紀章が設計した。市総合財団が市から指定管理者に選定され、指定管理料は9023万円（2021年度決算）だ。

筆者は2022年12月28日（水曜）にも同館を訪れ、近鉄奈良駅から歩いてみた。上り坂だったので35分を要した。汗が噴き出した。春日山の森に隣接する静かなところだ。鹿ものんびり歩いている。帰路は春日大社境内の中を貫く「上の禰宜道」を散策した。境内に生育するイチイガシの巨樹群（市指定文化財）に包まれて空気が清々しい。841年から狩猟や伐採が禁止された聖域である。県庁近くに古代からの森が残された都市は他に思いつかない。境内には、お正月に先駆けて、欧州の人々やアジアの家族連れが訪れていた。「上の禰宜道」に若い白人男性が散策していたので、「どこから？」と尋ねると、「UK」（英国）と答えてくれた。外国の若者にも、この道が知られているのかと驚いた。

図1　入江泰吉記念奈良市写真美術館の外観（2022年12月撮影）

ロンドンで暮らした館長

「上の禰宜道」の魅力に注目したのが2022年4月に就任した新館長・大西洋（1966年生まれ）である。春日大社の着到殿を会場に写真家・石井陽子の作品展「一天四海　鹿参集」（2022年11月。入場無料）を開いた際、会期10日間で約2000人が鑑賞。「写真美術館まで足を延ばしてくれれば」と願い、希望者に招待券155枚を配布。「上の禰宜道」から同館に至る道程をピンク色のラインマーカーで示した地図を渡す社会実験を行った。着到殿で配布した招待券と分かるように「大西」の印鑑を押した。結果はいかに？「うち50人余りが美術館にも足を延ばしてくださった。春日大社や東大寺などと美術館の回遊路が可能だと感じた」と大西は振り返る。

意を強くした大西は2023年4～5月に同美術館・春日大社・奈良市立の「ならまちセンター」の3カ所でアートフェスティバル開催を企画。まちを巡る回遊性を高めたいと願う。

大西は異色の経歴を有する。東京都目黒区に生まれ育ち、青山学院大学を卒業。半官半民の金融機関勤務を経て、証券会社のロンドン現地法人で6年間働いた。帰国後に退職して起業。写真専門の出版社を立ち上げたり、企画会社の社長を務めたりしているうち、若手写真家らを表彰する入江泰吉記念写真賞の実行委員に就任。これが縁となって館長に推挙された。

週4日勤務の約束ながら、高畑町の一軒家を借りて東京から引っ越した。

本気で奈良と向かい合いたいと願ったからだ。同館まで徒歩5分、自転車で2分。出勤前や勤務後には妻と近くを散歩する日々である。「東京から訪れた友人は一様に『こんなに豊かな自然が残されているとは……』と驚くほど」と笑顔で語った。

大西は、奈良市は欧州の都市と共通点がある、とみる。「妻子とともにロンドンで暮らした際、数多くの欧州都市を訪れた。中心部には景観の優れた旧市街地が残され、広い公園、教会など歴史的建築物が存在していて居心地が良かった。奈良市にも『奈良町』の旧市街地、奈良公園、春日大社・東大寺・興福寺などの社寺がある。日本でこんな都市はない」と指摘した。

大西は回遊性向上に加えて2つの新機軸を打ち出した。メタバースを活用した美術館の開設と入江泰吉を顕彰する写真集の出版である。

入江泰吉の〈再発見〉

2022年度は入江の「没後30年」と同館の「開館30年」が重なる節目だった。偉人とはいえ若い世代に知られておらず、再顕彰の取り組みが求められていた。展覧会では「文楽」(4〜6月)、「大和のみほとけ」(7〜8月)、「大和路1945—1970」(8〜11月)、「春日野」(11〜2月)、「万葉大和路とみほとけ」(2〜3月)を同館で開催。書籍では1947年出版の『文樂』を75年ぶりに復刻。大西が創業した出版社「CASE」が発行した。さらに図録『大和のみほとけ』は新たに同美術館が発行し、「CASE」が販売した。さらに2022年には小学館からB2版サイズの超特大写真集『入江泰吉』(定価35万2000円。重さ14kg)が発売された。

先に紹介した「入江の歩いた道」の〈再発見〉も試みられる。学芸員の説田は全国紙の奈良版で2022年9月から「写真家入江泰吉　昭和の思い出」と題した連載記事を執筆している。月2回のペースで掲載。入江作品の撮影地点を特定し、現代と対比しながら紹介する。たとえば興福寺五重塔を南側から撮影した昭和20年代とみられる奈良町の風景には当時営業していた松竹系映画館・尾花劇場の建物が写り込んでいる。熟年世代には懐かしく、現代しか知らない若い世代には新鮮に感じる。尾花劇場は1979

図2　入江泰吉旧居の外観。入江泰吉記念奈良市写真美術館から徒歩圏にあり、回遊できる

年に閉館。今はホテル尾花に業態を変えた。社長の中野聖子（1968年生まれ）は奈良市旅館・ホテル組合の副組合長を務める。「入江泰吉先生は白髪で男前の方だった。今風に言えば『イケオヤジ』でしょうか。劇場主だった父は奈良ロータリークラブの後輩で、慕っていた」と中野は懐かしんだ。そして「奈良の観光パンフレットには入江先生の作品が数多く掲載されていたので、観光業者にとって、ご縁の深い方だった。うちのホテルにも入江作品に魅せられた県外客が宿泊した」と回想。しかし「近年は入江先生の名前をご存知ないお客さまが増えてきた」と打ち明ける。「リピーターのお客さまには入江先生の写真集を紹介して散策をお勧めしている」と述べた。入江の功績をもっと顕彰してほしいと願う中野は入江泰吉記念写真賞の実行委員を引き受けている。

入江の旧居も魅力的だ。1949年から亡くなるまで暮らした古民家で、住所は水門町。東大寺の旧境内に立地する。作家の志賀直哉、画家の杉本健吉、随筆家の白洲正子、文学評論家の亀井勝一郎ら名だたる文化人が訪れた。

2004年、入江の妻から市に寄贈されたのち、紆余曲折を経て2015年から一般公開が始まった。書斎の書棚には愛読書が生前のままに並べられており、客間、アトリエ、茶室、暗室、万葉の花を育てた庭も大切に保存されている。高畑町の美術館と水門町の旧居は直線距離にして約1.5km。両施設には、入場料を支払わなくても利用可能な場所にトイレが備わっている。ならば界隈の散策を楽しんでもらうために活用できる。入江泰吉が撮影したポイントを1つの「かがり糸」にして美術館・旧居・春日大社・東大寺・興福寺などを巡るコースは、訪日外国人観光にも今後役立ちそうだ。

（2023年3月号）

5 古い建物がなくても「復元」で観光文化資源はつくれる

和歌山市「和歌山市立有吉佐和子記念館」

杉並区の旧宅を復元して

和歌山市伝法橋南ノ丁に、ベストセラー作家・有吉佐和子（1931 ～ 1984年）を記念した施設が開館し、2022年6月5日（日曜）、テープカットが行われた。佐和子の長女で作家の有吉玉青（たまお）（大阪芸術大学教授）が「母の愛した紀の川のそばに開館していただき、感慨深い。『こんな作家がいた』と記憶していただければうれしい」と挨拶した。

開館から半年を経た2022年11月24日、京都に暮らす筆者は、JR・南海電鉄を乗り継いで紀州路に向かい、和歌山市立有吉佐和子記念館を訪ねた。オープン直後には開設を知らず、あとになって旧知の恩田雅和（1949年生まれ。元和歌山放送ディレクター）が同館長に就いたと聞き、駆けつけた。

有吉の旧宅は東京都杉並区にあり、1961年に建てられた。旧宅を復元した記念館の建物は木造2階建て延べ185.5m²。1階の元応接室（8畳）は展示スペースに活用され、ゆかりの品15点ほどを展示。月刊誌連載「日本の島々、昔と今。」の取材ノート、直筆原稿、万年筆4本などを公開していた。1階カフェにはアップライトピアノも置かれていた。

2階は書斎（8畳）を再現。机、椅子、照明器具、墨・硯入りの文箱、茶碗、コーヒーカップ、ガラス細工、本棚、百科事典など旧宅から移した愛用品を展示した。2階和室（10畳）はお茶会を開けるように設計。障子や襖などの建具、床柱、お茶道具を洗う水屋の水切り板も旧宅から運び込んだ。

同市は、旧宅の庭から灯篭（とうろう）、つくばい、庭石を運搬して当時のように配置した。『芝桜』に寄せてシバザクラも植えた。塀を建てず、隣接の公園から眺められるように配慮した。

図１　有吉佐和子さんが執筆に使った机と椅子。杉並区の旧宅から移された

有吉の父は銀行員。母は紀の川北岸の木ノ本村（のち同市に編入）の旧家出身である。有吉自身は同市内で生まれた。6～8歳は父の赴任先のジャワ島で生活。帰国して母の里に戻り、木本小学校に通った。10歳で上京後、戦争中は疎開で再び古里に。旧制和歌山高等女学校（現・県立桐蔭高校）に学んだ。

紀州を愛した作品をいくつも書いた。紀州三部作の『紀ノ川』『有田川』『日高川』、外科医の嫁を描いた『華岡青洲の妻』、旧木ノ本村を舞台にした『助左衛門四代記』などがよく知られる。

まち歩き観光の拠点に

同市文化振興課の説明や市議会議事録などによると、1970年代以降、旧木ノ本村の実家を保存する記念館構想もあったが、老朽化で断念。市内の公園に旧宅を移築・復元する計画も浮上したが、諸事情で見送られた。紆余曲折の末、生誕90年（2021年）に寄せて現在地で復元の運びとなった。

記念館の場所は南海和歌山市駅（市駅）から西に徒歩5分。元駐輪場の市有地だ。復元整備費は1億3300万円。担当した文化振興課副主査の西出俊之（1990年生まれ）は「財源は篤志家の寄付による市基金から7200万円。残る6100万円は内閣府の地方創生関連補助金で賄った」と話した。資金的には官民協働だ。

記念館に寄贈されたのは調度品68件である。すでに市民図書館は2005年に蔵書約1600点の寄贈を受けて「有吉佐和子文庫」を館内に設置。今後も寄贈書は増えるとみられる。さらに、2022年に市博物館へ資料約1500件（直筆原稿、資料、愛用の着物類など）が寄託された。2015年に茶道具など161件の寄託を受けた、わかやま歴史館にも2022年、新たに224件が寄託され、計385件に達した。

記念館、図書館、博物館、歴史館の市立4施設は徒歩15分の範囲。「有吉文学」をたどって歩ける絶好の散策コースが出現した。同課振興班長の辻博（1974年生まれ）は「記念館を訪れたあと和歌山城周辺にある関連施設に足を延ばしていただければ」と願う。

博物館では学芸員の小橋勇介（1983年生まれ。日本中世史。荘園や雑賀衆の研究者）が担当。2017年に杉並区の旧宅に出向き、移築か復元かの現地調査に立ち会った。月に1度は記念館を訪れ、来館者の様子を見て展示替えを検討する。歴史館では学芸員の大山僚介（1987年生まれ。日本近現代史）が担当。日本文学研究者ドナルド・キーンから有吉に贈られた麦茶碗を展示中だった。

大山は「2022年の新たな寄託で関連資料は一層充実した。郷土の偉人として顕彰していく」と述べた。大山は名古屋大学大学院文学研究科（後期課程）を修了。『大正・昭和戦前期の日本における航空思想の普及』で博士（歴史学）を取得している。「玉青さんから『母のお茶道具は実際に使ってください』との言葉をいただいたので、先日開いた記念館のお茶会に14点を貸し出すことができた」と笑顔で打ち明けた。

落語会の開催も

記念館の指定管理者（5年間）に選定されたのは施設管理会社や一般社団法人などで構成する共同企業体である。指定管理料は2022年度で997万円。事業費は少ないものの、2階の和室を活用して朗読会、お茶会、音楽会などの事業が毎月のように催されている。

初代館長の恩田は和歌山放送時代、「有吉作品を読む会」を主宰して1985年から4年間続けた。「当時の文庫本はすべて読んだ」と振り返る。有吉の3回忌に合わせ、杉並区の旧宅を訪ねた経験を有し、復元された建物に入ったとき「当時のまま」と感じた。

2023年1月8日には「こども落語寄席」が開かれ、小中高校生6人が話芸を披露する。全国大会優秀賞の芸名「ぴょんぴょん亭うさぎ」（高1女子）も出演する予定。主催する市民団体「わかやま楽落会」の事務局長、池田信義（1955年生まれ。JAわかやま勤務）は「市駅から徒歩5分のいいところにできた。駐車場も8台分、用意され有難い。定期的に落語会を開きたい。中心市街地活性化のための講演会も企画中」と述べた。

なぜ落語なのか？　有吉旧宅の住所は杉並区「堀ノ内」である。近くの妙法寺に有吉の碑が建立された。同寺は古典落語「堀の内」のゆかりの地であることから、落語芸術協会（東京）が「堀之内寄席」を開催。さらに初代館長に選ばれた恩田雅和は公益社団法人上方落語協会が運営する定席「天満天神繁昌亭」の初代支配人（現在アドバイザー）であり、同協会理事を務める。

恩田は新潟市出身。慶応義塾大学文学部を卒業後、和歌山放送に入社した。大学時代の1年間、結核で入院。心の友はラジオから聞こえる江戸落語だった。同放送ディレクターのときに落語会を主宰して上方落語の噺家を招いた。1991年から2004年までの14年間、落語番組を制作した。これが当時の同協会会長、桂三枝（現・六代文枝）に聞こえ、繁昌亭の初代支配人に招聘された。

恩田は「有吉さんは演劇雑誌の記者を務められ、伝統芸能に精通されていた。着物を愛し、三味線を弾いた。『和の文化』として落語と共通するところがある」と語る。そして「将来、プロの落語家を定期的に招くことができれば……」と夢を描く。文学顕彰だけでなく、記念館は地域の拠点として活用できそうだ。

駅前地区や城周辺の活性化

筆者が和歌山市内を訪れたのは20年余ぶりだった。1990年代後半、全国紙の支局デスクとして勤務して記念館から徒歩5分のところに住んでいた。今回、南海電車の車窓から紀の川の豊かな青い流れを見たときに思い出が蘇ってきた。

当時から同市東部のJR和歌山駅界隈が賑わいを増す半面、西部の南海和歌山市駅界隈は人通りが減っていた。和歌山城近くの県立和歌山医科大学が郊外に移転し、大型商業施設が郊外に開業するなどして市駅界隈や商店街「ぶらくり丁」は衰退傾向に。市は中心市街地を活性化させる狙いから2019年、市駅前に市民図書館（蔵書約50万冊）を新築。午前9時〜午後9時に開館して賑わいの復活を図った。2021年、老朽化した市民会館を移す形で城北側に和歌山城ホールを開館。無料開放の同屋上から、天守閣の絶景を目の前に眺めることができる。市駅から和歌山城周辺の〈まちの風景〉は一新した。

図2　庭側から見た有吉佐和子記念館（2022年11月撮影）

楽落会事務局長の池田信義は一般社団法人「市駅グリーングリーンプロジェクト」のメンバーでもある。同団体は、市駅地区のエリアマネジメントを目指し、市駅前の4車線道路のうち2車線に芝生を敷いて車道を緑と憩いの場にするなどの「社会実験」を行ってきた。池田は「市駅北側に5分歩くと紀の川河川敷に至る。近年は河川敷緑地でキャンプなどの取り組みも行っている。有吉記念館も紀の川から至近距離にある。豊かな自然文化環境をもっと活用していきたい」と語った。有吉文学の読者は高齢化しているのでは、と思われがちだが、出版社は近年、有吉作品を再び出版している。新潮文庫では没後30年に寄せて『悪女について』『鬼怒川』『私は忘れない』『助左衛門四代記』を復刊。河出文庫では20年以降『非色』『一の糸』『閉店時間』を復刊した。河出書房新社編集部は「読者アンケートでは30〜40代の読者も目立つ。読者層が若返ってきた」と解説。同社は2022年10月、『有吉佐和子の本棚』を刊行して、巻末に上記4施設を紹介した。

先述したように、有吉佐和子の蔵書、直筆原稿、調査ノートなど、相当量の有吉関連資料が和歌山に集積する運びになった。文化政策研究の視点から見るとき、近い将来、近代文学や有吉文学を専門とする学術研究者の雇用や配置が望まれると感じた。

（2023年2月号）

第3章

【芸術家・歴史資産・劇場×まちなか】芸術文化と市街地活性化をつなげる

3章では「まちなか」の活性化について考えてみる。取り上げるのは、岡山県井原市立田中（でんちゅう）美術館、JR姫路駅前芝生広場、奈良県斑鳩町・法隆寺周辺地区特別用途地区、STスポット横浜である。

まちづくりと文化芸術の振興を考えるとき、20世紀的な発想では、公立文化施設を建設することがイメージされた。しかし21世紀に入ると、その限りではない。施設を建てなくても、青空のもとに広場があれば、まちは活気づく。具体例としてJR姫路駅北口に芝生広場を造成した姫路市のチャレンジを取り上げる。かつての同駅前は多数の自転車が置かれて雑然とした雰囲気だった。そこで姫路市は駅前広場に公共交通機関だけが入ることのできる「トランジットモール」化を図った。さらに開放的な芝生広場を設けたところ、各地からストリートミュージシャンたちがやって来るようになった。道路で生演奏する行為は道路交通法違反の恐れがあるものの、姫路駅前の芝生広場なら、安価な使用料を支払えば、合法的に駅前ライブやCD販売ができる。このほかフリーマーケットも盛んに行われている。ここでは地元の一般社団法人が姫路市から委託されて広場の運営を切り盛りしている。音響装置（PA）の貸出なども担当する。芸術家と行政をつなぐ人材が必要であることが分かる。

一方で、姫路駅前の芝生広場の試みは、都市景観を守る視点からも興味深い。以前の駅前には放置自転車もあって、国宝・世界文化遺産である姫路城の展望が阻害されていた。「トランジットモール」化に伴い、放置自転車が撤去され、駅前から天守閣の眺望を楽しむことができるようになった。

横浜では、JR 横浜駅から徒歩約 8 分に位置する小さなスペースに注目した。ST スポット横浜という小劇場である。「ST」とはビル所有者である会社の頭文字で、横浜 ST ビルの地下 1 階に小劇場が設けられている。「公開空地」として横浜市に永久無償貸与されたところで、NPO 法人 ST スポット横浜がここで活動している。「公開空地」というと、緑地のことを想像する読者が多いかもしれないが、ST スポット横浜の事例では地下の一室である。都市部のささやかな空間が文化芸術と地域に刺激を与えている。そして ST スポット横浜は専門的な人材を擁しており、子どもたちへの文化体験の機会を提供したり、地域文化サポート事業の事務局を引き受けて各区の小さな取り組みを応援したりする。教育現場に関わり、市の補助金を分配するなど「アーツカウンシル」(芸術評議会) 的な機能を有するようになってきた。社会包摂の試みも展開している。

文化芸術と地域振興の密接な関係は、現代文化芸術にとどまらない。文化財の継承と活用も重要である。このため世界文化遺産である法隆寺が立地する奈良県斑鳩町の事例を紹介する。同町では歴史まちづくり法が求める歴史的風致維持向上計画を策定し、奈良県内で初めて国から認められた。同計画策定の際には一般行政職員と文化財専門職員がチームを組み、連携した。筆者が訪れた際、町内に本格的なホテルはなかったのだが、法隆寺前の町営駐車場の一角に、ホテルを開業する準備が進められているそうだ。

著名彫刻家・平櫛田中の出身地である岡山県井原市を訪れると、「彫刻のまちづくり」が試みられていた。田中美術館は老朽化のために建て替え工事が行われ、2023 年 4 月にリニューアルオープンした。

文化芸術振興と「まちなか」振興の試みは有機的につながるはずだ。実現のためには芸術家・文化人と地域の人々や行政職員の間を橋渡しできる「地域文化デザイン人材」の活躍が欠かせない、と筆者は考えている。

1　地元ゆかりの芸術家にちなむ「まちじゅう美術館」

岡山県井原市「井原市立田中美術館」

郷土の偉人を顕彰する彫刻美術館

わが国近代彫刻界の巨匠・平櫛田中（1872～1979年）に関心を持ち、2018年3月6、7日、出身地の岡山県井原市を訪れた。1983年に開館した市立田中美術館の本館は市庁舎に隣接して建てられている。鉄筋3階建て延べ1543m^2。465m^2の別館もある。本館玄関階段先には釣り竿を手にした岡倉天心の立像「五浦釣人」が置かれ、1階展示室に入ると、元横綱常ノ花を取り上げた「出羽海寛市像」の力作が現れる。力強い表現と実にリアルな写実性に圧倒されてしまう。3階には約50年間暮らした東京・上野桜木町の自宅アトリエを復元したほか、田中の代表作を展示している。2階では郷土出身画家の展覧会が開かれていた。収蔵品（2018年2月現在）は1019点。内訳は彫刻500点、絵画248点、書170点など。このうち田中作品は木彫、ブロンズ像、石膏など386点を占める。

多くは田中が生前に寄贈したものだ。田中の代表作は1958年に完成した大作「鏡獅子」である。1936年に六代目尾上菊五郎の舞台を取材して以来、20年余の歳月をかけて仕上げた。東京国立近代美術館に寄贈され、今は国立劇場（東京・三宅坂）のロビーに展示されている。古里の田中美術館には「鏡獅子」の試作、試作裸形、金箔を貼った試作頭、制作中断したものなど関連作品4点が公開され、模索した制作過程を今に伝える。学芸員の青木寛明（1971年生まれ）は「人口4万人の地方都市にありながら来館者は全国区に広がる」と言う。2017年11月～2018年2月の田中名品展の際、アンケートに回答した来館者416人の半数の201人は県外客だった。東京など首都圏からもお越しになる。本当に有難い」と語った。

田中は同市西部の旧西江原村に育った。父の事業が振るわず、10歳で備後・今津（現在の広島県福山市）の平櫛家の養子となった。

25歳で上京。30代後半で師となる岡倉天心と出会う。1944年に東京美術学校教授、1949年に東京芸術大学教授。1958年に井原市名誉市民に選ばれた。

1962年には文化勲章を授与され、満107歳で長寿の生涯を終えた。100歳を超えても30年分の材料を手もとに蓄えていた逸話がある。愛された人だった。

野外彫刻の風景

第三セクター・井原鉄道に乗った。おしゃれなガラス張りの井原駅に降り立ち、美術館まで歩いていると、「野外彫刻が多い」と感じた。市は「彫刻のまち」と名乗り、駅前再開発、社会福祉センターや図書館など公立施設建設、区画整理などの公共事業に合わせて彫刻を次々と設置してきた。公園には後述する平櫛田中賞の受賞作家作品がある。さらに同美術館北側の公園・田中苑には「鏡獅子」や徳川光圀（水戸黄門）の「西山公」など田中作ブロンズ像6点を置いている。地元銀行の前にはロダン作品もある。徒歩圏内に18点が設置され、「まちじゅう美術館」である。青木によると「評価額は合わせて1億円をはるかに上回る」。

市庁舎近くの袋田公園には児童作品が置かれている。井原商工会議所青年部の主催事業「ちびっこ田中さん集まれ」の最優秀作品である。毎年夏休みに井原鉄道沿線の児童を対象に粘土作品を公募。最優秀作品は20万～30万円かけてブロンズ像をつくり、土台の上に設置する。

2018年3月の設置で同公園の作品数は計28点に達した。インテリア会社社長の佐藤忍（1954年生まれ）が「子どもの才能を伸ばしたい」と発案して1995年に始めた取り組みだ。現在の副会長、片岡浩二（1971年生まれ。ステンレス

図1　新しく建て替えられた田中美術館の外観（井原市提供）

製品製作会社社長）は「井原は田中さんというすごい人を生んだ。僕らの使命は、田中さんの作品と名前を忘れないようにすること。ファンを地道に掘り起こしていけば、数十年後には何らかの形で産業に結びつく」と狙いを話した。

井原市の「シンボル」として

2005年、旧井原市・芳井町・美星町の合併で新しい井原市が誕生した。田中が市のシンボル役を担う。小学校3～4年の副読本に伝記2ページが掲載され、市教委がバス代等の予算を講じて全小学校6年生全員を田中美術館に招待する。市のゆるキャラ「でんちゅうくん」は「鏡獅子」をモデルにつくられた。「営業部長」の肩書で、どこにでも出向き、2017年7月6日～9日には仏国パリ北郊で開かれた「ジャパン・エキスポ」に日本代表キャラクターとして参加してきた。仏人らから「カブキ、カブキ」と呼ばれて人気を集めた。田中美術館の前身は1969年に完成した田中館だ。延べ172m²と狭かった。博物館法でいう美術館相当施設ではなかった。事情に通じた元助役の原田純彦（1928年生まれ）は当時の財政係長。「田中館は市単独事業で建てた。福山市も田中先生の顕彰を計画していたので、『福山に先を越されるな』と極秘に建設構想をまとめた。外部業者に発注すると計画が外に漏れるので、建築士の資格を持つ市職員に設計を命じた」と打ち明けた。

原田にとって田中は小学校の大先輩である。原田が6年生のとき、古里に彫刻を寄贈するために帰郷した田中が母校の義之小学校を訪れて講演した。「いったん決めた仕事は最後までやり遂げよう、とおっしゃった」と原田は懐かしい目をして振り返った。

戦後、田中は古里の小中高校に自作の寄贈を行う。「学校の校長室などに置かれていたが、宿直制度がなくなるため、きちんと管理しなくては」という事情も生じて田中館の建設につながった。当初の所蔵品は、学校に寄贈された作品のほか、書も含めて20点程度。建物ができたあと、田中が次々と作品を寄贈したので手狭になり、1973年に別館ができた。

彫刻家の登竜門「平櫛田中賞」は田中自身が1971年に設立。第4回より市が引き継いで主催者となり、作家を顕彰している。彫刻界の直木賞として知られる。1983年以降、隔年に開催されてきた。東京で授賞式を行ったあと、日本橋・高島屋と田中美術館を会場に個展が開催される。受賞者には東京スカイツリーのデザインを監修した元東京芸術大学学長、澄川喜一（文化功労者。現在の選考委員長）、奈良「せんとくん」を生み出した籔内佐斗司、本の表紙でよく知られる舟越桂らの著名彫刻家が名を連ねている。

2017年度は木彫の安藤榮作が選ばれた。市は賞金100万円のほか100万円で作品を買い上げる。地方都市としては異例の美術賞で、先述の野外彫刻には田中賞受賞作家への委嘱作品のほか選考委員の作品が含まれている。

生誕150周年に向けて

半世紀を経た同美術館に課題は尽きない。1つには来館者数の減少である。開館以来2013年まで、年間来館者は2万人前後で推移していた。ところが2014年は特別展が不振で初めて1万人を切り、8788人に落ち込んだ。その後は1万2741人、1万5486人まで戻したが、2万人台を回復できないままだ。

1988年の5万6004人と2003年の7万4639人が来館者実績の歴代1、2位である。前者は開館20周年にあたり初めて「鏡獅子」を特別展で借用して公開した。後者は市制50周年に合わせて2度目の「鏡獅子」を展示できた。だから市教委文化課長の藤井清志（1962年生まれ）は、切り札として3度目の「鏡獅子」〈里帰り〉公開を切望する。田中生誕150周年の22年あるいは市制70周年の2023年など、「節目の年に展示できれば来館者がどんと増えりゃせんかな」（藤井）と大いに期待をかけている。

課題の2つ目は田中作品の新規購入が難しい点だ。人気は揺るがず、亡くなったあとも作品は高値で推移しており、手が出ない。そこで地道に毎年100万～200万円で1、2点ずつの修復作業を続けている。今後は個人所有の作品を寄託してもらったり、借り受けたりして新作を公開する対策を検討している。

一方で、明るい将来構想が持ち上がった。建物老朽化が進むなか、2018年度市予算に建て替えの基本設計費2200万円が計上されたのだ。旧田中館（現在は市民ギャラリー）や別館を取り壊し更地にして新館を建てる。

2023年の市制70周年に開館させたい意向だ。今より1.5倍程度広くなる。学芸員の青木は「近年は建物修繕に力を注がざるを得なかった。新館ができれば、市民が活動できるスペースを新設したい。子どもたちが自由に遊ぶ場も設けて、楽しめる文化施設になれば」と意欲を示した。それにしても、なぜ井原から著名彫刻家が輩出されたのか？　市内をめぐってみると、育った西江原村は幕末の42年間、一橋家の領地だったことが分かった。3万3500石で、陣屋（代官所）が置かれ、江戸から優れた幕臣が派遣されていた。西江原史跡顕彰会の元会長でもある先述の原田純彦は「陣屋と地元が協力して郷校の興譲館が設立され、人々が学問を学んで文化が興った。文化水準が高まり、住民も自宅に絵を飾るようになった。当時、20人近くの絵描きが活動していたほど」と解説した。旧山陽道が通り、最後の将軍・一橋慶喜の家臣だった渋沢栄一が何度も滞在したという。こうした文化度の高い土地柄が、田中のような文化人を生む遠因になったようだ。歴史のダイナミズムを感じて実に興味深かった。 (2018年5月号)

【補記】

2018年3月6、7日に訪問した田中美術館はその後、どうなったのか。学芸員の青木寛明さんに尋ねると、いくつかの動きがあった。連載原稿では、建物の老朽化のために建て替えの基本設計費が予算計上され、「2023年度の市制70周年に開館させたい意向」と記述されている。その言葉通り、新しい美術館が2023年4月18日にリニューアルオープン。「井原市立平櫛田中美術館」に改称された。広さは延べ3629m^{2}で、従来よりも1.6倍になった。本館は躯体を残して全面改修。新館は新築。本館と新館が一体となる形での新築改修を行った。別館は取り壊した。

連載原稿で紹介した岡倉天心の立像「五浦釣人」は、旧本館玄関階段先に置かれていたが、新美術館の玄関脇に移動させた。1階の展示室は展覧会により展示作品を入れ替える。3階のアトリエは場所を変えて同じ3階に復元した。

田中の代表作「鏡獅子」はどうなったのか？学芸員の青木さんは「2024年秋に予定する企画展に合わせて、所蔵する東京国立近代美術館に借用を依頼していたが、展示されている国立劇場（東京・三宅坂）の建て替えに伴い、2029年半ばまで長期借用して、平櫛田中美術館で展示できることになった。ぜひ鑑賞に訪れていただきたい」と話した。

2 音楽文化を育む駅前芝生広場

姫路市「姫路駅前芝生広場」

駅前広場は「姫路の顔」

JR姫路駅（兵庫県姫路市）コンコースを出て駅北駅前広場に出た瞬間、1.4km先の国宝姫路城天守閣（世界文化遺産）が視界に飛び込んできた。

白漆喰の外壁は鮮やかで白鷺が舞い降りたようだ。駅と城をつなぐ大手前通りは一直線に伸び、遮るものがない。

駅前は「トランジットモール」（バスとタクシー等の公共交通機関と歩行者の通行だけを認めた街路）化されたので、実にすっきりした都市景観である。

姫路市は同広場に関する条例を制定し「姫路駅北にぎわい交流広場」と名付け、イベントなどに利用できる「公の施設」とした。芝生広場、掘り下げられたキャッスルガーデン、地下通路、展望デッキ等で構成される。同ガーデンと地下通路は2013年に先行オープン。芝生やバスターミナル工事を含めた全体は2015年3月にグランドオープンした。広さ1万6000m²。北側にある交差点までの歩道はより広く取って事実上の〝広場〟となっており、合わせると広さ3万m²。日本最大級の規模という。

1959年には旧広場（6400m²）と旧駅ビルが完成したが、狭かったうえに違法駐輪も1日1500台と多かった。駅北のモニュメントが天守閣の眺望を遮っていた。姫路城大改修の完成（2015年3月）に合わせ、一連の都市再開発の締めくくりに「姫路の顔」として同広場も整備された。

同市中心市街地活性化推進室によると同広場の利用許可は2013年度が43件だったが、160件（2014年度）、232件（2015年度）、311件（2016年度）、392件（2017年度）と増えた。

2016年度の稼働率は休日96%、平日77%。音楽系イベントは全体の56.3%を占めた。

図1　JR 姫路駅北駅前広場から伸びる大手町通りと姫路駅天守閣（奥）（2018 年 11 月撮影）

市から管理を委託された一般社団法人「ひとネットワークひめじ」の事務局長、東郷剛宗（1989 年生まれ）は「予想以上に音楽ライブの利用が多い。以前、無許可のミュージシャンらは、いつ警察などに注意されるのかとヒヤヒヤしながら演奏していた。現在では、所定の料金を支払えば堂々と出演できるので人気を高め、口コミで魅力が広がった」と話した。

ライブ出演者のうち県外者は 10%に達するという。使用料は格安だ。ライブ可能なステージ A（60m²）は 8 時間以内の利用で、販売行為なしが 1800 円。販売ありが 6000 円。無料ライブで CD 等を販売する場合、CD が数枚売れれば元を取れる。電源コンセント使用は 1 日 1 口 100 円。当初は販売なし料金で借りて CD を売る場合もあったが、スタッフ巡回で見つけて注意すると、その後は販売ありの料金で申し込むようになった。

駅前で育つご当地アイドル

特に芝生広場の予約が満杯状態だ。2018 年 12 月 16 日の日曜午後には、女性 8 人のご当地アイドル・KRD8 のフリーライブが行われ、熱狂的ファンが体をよじりながら声援した。毎月 1 度、同広場で公演。CD やブロマイド写真を販売する。メジャーデビューのシングル曲「君と僕の唄」（2016 年）はオリコンのデイリーランキング 1 位を獲得した。姫路ふるさと大使に任命され、全国各地のライブでは「姫路にお越しください」と呼びかける。

NHK 大河ドラマ「軍師 官兵衛」(2014 年) に寄せて姫路商工会議所青年部が結成。1 年限りの予定だったが好評なので、青年部有志が一般社団法人「姫路応援プロジェクト」を設立してプロデュースする。副理事長の岩井迫泰行(1972 年生まれ) は「駅前でやれば 400 人ほど足を止めてくれる。全国で最も駅前に近いステージ。こんな場所はほかにない」と語った。

図 2　JR 姫路駅前の芝生広場は開放感がある (2018 年 11 月撮影)

マルシェ、雑貨販売、展示会、企業 PR、行政イベントにも使われる。手づくり市「播磨べっちょない市」は毎月第 4 日曜に地下通路 (165m^2) で定期開催されてきた。

32 ブースにアクセサリー、布小物などの作品が並ぶ。主催する大森正雄(1976 年生まれ) は「姫路城を訪れる外国人観光客が買って帰るので、作家たちは『私の作品が海を越える』とやりがいを感じている」と話した。

広場整備に伴い、新駅ビルを含めて複数の商業ビルが新築された。駅前が「ハレの場」となり、行き交う市民の服装も以前よりファッショナブルになったそうだ。駅北側の商店街入口の 1 日通行者数は 2012 年の 1 万 1169 人から 2017 年の 2 万 1853 人と 2 倍に増えた。

眺望抜群の広場ができた経緯

異色の駅前広場はどんな経緯で実現したのだろうか?　話は 1973 年にさかのぼる。市は当時、鉄道高架化の基本構想を発表。線路の連続立体交差、区画整理、道路整備の 3 点を目指した。同駅前は JR の山陽本線、播但線、姫新線、山陽新幹線、私鉄の山陽電鉄や神姫バスが交差する要所のうえ、在来線と新幹線の間に国鉄の車両基地・貨物基地と引き込み線があり、線路は入り組んでいた。悲願の連続立体交差事業が 1989 年に事業着手されたものの、1995 年の阪神・淡路大震災で延びてしまう。

同市都市拠点整備本部の副本部長、東田隆宏（1961年生まれ）は「鉄道高架と駅前広場づくりは〈姫路100年の大計〉として欠かせないものだった」と感慨深く振り返った。車両基地を郊外に移転することで在来線の線路を44m南に移設できたおかげで、駅北に広場を拡張するスペースが生まれた。「大震災のために駅前広場の着工が遅れた分、車中心の広場から歩行者に優しい空間に変わった。結果的に良かった」と東田は打ち明けた。

転機は2007年だった。市は同年、都市計画変更に伴う駅前広場の参考パース図を公表した。図を見ると、歩行者は高架歩道橋を歩き、信号付きの道路を横断して商店街に入る構造となっていた。「車優先の駅前だ」「行政に任せておけない」と市民は猛反発。姫路商工会議所、市商店街連合会などから4つの対案が出された。これらの合意形成を図ることに迫られ、全国の学生が公募で参加したワークショップによる提言、市長と関係諸団体代表が一堂に顔を合わせる「市民フォーラム」の開催、専門家による公開ワークショップなどを経て、官民協働で駅前広場のデザインを決めた。

コーディネート役を果たしたのはNPOスローソサエティ理事長の米谷啓和（1964年生まれ）である。2008年以降、デザインが固まるまで計150回の会合を開いた。日本の駅前広場はどこも自動車のためのもので参考にならなかったのでイチから論議した」と振り返る。米谷は異色の実業家。姫路市に生まれ東京大学文学部美学芸術学科を卒業後、東京の出版社に勤めて書籍編集の仕事をしていたが、結婚して帰郷。妻の実家（紙管製造）の経営を継いだ。姫路青年会議所理事長、日本青年会議所会頭を歴任した。一方で、事を急がず、プロセスを大切にするスロームーブメントに共鳴。姫路で同NPOを発足させた。「急いで効率を求めると結局はコスト高になる。食、子育て、コミュニティなどは多様性とつながりを重視しなくては」と語る。駅前広場づくりも会合のメンバー構成に配慮して丁寧な合意形成を図った。米谷は「広場完成後の使い手、担い手がだれであるか、を考えながら会合の構成者を決めた」と言う。引き受けた動機はドイツの駅前広場に魅力を感じていたことに加えて「駅前で遊ぶ、という日本にない広場文化を生み出す取り組みでもあった。私が子どものころの駅前は輝いていた」と述懐した。基本設計から完成までわずか6年という短期間で実現したことで、同広場は「姫路の奇跡」とも言われた。

新たに浮上した課題

播州平野に位置する姫路市は人口53万人。国宝姫路城が最大の観光資源である。市によると、大修理を終えた直後の2015年度は入場者286万人で過去最高を記録したが、2016年度は211万人、2017年度は182万人と減少傾向にある。このうち外国人の比率は10.7%、17.3%、18.8%と次第に高まっている。1993年に日本初の世界文化遺産に登録され、2018年で25周年を迎えただけに世界的に有名なのだ。しかし悩みは主に2つある。1つは日帰り客の多さ。筆者が訪れた2018年11月下旬には三の丸、西の丸、百間廊下などの城内で夜間ライトアップイベントを開催中だった。夜間行事を増やして泊ってもらえる工夫を続ける。2つには駅前と同城を行き交う通行者がどうしても背骨の大手前通りに集中してしまうこと。駅前広場完成後に浮上した次の課題である。同通りは道幅50mで、駅前整備に合わせて歩道を1.5mほど広げて歩きやすくした。行きはいいが、帰りは商店街などの「まちなか」を通ってほしい。市中心市街地活性化推進室の杉野淳一（1978年生まれ）は「同通り670m分の改修工事は2019年度中に完成する。駅前は税金を投入して市が直営しているが、同通りでは民間が稼いで道路を管理する新たな仕組みをつくりたい」と述べ、エリアマネジメントの社会実験を近く始める。歩道にカフェや露店が並ぶなど「パリのシャンゼリゼのようになれば」（杉野）と願う。姫路のまちには姫路城と駅前広場という2つの中心がある。これらを活かして内外の観光客がまちを回遊し、宿泊するようになるにはどうしたらいいのか？実現のためには城下町らしい景観維持、商店街の商店構成や品ぞろえの充実、文化事業の実施など新たな対策が必要になるだろう。いずれにしても、駅前広場をめぐる物語は都市計画の合意形成、都市景観、交流の場づくりなど都市政策のありようを見つめ直す好事例である。

（2019年2月号）

3 地域の歴史文化遺産を活かす開業支援

奈良県斑鳩町「法隆寺周辺地区特別用途地区」

1985年に発掘された藤ノ木古墳

奈良県斑鳩町の藤ノ木古墳から水銀朱を塗った石棺が見つかり、金銅製の冠、華麗な馬具類などが出土した。「藤ノ木フィーバー」と呼ばれた騒ぎは今もよく覚えている。同古墳は直径50m余り、高さ9m。6世紀後半に造られた円墳（史跡）である。1985年の1次調査で石棺が見つかり、1988年の3次調査で石棺の蓋を開けると、未盗掘の状態で人骨や大量の副葬品が出土した。出土品は2004年、異例の早さで国宝に指定された。

ふだんは古墳の石室内に入れないので、町教委が毎年春秋の計4日間、石室特別公開を無料で続けてきた。2019年秋季は10月26日（土曜）～27日（日曜）に実施され、筆者も初めて内部に入った。石室は予想以上に広く、高さが4.4mもあって驚いた。日ごろは閑静な史跡界隈も賑わった。

町は教育・観光資源にしたいと考え、2010年、古墳から東南200m先に町文化財活用センターを開設。実物大の復元石棺を常時展示し、石棺内には発見時のままの副葬品（復元）を公開している。温湿度を調整できる展示室と本格的な収蔵庫を備えるので国宝の展示も可能だ。整備費4億3500万円を投じた。

同センター参事（課長級）の平田政彦（1965年生まれ）は当時について「国に藤ノ木古墳の出土品を持っていかれた悔しさが根底にあった」と打ち明けた。同県立橿原考古学研究所が発掘調査を行い、出土品は報償金によって国（文化庁）の所有になった。町長が「地元に保管させてほしい」と陳情したものの、地元に収容可能な施設がなく涙をのんだ。出土品は同研究所附属博物館に収容された。そこで町はセンター整備の際、①藤ノ木古墳出土品の里帰り展を行える、②今後、新たに国宝級の出土品が発見されても保管・展示できる—の2点を重視して設計。開館以来、藤ノ木古墳出

図1　斑鳩町文化財活用センターの外観。復元した手前の石棺は鮮やかな朱色に塗られていた（2019年10月撮影）

土品の里帰り展を開いてきた。

古墳そばの設置を計画したものの土地買収の難しさから断念。偶然、奈良地方法務局斑鳩出張所の廃止が決まったので跡地を購入した。法務局建物を展示棟に活用。隣に事務所棟を新築した。平田の回想。「大切な法務資料を保管する建物だったので、壁が分厚く、そのまま転用できた。幸運に恵まれた」。

悩みは観光客の減少

同町内には著名な寺院が立ち並ぶ。藤ノ木古墳から東約350m先には法隆寺が姿を見せる。聖徳太子が建立した世界最古の木造建築として、わが国第1号の世界遺産に登録された。五重塔、金堂、夢殿がよく知られる。東側には中宮寺が位置する。さらに同じく世界遺産の法起寺、飛鳥仏と出会える法輪寺がある。

だから大勢の観光客・参拝者が押し寄せていると思い込んでいたが、町の悩みは観光客入り込み数の減少だった。町の資料によると1996年度は102万8885人だったものの、2005年度は66万5297人に落ち込んだ。平城遷都1300年祭のおかげで2010年度は127万7370人まで盛り返したが、2018年度は98万4097人と大台を割った。町観光協会長の浦口隆（1948年生まれ）は「90年代には100万人超だった法隆寺の参拝者数が近年は60万人ほど。修学旅行生の数が少子化に伴って減ったうえ、テーマパークを選ぶなど旅行形態が多様化してきた」と分析する。藤ノ木古墳石室特別公開の人出も、2015年の4432人から2019年は2546人と減少気味だ。

町観光協会では、法隆寺の五重塔、法起寺の三重塔（現存する最古の三重塔)、法輪寺の三重塔（1944年の落雷で焼失、1975年に再建）を「斑鳩三塔」と呼び、「三塔いにしえの道」（5km）と題した散策ルートを売り出し中。しかし自動車以外のアクセスに難がある。JR大和路線・法隆寺駅の北口から法隆寺まで北に20分近く歩くか、南口バス停から1時間3本程度のバスに乗るか。筆者は北口から歩いてみた。南北に走る県道大和高田・斑鳩線は多くの自動車が通り、歴史的な情緒が感じられない。大半の団体客は貸切バスで訪れるので滞在時間が短くて界隈を歩く姿が少ないから、門前町の形成が難しかったという。

史跡中宮寺跡の可能性

新たな文化資源は2018年5月にオープンしたばかりの史跡中宮寺跡である。藤ノ木古墳石室特別公開に合わせた2019年秋季の同センター特別展は「中宮寺跡を掘る―聖徳太子ゆかりの尼寺の全貌―」（10月12日〜12月1日）だった。秋季展での中宮寺跡の特集は初めて。藤ノ木古墳の里帰り展は2018年秋でいったん終了した。

尼寺である中宮寺は7世紀前半の飛鳥時代に建立された。江戸時代初めに現在地（法隆寺東側）に移転したが、跡地は田畑として残された。範囲が確定して国の史跡に。町が土地買収を行い、基壇等を整備した。総事業費13億6136万円。発掘と整備を担当した同センター文化財係長の荒木浩司（1969年生まれ）（2023年度は町教委生涯学習課長補佐兼文化財係長）は「金堂や塔の跡が見つかり、塔跡からは金環、金延板、金糸、水晶角柱、ガラス丸玉など貴重な埋納品が出土した」と説明した。

同史跡は広さ2万7815m²。一角に赤、白、ピンクなどコスモスの花を植えた。2018年11月には同史跡を会場に「いかるがマルシェ」(町商工会青年部主催)が行われた。予想をはるかに上回る7000人が来訪。臨時駐車場（400台）は満車になる盛況だった。青年部長を務めた横山修（1981年生まれ。広告会社社長）は「中宮寺跡整備のオープニングイベントを企画してほしいと町から依頼されて企画した。ここは広さがあって使いやすい。2019年も11月24日に開催予定。92の出店希望が寄せられ、2018年より倍増した。駐車場を広くして警備員も増員する」と笑顔で語った。

図2　藤ノ木古墳の石室特別公開の様子（手前は斑鳩町文化財活用センター参事の平田政彦さん）（2019年10月撮影）

同史跡の〈売り〉は「斑鳩三塔」すべてを見通せること。土地買収後に田畑を歩いた荒木が発見した。荒木は「近年は家屋が立ち並び、3つとも見える場所が極めて少ない。名所になると考えて東屋を整備した。かつて建っていた中宮寺の塔を心の中で思い浮かべれば4つの塔を一度に楽しめる」とPRする。

もう1つ注目されるのは藤ノ木古墳と法隆寺の間に位置する春日古墳である。未盗掘と考えられ、藤ノ木古墳に匹敵する文化財が今後見つかるかもしれない、と浦口ら観光関係者は期待する。

観光のまちづくりを目指して

地域活性化を考えるとき、従来の日帰り観光では限界がある。町内には本格的な宿泊施設が皆無だった。法隆寺周辺地区には古都における歴史的風土の保存に関する特別措置法（古都保存法）、都市計画法（第1種低層住居専用地域、高度制限10m）、屋外広告物法、町風致地区条例などの厳しい規制があった。そこで町は歴史的景観を活かした地域振興策に乗り出した。文科省・国交省・農水省が共管する歴史まちづくり法（2008年制定）を受け、2014年に「斑鳩町歴史的風致維持向上計画」をまとめ、国に認定された。県内の第1号。町に限れば全国6番目と早かった。

同計画に基づき「重点地域」（82ha）を設定したうえ、建築物の用途の規制緩和のため「法隆寺周辺地区特別用途地区」（法隆寺の南東24.9ha）を都市計画決定。特別用途地区内ではカフェ、ベーカリー、アトリエ（各250m^{2}以内）、博物館・資料館、ホテル・旅館（各1500m^{2}以内）の開業が可能になった。特別用途地区で町が「観光に資するもの」と適合確認証を発行した数は7件に達する（2019年10月時点。2023年2月現在10件）。

町まちづくり政策課（当時）の課長補佐・兼観光商工係長、柳井孝一朗（1979年生まれ。2023年度は町教委総務課長補佐兼総務係長）は「まちあるき観光を推進するためには、訪れた人たちに1時間でも2時間でも長く滞在してもらいたい。国や町の補助金を得て店舗数が増えてきた」と話した。すでに古民家を活用したカフェ兼レストラン、和風ホテルなどが開業済みだ。筆者自身、和風カフェを訪れてみると、若いカップルが詰めかけて列に並んでいた。

法隆寺参道沿いの町所有駐車場付近には新たなホテルが開業する予定だ。町の公募に5社が応募し、実際に事業提案書を提出した2社から静岡県のホテル会社が選ばれた。計画によると、ホテルに加えてレストラン、特産品販売のマルシェ、無料休憩所などが設置される。柳井は「斑鳩に泊まってもらう新規の旅行商品が浸透するまで時間がかかるかもしれない。しかし町としては何としてでも法隆寺への依存から脱却しなくては……」と言葉に力を込めた。

「歴史的風致維持向上計画」を策定する際、町職員3人がチームを組んだ。都市建設部長をリーダーに文化財に精通する平田、制度に詳しい柳井である。3人は約2年間で10回ほど上京して中央省庁の官僚と協議を重ねた。平田は「町が同計画の認定を受けようとするときから規制緩和を視野に入れていた。認定には柳井君の熱意があった。これからは文化財の保存と活用のバランスを巧みに図っていきたい」と語った。町商工会も特産品づくりのために「斑鳩ブランド」21品目を認定（2023年3月現在31品目）し、名物・竜田揚げのための食べ歩きマップを作成した。文化財豊かなまちが動き始めている。斑鳩の里がどのように変身するか楽しみだ。

（2020年1月号の原稿をその後の変容に合わせて一部加筆修正した）

4 ビルの公開空地を芸術創造の場として活用

横浜市「NPO 法人 ST スポット横浜」

56m² のスペース

JR 横浜駅西口から 8 分ほど歩くと青灰色の外壁の 18 階建て「横浜 ST ビル」（横浜市西区）が見えてくる。認定 NPO 法人 ST スポット横浜の事務所は同ビル 2 階に、「ST スポット」と名付けた小劇場が地下 1 階に置かれている。ST とはビル所有者（住友生命と戸田建設・戸田不動産）の頭文字だ。

公開空地を設けることでビル容積率を上げる横浜市の制度を活用して 1987 年にビルを完成させた際、公開空地の一部として建物内に広さ 56m² の表現空間・ST スポットを設けた。ビル側から無期限・無償で提供を受けた同市は当初から市民開放を行い、美術の展覧会や落語会などに使われていた。しかし次第に劇団の利用が多くなり、今では同市内の小劇場の代表的存在に育った。連日、演劇やダンスの公演、練習に使われている。

同空間を自主的に運営するのは同 NPO 法人である。市から毎年 610 万円の支援を得る一方、使用料収入や他の補助金等を獲得してやりくりしてきた。開設から 30 年……。2017 年 11 月の記念シンポジウムでは歴代館長が一堂に会し、立食パーティーも行われた。ビール、ワイン、サンドイッチなどの簡素な食材だったが、シャンパンを持ち込む関係者もいてお祝いの雰囲気に包まれた。筆者が訪れたのは 2018 年 5 月上旬のこと。

12 年ぶりの再訪だった。トレードマークの白い壁が真っ白に塗り直されていた。6 代目館長の佐藤泰紀（1983 年生まれ）は「少し汚れてきたので大型連休中に塗り直した」と打ち明けた。演劇専用なら暗転するために黒壁が通常だが、前述したように展覧会にも使えるよう開館時から白壁なのだ。観客席は 40 ～ 60 人程度だが、芸術家を育てる「インキュベーター」の役割を果たしてきた。演劇ユニット「チェルフィッチュ」主宰の岡田利規（岸田國士戯曲賞、大江健三郎賞受賞）、演出家の中野成樹らがここで育った。

図1　白壁のSTスポットと小川智紀理事長（2018年6月9日撮影）

「私もSTで育った」と語るのは劇団「モメラス」主宰の俳優、松村翔子（1984年生まれ）である。2003～2011年まで岡田利規が主宰するチェルフィッチュの話題作「三月の5日間」に出演して欧州ツアーに参加した。筆者が高知女子大学（現・高知県立大学）に勤務していた2007年、海外ツアーを経た高知県立美術館公演で、同作に出演する松村の演技を見たことがある。横浜市泉区出身の彼女は中学時代からSTで演劇を鑑賞した。だから初の自主企画もSTで上演した。「この空間が好き。白壁とサイズ感がちょうどいい。音響や照明のスタッフが一緒になって舞台づくりを考えてくれる。私にとって『家』みたいなところ」と語った。2017年2月にはSTで自主公演「こしらえる」を上演。第62回岸田國士戯曲賞の最終候補作品に選ばれた。館長の佐藤は「演劇人のほか慶応、横浜国立、日大芸術学部など学生も利用する。平日の曜日によっては全日利用で音響・照明込みで3万6750円。できるだけ安く設定している」と話した。

芸術家を学校現場に届けて

小さな非営利団体だったSTスポット横浜は、県や市と連携して事業を行うことで成長し、今では年間事業費が9073万円（2017年度決算）に達する。

たとえば横浜市が行う「芸術文化教育プラットフォーム」事業の学校プログラム「アーティストが学校へ」の事務局を引き受けて専従職員3人を

配置。2017年度には年間140校（うち小学校126校）に対して音楽、演劇、ダンス、美術、伝統芸能などの芸術家を派遣した。費用は年3244万円だった。各校からの応募を受け付け、希望を丁寧に聞き取り、希望分野を得意とする市内の公立文化施設や民間文化団体を見つけてコーディネーターを依頼する。事業開始の2004年度は6校にとどまったものの、学校の経費負担がないうえ、授業時間（小学校なら45分）に合わせて実施できるので好評に。開始以来の参加校は延べ1106校と順調な広がりを見せている。

コンテンポラリーダンサー福留麻里（1979年生まれ）は2017年11月、横浜市青葉区の市立鴨志田第一小学校を訪れた。目立つオレンジ色のジャージに着替え、体を動かして自分を表現するワークショップを始めた。体育館に2年生の全児童を集めた。「いろんな1分間を体験しよう」と呼びかけ、多彩な動きを試みた。1分間ずっと児童同士が見つめ合う。1分かけてゆっくりと立ってみる。鼻をかく。カニの動きをする……。子どもたちは夢中で福留の動きを真似した。「キャーッ」という歓声が上がった。福留は「ダンスじゃないと思われている動きもダンスになる。いつも何気なく使っている体を発見し、自分自身に耳を澄ませてもらいたい」と授業の狙いを語り、「いつもはクラスの中で目立たない児童がユニークな動きをして注目を集めたりする。『変な奴』が素敵な存在なんだ、と気付いてくれたら」と言った。

STスポット横浜理事長の小川智紀（1976年生まれ）は「どこの学校を選ぶのか、どのコーディネーターを選ぶのか。すべてST側に任されているので、重責を担っている。学校からの依頼内容は難易度が異なる。クラシック音楽を鑑賞したいとの要望の実現は平易だが、ダンスで意思疎通の大切さを伝えたいとなると難易度が高くなり、対応可能な芸術家や団体には限りがある。外国籍の市民が多い、所得の高くない家庭が目立つなど、各地域の事情を把握したうえで調整を図る」と苦心ぶりを語った。「地域の施設や団体を育てるため、コーディネーター役を依頼しているが、指定管理者制度導入後、公立文化施設では中途退職者が目立ち、企画や交渉の力

図2　多くの芸術家を育ててきたSTスポット（2018年6月8日撮影）

量が落ちてきたようだ」と懸念した。

豊富な専門人材を雇用

理事長の小川は銀の眼鏡姿でテキパキと動く。東京出身で立教大学文学部の学生時代、非常勤講師だった劇作家・演出家の如月小春（2000年死去）から指導を受けた。如月は子どもを対象にしたワークショップの先駆者だったので、「非芸術家と一緒に創作する面白さに目覚めた」（小川）。卒業後、世田谷パブリックシアターの制作助手を経てSTスポットに就職した。アート教育事業部（現在は地域連携事業部と改名）を立ち上げた。

STスポット横浜は2014年度以降、同市が地域アート活動を応援する「ヨコハマアートサイト」（2008年度開始）のうちの地域文化サポート事業の事務局を引き受け、専従職員2人を雇用する。人口370万人の横浜市だけに市域は広く、地域の小さな取り組みを応援するのが狙いだ。市予算額年間3000万円のうち1750万円を地域団体等に配分する。小川は「支援期間は最長5年。最初はうまくいかなくても丁寧に伴走して『こんなことを試みてみたら』と助言する。東京近郊の市北部と雑木林の多い市南部では求めるアートがまったく違う。貧困世帯の比率も異なる」と説明した。担当者は何度も現場を訪ねて地域の実情に精通し、選考委員会の論議を経て支援先と金額を決める。2017年度の応募数は35件。アートプロジェクト、美術展、映画祭など地域の27件に各20万～180万円の補助金を支出した。

神奈川県とは、障害者等の福祉施設に芸術家を派遣する「地域における障害者の文化芸術体験活動支援事業」を協働で行う。県から年825万円（2017年度決算）を得て県内8カ所で23回のワークショップを行った。専従職員1人を配置する。このように職員計10人を雇用し、実行力と企画立案力を磨いてきた。全国でも異色のアートNPO法人なのである。

横浜市との信頼関係

順調に成長してきたSTスポット横浜に対して行政側はどのように感じているのか？　横浜市文化振興課長の野田日文（1965年生まれ）は2017年度まで創造都市政策の美術展「横浜トリエンナーレ」を担当していた。「トリエンナーレはディレクターを中心にやや中央集権的なところがある。しかし地域の文化振興はボトムアップ型なので多様性に富む。文化を評価するには専門性が必要だが、人事異動が多くて流動性の高い公務員には直接ジャッジする知見はない。限界がある。だから市としては専門的な人材と組むことで文化を支援する仕組みをつくりたい」と話し、STと連携する意義を強調した。同課文化施設担当課長の鬼木和浩（1965年生まれ。現在市文化振興課長）は公務員に珍しく文化畑の勤務が長い。2004〜2016年度まで同課係長を務めてSTの活動を見守ってきた。「市文化振興財団は湾岸部の大きい事業を担当する。対してSTが事務局のアートサイトは地域の小さな取り組みを支援する。行政、財団、NPOのそれぞれの棲み分けが生まれてきた。行政が自治体財団でない民間NPO法人にここまで事業を任せている事例は全国でも稀有。これがうちの市の特色でして」と解説した。30年間にわたり小劇場を切り盛りし、芸術家との分厚い人脈を構築してきたSTスポット横浜だけに信頼できるという。

同市文化観光局の2018年度予算は103億1405万円。他自治体に比べれば大きな数字だが、同市文化政策の先駆的な点は金額の大きさよりも、STのような草の根NPO法人に信頼を置き、市の取り組みの事務局を委ねている点にこそある。教育現場に関わり、地域文化事業を支援し、市の税金を補助金として分配する。このような専門性を有するSTスポット横浜は、補助金の配分等を自治体から委ねられる「アーツカウンシル」(芸術評議会)的な機能を持ち始めたようだ。これからの活動を注視したい。(2018年8月号)

【補記】

2018年5月に横浜市のSTスポットを訪ね、聞き取り調査を行ってから、その後、いくつかの動きがあった。理事長の小川智紀さんによると、2023年4月、新たな館長に萩谷早枝子さんが就任した。萩谷さんは2014年から勤務しており、女性館長は15年ぶりだという。

教育事業の芸術文化教育プラットフォーム、地域事業のヨコハマアートサイトは、コロナ禍の影響を受けて学校現場や地域での文化活動が低調になるかもしれないと懸念されたが、小川さんは「逆に両事業への応募件数は過去最高に達した。現場のニーズの高さがスタッフの励みになった」と話した。

STスポット横浜が神奈川県と行ってきた障害者とアートに関する事業は、その後発展し、2020年度に「神奈川県障がい者芸術文化活動支援センター」が発足した。相談対応やネットワーク構築の活動を行っているという。

これからもSTスポット横浜の活動を見守りたい。

第4章

【国際交流・図書館・農・芸能×産業振興】

地域の文化から仕事をつくる

4章では、地域の特産品を再発見して、産業振興や雇用創出に尽力する事例に焦点を当てた。島根県美郷町のバリ島文化振興、滋賀県草津市のアオバナ、同県愛荘町の図書館、京都市の京都芸術センターである。いずれも、「ここにしかないもの」に気づき、仕事をつくり、職業に結びつけようとする試みである。持続的な地域振興策を考える際には、行政の補助金に頼った試みでは長続きしないと思う。

時代の潮流は近年、「稼ぐ文化芸術」に力点が置かれているように感じる。たとえば2020年に制定された文化観光推進法では観光客が消費するお金が地域に循環されることを目指している。

文化芸術の活用を通じてお金を稼ぐことは、大切な取り組みだとは思う。一方で、文化芸術振興の多くは非営利な取り組みだけに、収益を上げることに力点を置くより、文化芸術を通じて雇用が生まれることを重視したい。職業や仕事があってこそ、人々は地域で暮らせると考えるからだ。営利と非営利の狭間で、いかにして適切なバランスを図っていくかが問われる。

滋賀県草津市の「市の花」アオバナに注目したのは、文化遺産の保存・継承と産業活用の双方が試みられており、興味深いと感じたからだ。染料植物であるアオバナは、友禅染や絞り染めなどに用いる。現在は草津市内でしか栽培されておらず、「ここにしかないもの」である。しかし着物文化が衰退すると、栽培農家が激減し、生産量もわずかになった。事態を憂いた県立湖南農業高校の教員や生徒らがアオバナの栽培を始め、染色技術を向上させた。独特の青色を活かした粉末をつくり、地元ホテルなどに提供。新しい商品が開発された。これらを受けた草津市は2023年6月1日付で「草津ブルー」の商標登録を取得した。

30代前半の若者がNPO法人を立ち上げて、アオバナ製造を仕事にする決心をした。摘花などの作業を体験できる観光ツアーも実現したいという。

対して、「ここにしかないもの」を有さない市町村があることも事実だ。いや、特産品のない地域の方こそが圧倒的に多いのではないか。どうしたらいいのだろうか？　「ここにしかないもの」がなければ、衰退を待つしかないのだろうか？　決してそうではない。創意と工夫によって、「ここにしかないもの」を創出すれば良い。

4章の冒頭で紹介する島根県石見地方の山里・美郷町では、近年、インドネシア・バリ島の民族音楽であるガムラン音楽やバリ舞踊を活かした地域振興策に取り組む。「特産品がないならつくってしまおう」という意欲である。1991年からバリ島と文化交流を続けており、このご縁を大切にした。この元気さ、頼もしさに惹かれ、中国山脈の山里まで調査に出向いてきた。

まちを元気にするのは移住者である。移り住んできた彼ら彼女らは旧来の固定観念から脱して、新しい発想でチャレンジする。美郷町では田中利典（1978年生まれ）、紗江（1980年生まれ）夫妻がダイナモ（発電機）になっている。2人はバリ島に長く暮らし、日本人観光客の人気を集めた土産店を経営したのち、子育てを考えて日本に帰国。出身地の神奈川や大阪に戻らず、美郷町に移住してきた。美郷の山で採った薬草を用い、バリ島の調味料「サンバル」を商品開発して売り出している。2人を受け入れた住民たちの表情がとても柔らかで、心より歓迎している様子が筆者に伝わってきた。とても心地の良い調査だった。

過疎地域では、集落消滅の危機が待ったなしで迫っている。官民総ぐるみになって課題解決に取り組む体制づくりが求められている。文化芸術を活かして何ができるのか、を考え続けていきたい。

1 友好都市との国際文化交流を活かすまちおこし・仕事づくり

島根県美郷町・中国山地の山里が取り組むバリ島との文化交流

少子高齢化・鉄道廃止で苦しむ島根県美郷町

島根県美郷町を訪ねるに当たって、京都の自宅からどうやって行けばいいのか迷った。人生で初めての石見遠征である。JR 山陰線を利用する場合、西出雲駅から西は非電化なので本数が少ない。結局、2022 年 3 月 23 日、京都駅から広島駅まで新幹線に乗り、JR 芸備線に乗り継いで広島県三次市のホテルに 1 泊。翌 24 日朝、美郷町教育委員会教育課長の漆谷千鳥(1962 年生まれ)に車で迎えに来てもらった。

「中国太郎」と呼ばれる 1 級河川・江の川沿いの国道 375 号を走ると、並行して線路が敷かれているではないか。漆谷によると、三次市と島根県江津市をつなぐ JR 三江(さんこう)線で、2018 年 3 月末で旅客営業を終えた。「108km のうち、30km 余りが美郷町内を走っていた。35 駅のうち町内に 10 駅があった。廃線は大きな痛手です」と漆谷は残念がった。

「鉄道のないまち」に転じただけではない。美郷町を取り巻く状況は厳しい。人口減少が止まらないのだ。同町は邑智(おおち)町と大和(だいわ)村の 1 町 1 村が 2004 年に合併して誕生したのだが、2020 年の国勢調査によると人口は 4355 人。5 年前の前回調査では 4900 人、10 年前は 5351 人だったから減り続けている。底が見えない。2020 年の人口を前回調査と比べた減少率は 11.1%。全国でも過疎化の著しい島根県の 19 自治体でワースト 1 位だった。

少子化も進む。町内の公立学校は邑智小と大和小、邑智中と大和中の 4 校。児童・生徒数は 2020 年度で計 344 人だが、2029 年度には 198 人に減少すると推計されている。

観光客の入り込み数も 2016 年の 13 万 5364 人から、2021 年には 6 万 5246 人に減った。町内に唯一あった県立邑智高校が 2007 年、隣町にある川本高校と統合されて島根中央高校に。美郷町は「高校のないまち」になってしまった。

2022年度の当初予算は64億5400万円。このうち税金などの自主財源は全体の18.2%にとどまり、国からの地方交付税や国庫支出金などを合わせた依存財源が81.8%に達する。

典型的な「過疎の山里」が「生き残り」を懸けた取り組みを始めたと聞き、出向いた。2022年3月24日から27日まで町内を走り回り、人々の動きを追った。

ガムラン楽団とバリ舞踊団の結成

「カンカン　コンカン」。2022年3月25日午後6時から町役場隣の文化施設・みさと館でガムラン楽団「ミサト・サリ」の練習が行われた。団長の西原慎治（1972年生まれ）が口頭で音やリズムを説明すると、楽団員がそれぞれの楽器を奏で始めた。楽譜はない。口承で臨む。鉄琴の「ガンサ」、鉦（かね）の「カジャル」、シンバルの「チェンチェン」、小さなゴングの「クレントン」、低音を響かせるベースの「ジェゴガン」など実に多彩な楽器群を用いる。打楽器「クンダン」をたたいて全体をリードする西原は寺院の住職で、2021年の町議選で初当選した。ドラムを演奏し、アフリカの楽器・ジャンベに親しんできたので参加した。

ガムラン音楽はインドネシア・バリ島（バリ州）の民族音楽だ。なぜ町民がバリ島の音楽を奏でているのか？　話は1982年にさかのぼる。同県で「くにびき国体」が開催された際、江の川流域の邑智町（当時）でカヌー競技が行われた。地元の県立邑智高校にカヌー部が設立された。このあと町立カヌー博物館の建設が持ち上がり、1991年の開館時にバリ島からカヌー職人を招聘して実演を披露してもらった。

楽団副団長の鳥田正輝（1957年生まれ。元町産業振興課長）は当時の町役場からバリに派遣されてカヌー職人を探した。案内ガイドがバリ島内陸部のマス村出身者で、おじが村長だった縁から、邑智町とマス村は1993年に友好提携を調印。邑智高校の修学旅行先にバリ島を選んだり、バリ島の高校生が短期留学のために来日したりするなど文化交流を重ねた。このため、町内にはバリ島訪問経験者が比較的多く、たとえば島田は休日等を活用して計60回も渡航した。インドネシア語は日常会話なら不自由なく話せるそうだ。

楽団は2021年9月に発足。当初の24人から39人に増えた。幼児から90代まで年齢層は幅広い。最高齢である坂東恒夫は1930（昭和5）年の生まれ。旧制神戸二中（現・長田高校）3年のときに終戦を迎え、翌1946年、母の出身地・旧大和村に疎開した。楽譜を勉強してギターやハーモニカを演奏する。楽団発足を知り「1つやってみよう」と名乗り出た。皆勤で練習に参加。「年に1度は歌舞伎を鑑賞するが、歌舞伎とバリ舞踊は所作や指の動きがよく似ているので、以前からバリ島の文化に関心を持っていた」と話した。「首になるまで使うちゃんさい（使ってください）」と笑顔で団員に話しかける。

町が建設した定住住宅に暮らす日高晋太郎（1979年生まれ）、あゆみ（1978年生まれ）の夫婦も楽団に入った。晋太郎は東京の著名飲食店チェーンで店長やスーパーバイザーを務めたものの、余りの多忙さを心配したあゆみが「仕事を辞めてほしい」と要望。夫の古里・宮崎県に戻ったが、子どもができたので「一軒家で暮らしたい」と思うに至る。ネットで検索すると美郷町の条件が良くて移住を決めた。2人は「コロナ禍のために地域のまつりが中止になり、地元の人たちと知り合う機会が少なかった。町全体から集まってくる楽団のおかげで人とのつながりが生まれた」と振り返った。

インドネシア暮らしの経験者も楽団の輪に加わった。田中利典（1978年生まれ）と妻の紗江（1980年生まれ）は、ともにバリ島に長く暮らしてクッキー店を経営。子どもの教育を考えて日本への帰国を考えた際、美郷町がバリ文化を活かしたまちづくりを目指していることを知る。町の地域おこし協力隊員の募集に応じて2020年8月に移住した。2人はバリ文化に寄せた商品の開発に励みながら、2男2女を育てている。

インドネシア人女性の町国際交流員アネタ・ウィジャンヤンティ（1991年

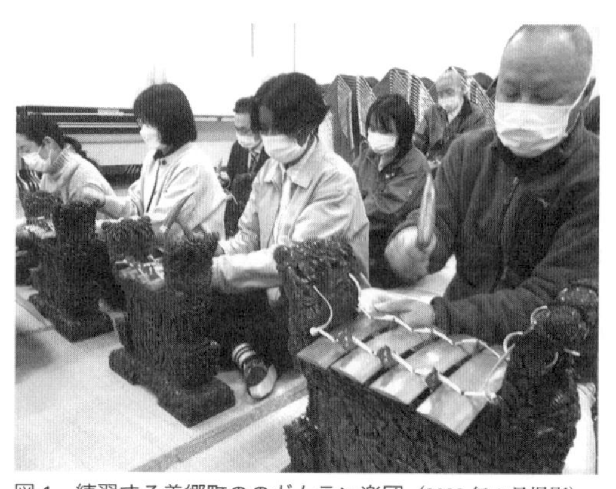

図1　練習する美郷町ののガムラン楽団（2022年3月撮影）

生まれ）も入団した。2021年12月に採用されたばかり。日本のアニメに影響されて母国の大学の日本語学科に進学。2018〜2019年は同志社大学に留学した。会話、漢字とも日本語が巧みだ。彼女自身は東ジャワの出身だが「美郷町とバリ島の懸け橋になりたい」と意気込む。

町職員の檜垣栄作（1978年生まれ）は打楽器・クレントンを担当する。小学5年で石見神楽の千原神楽団に入団。今は事務局長の重責を担う。神楽の太鼓をたたいてきたので町教委から誘われた。「同じ打楽器なので、すんなりと入ることができた。どちらも楽譜がなく、指導者を見て聞いて真似る。当初は町職員だからという義務感もあったが、今ではすっかり魅せられた」と語った。石見で盛んな神楽とガムランの競演を目指している。

ガムラン楽団に続いて2022年1月に発足したのがバリ舞踊団（10人）だ。「ここは指を伸ばして！」長藤集会所の2階で、バリ舞踊団の練習が始まった。ガムラン音楽の舞踊曲「ルジャン・デワ」が流れる中、赤・黄・緑など鮮やかな色彩のバリ民族衣装を身にまとった女性たちが、指先を細やかに動かしながら踊っていた。3月26日に見た光景だ。窓からは江の川の豊かな流れを眺めることができた。

指導するのは同県奥出雲町在住のバリ舞踊家・嵐谷洋子（1971年生まれ）である。嵐谷はインドネシア政府の国費留学生試験に合格し、1999〜2000年の1年間、国立芸術大デンパサール校の舞踊科に学び、さらに私費留学に切り替えて同国に滞在。バリ舞踊を修得した。2001年にはバリ島で開催された「オレッグ・タムリリンガン・コンテスト」で日本人初の入賞を果たした。帰国してからも年に2回は渡航、レッスンを受けた。現在は県内の文化センター講師、奥出雲町文化協会理事、同町国際交流協会理事を務める。

図2　カラフルな衣装を身にまとい練習するバリ舞踊団（手前が指導者の嵐谷洋子さん）（2022年3月撮影）

先述した田中紗江が団結成の呼び掛け人の1人だ。紗江は1999年からバリで暮らし、利典はその後に移住して来て知り合った。2人のバリ島生活は「17年」という。現地では土産店を経営、クッキー商品を開発して人気を集めていた。子どもの教育のこともあり、紗江の実家（大阪市都島区）に戻ったが、間もなく同町に誘われる形で移り住んで来た。

紗江と嵐谷はバリで出会っていた。紗江は「洋子さんとは不思議な縁」と笑顔で振り返り、「プロダンサーの洋子さんが駆け付けてくれるなら」と舞踊団結成を呼び掛けた。

楽団は2021年11月に行われた町産業祭と、2022年3月に開かれた町主催の社会教育・生涯学習実践発表会に出演。新型コロナウイルス禍に伴い、楽団の練習が不足して舞踊曲を習得できなかったため、楽団側は「次は共演したい」、舞踊団側は「生演奏で踊りたい」と張り切る。両団合わせて「ミサト・サリ」と名付けた。「サリ」はバリの言葉で「恵み」という意味だ。

証券マン出身の町長

2004年に邑智町と大和村が合併後、バリ島との交流は活発でなくなった。しかし2018年11月、美郷町長に就任した異色の「証券マン町長」、嘉戸隆（1964年生まれ）が改めて火をつけた。

県立出雲高校を経て、東京都立大経済学部を卒業。大和証券に入社してマーケティング戦略室長、営業企画部長、横浜支店長などの要職を歴任した。米カリフォルニア大バークレー校に留学し、マーケティングを学んだ経験も有する。しかし旧邑智町・粕渕地区の旧家の長男であること、帰省するたびに「ふるさとが寂れていく風景」を見てきたことから出馬した。嘉戸は「会社の戦略を練るとき、何が強みなのかを知ることが重要だ。他社にまねできないもの、持続可能であること、を見つけてこそ競争に勝ち残る」と考え、町の「強み」を探した。見つけたのがバリ島との交流実績だった。さらに後述する「山くじら」のブランドづくりと独自の獣害対策である。

嘉戸は当選直後から3度、バリ島を訪問。バリ州知事を表敬訪問したり、マス村の村長と面会したりして交流を深め、改めて美郷町とマス村の間で友好協定を調印し直した。町教委の漆谷には「ガムランの楽器を探して入手してほしい」と指示。1セットで400万円もするため、購入できなかったものの、手を尽くした結果、バリの影絵「ワヤン」研究の第一人者である音楽研究者・梅田英春（静岡文化芸術大学文化政策学部長・教授）から、ガムラン楽器1セットの寄託を受けた。東京の音楽スタジオからも、無償で別の楽器1セットの寄贈を受けた。

嘉戸は帰郷後、町役場の近くに自宅を建てた。バリ島から資材を取り寄せ、現地の職人に手作りしてもらったレリーフやオブジェなどが並ぶ。「美郷に骨を埋める」「本気でバリと交流する」覚悟を示す意味を込めた。

2019年から、町役場ではクールビズの季節（5～9月）になると、職員の有志がアロハシャツに似たインドネシアの衣服「バティック」を着る。バリ島の絣織物「イカット」のシャツも着る。「職員の半数以上は着ている」（町幹部）という。

移住してきた夫妻が活性化に貢献

筆者が見たところ、2人でバリ島暮らし「17年」の経験を有する田中夫妻が地域活性化のキーパーソンだと映る。子ども4人を連れ、2020年8月に移住して来たので町の人口が増えた。利典は同年9月に、紗江は翌10月に地域おこし協力隊に採用された。協力隊での任務は、新商品を開発して地域産業を振興すること。2人は集会所の一室で名物づくりに励む。新たに移住して来た若い人たちの相談相手にもなる。

夫妻が2022年1月に開発した商品が、バリ島の辛味調味料「サンバル」である。材料に用いる薬草は美郷の山に出向いて採取した。

図3 「サンバル」を手にする田中利典さん・紗江さん夫妻。2男2女を美郷町で育てている(2022年3月撮影)

バリ島のものに近い味がするそうだ。最初に製造した瓶入りの300点は「ネットを通じて8分で売り切れた」(利典) そうだ。

量産するために薬草を育てるプロジェクトも始めた。紗江は「旧大和村ではマタタビの実が特産なので、マタタビを使ったコーラも製造してみたい」と話した。

利典の両親(横浜市在住)は島根県安来市出身で、祖父母は今も安来市で暮らすため、島根県には縁があった。嘉戸がマス村を訪問した際、村長から「面白い日本人夫妻がいる」と紹介された。町長として「外の人の力でまちを活性化したい」と期待する。

紗江は学校の食育に携わる栄養教諭と共にインドネシア料理の給食メニューを作成。町の給食センターで調理してもらい、小・中学校4校の児童・生徒に提供した。チャーハンのような「ナシゴレン」、豚の串焼き「サテバビ」、大豆を固めて揚げた「テンペマニス」。デザートはバナナの天ぷら「ピサンゴレン」だった。

利典によると、バリ島ブームは再燃しているという。「美郷にバリ料理、バリ舞踊、ガムラン音楽がそろえば、県外からも観光客がやって来る」と提案した。

山くじらを名物に

嘉戸が注目した2つめの「他自治体にない強み」は、独自の獣害対策と、これに伴い生産されるおいしい山くじらだ。山くじらとは、イノシシ肉のこと。町は「おおち山くじら」を商標登録した。2022年4月1日に新設された美郷バレー課の課長、安田亮（1968年生まれ。2022年3月31日までは山くじらブランド推進課課長）に話を聞いた。米国のシリコンバレーに寄せて、研究機関を誘致し、産官学民で新たなビジネスを生み出したいと夢見る。

1999年に獣害対策の担当となった安田によると、多くの自治体では地元の猟友会が行政から協力金を得て害獣駆除を行っているが、美郷では依頼せず、農家自身が駆除するという。安田は「猟師は獣が肥えた冬に捕獲したい。対して農家は、農業被害の多い夏に駆除してほしい。このミスマッチに気付いたので、猟友会には頼らず、わな猟免許の取得を農家に推奨し、農家が本気で取り組む体制づくりを進めてきた」と解説した。

具体的には、農家にコンパクトな囲いわな（奥行き2m、間口と高さ各1m）の所有を勧め、町が補助金を出す。農家が畑のそばに設置し、中にぬかを入れてイノシシを捕まえる。捕獲したイノシシは「生体」のまま、株式会社「おおち山くじら」の食肉加工施設に持って来てもらい、同社が処理して精肉にする。「生体を速やかに処理すれば、肉の臭みはなくなり、とても美味になる」（安田）。

筆者が泊まった料理体験付き農家民宿「三國屋」では、山くじらを食べることができた。しょうゆ仕立てのシシ鍋に加えて、自家製リンゴジャム、アユのだしのそば、フキノトウのみそ……。なかなかの美味だった。地元の食材をふんだんに使っていた。

2019年に開業した経営者の田邊裕彦（1958年生まれ）は「シシ肉の臭みを消すためにはみそを用いるが、みそ味はすぐに満腹感を招く。うちでは、適正に処理して臭みのない『おおち山くじら』ブランドの肉を使っているので、しょうゆ仕立てが可能だ」と熱心に語った。

三國屋では「心のこもったおもてなし」をするため、宿泊客は1日1組（8人まで）と決めている。夕食・朝食付きで1人1万円から。建物は1928（昭和3）年に建築された平屋（8間）で、知り合いの大工らと共に改修し

図４　民宿を経営しながらヤギを飼う獣医師の田邊裕彦さん（2022 年 3 月撮影）

た。ファンが生まれ、これまでに国内はもちろん、海外の 16 カ国・地域から宿泊客がやって来た。

実は、田邊は獣医師なのだ。県立大田高校から麻布獣医科大（現・麻布大）に進み、卒業。獣医師として県職員を勤め上げ、定年退職後、直ちにふるさとに戻った。

理由は、1 つにどぶろくを製造したかったこと。どぶろく特区制度を利用して濁り酒を製造するためには、民宿業か飲食業を営むことが条件になっているので、農家民宿を開業し、どぶろくを製造・販売している。2 つにふるさとに熱い思いがあること。「県職員時代、しきりにＩターンやＵターンを奨励したので、定年後の自分がモデルになろうと思った。過疎が進む地域を、人々が集まる楽しい地域にしたいと考えた」と語る。宿泊客に家畜との触れ合い体験をしてもらいたいと願い、6 頭のヤギも飼育する。ヤギは畑の雑草を食べてくれる。

先に登場した田中夫妻は、三國屋に泊まって田邊と出会ったことで美郷移住を決意した。2 人は筆者に「『バリといえば美郷』といわれるためには、この町にバリ特有の『自由な空気』が欠かせない」と打ち明けた。そして「田邊さんはバリ人に近い自由な空気感を持っている。彼が住む美郷町はきっと面白いはず」と直感して移住を決めた。

人口200万人余の広島広域都市圏に加入

江戸時代、この辺りは徳川幕府の天領だった。石見銀山があるからで、地域内を通る「銀山街道」や江の川の恵まれた水運もあって、大勢の人が行き交った。たたら製鉄業が盛んで、豊かな土地柄だったのだ。それだけに地域活性化の可能性を秘めている。

同年3月30日には広島市と連携協約を締結し、「広島広域都市圏」に加わった。浜田市、邑南町と共に島根県内の自治体として第1号の参画だ。企画推進課長の石田圭司（1968年生まれ）によると、同都市圏は広島、山口両県で構成していたが、島根にも広げることになったという。

美郷町は都市圏が2022年度に実施する全110事業のうち、71事業で連携する予定だ。具体的には、▽空き家対策▽統計データ活用▽放課後児童クラブ職員専門研修▽情報通信技術（ICT）推進▽移住定住促進▽救急医療体制▽家屋評価実務研修――などである。石田は「都市圏全体で取り組むことで、より大きな効果が期待できる」と強調した。

特に観光・産業振興の面で期待が高まる。人口200万人余の広島広域都市圏から大勢の観光客や企業に来てもらいたい、と希望する。

例えば町内にある千原（ちはら）温泉。温泉愛好家のコミュニティが2021年に選んだ「ひなびた温泉」全国ランキングで、1位に輝いた。足元から源泉が湧き出ており、珍しい。筆者も入浴してみた。湯船の中で出会った男性は「広島から来た」と話した。駐車場に広島ナンバーの車が並んでいた。

このように美郷町は県境を越えて交流を図り、バリ文化や山くじらブランドを「他にない観光・産業資源」としてアピールしたいところだ。学生や社会人の合宿を誘致していくという。厳しい数字が並ぶ過疎の現実をどう克服するのか。試みは始まったばかりだ。課題も多いなか、バリ島のガムラン音楽やバリ舞踊の振興によって、何かが弾ける予感がする。

（『地方行政』2022年6月27日号掲載の連載原稿をもとに加筆修正した）

2　地域の伝統農作物を活かす産業振興

滋賀県草津市・市の花「アオバナ」による地域振興

人気の住宅都市・草津

JR東海道線で京都駅から新快速で20分、普通電車でも23分ほどで草津駅に到着する。東口のペデストリアンデッキ（高架で設置された歩行者専用通路）に設けられた広場には「草津宿」と刻まれた石碑と宿場町風の門が建てられている。草津は江戸・日本橋から数えて52番目に当たる東海道の宿場町。約70軒の旅籠が並び、中山道と交わった。「五街道」の二大街道である東海道と中山道が分岐・合流するのは、日本橋と草津だけだったから隆盛した。

大阪まで通える通勤圏にあり、琵琶湖畔に近くて自然が豊かなだけに、若いファミリー層から「住みやすい都市」として人気を集め、草津駅周辺には30階建て前後の高層マンションが林立する。約13万8000人（2022年9月末現在）の人口は増加傾向にある。新しく移り住んで来た市民の割合が高く、「寝に帰るまち」の一面を有する郊外都市である。

本稿では、「市の花」アオバナ、染料として用いられた青花紙に注目し、文化と地場産業振興の関係性を見つめていく。地域特有の文化遺産をいかに継承・活用するかは全国共通の課題であるからだ。

アオバナと青花紙とは

染料植物「アオバナ」をご存じだろうか。ツユクサ科のオオボウシバナという在来種で、一般にはアオバナと呼ばれている。ツユクサの青い花弁が長さ10～13mmであるのに対し、アオバナの花弁は4cm近い。大輪だ。江戸時代の生産地は近江国栗太郡内だったが、現在では草津市内だけで栽培される特産品である。1981年に「市の花」に指定された。草津市立草津宿街道交流館の前館長・八杉淳（1959年生まれ）によると、文献上初めて登場したのは、江戸時代初期に発行された俳書「毛吹草」だった。

一方、青花紙とは、アオバナの花弁から搾り取った青い色素を花汁にして和紙に染み込ませ、乾燥させたものだ。友禅染や絞り染めなど、着物の下絵用の絵の具として利用された。江戸時代には浮世絵の絵の具、菓子の着色料としても用いられた。

なぜ草津だけで栽培が続いたのだろうか。八杉によると、草津は京都や大阪などの都市近郊農村だったので、栽培に有利だったとみられる。京都は友禅染の産地である上、染料店や絵の具店が集積していた。大阪は大消費地だった。「花汁を紙に染み込ませる相当高度な技術」（八杉）が編み出されたのは、蒸発せずに日持ちすること、軽いので歩いて持ち運びできることが理由とみられる。江戸期には粉末の技術が確立されておらず、花汁を入れた竹の筒は運ぶのに重く、水が腐る恐れもあった。

急減した生産農家

アオバナの青い花が咲くのは7月初旬から8月下旬まで。生命力が強く、摘んでも摘んでも花が咲く。真夏のつらい作業になる。青花紙に用いる和紙は1束当たり96枚。花汁をはけで塗り重ねる。1束約120gの和紙が400gになるまで、塗りと乾燥（天日干し）を繰り返す。手間のかかる作業なので根気が欠かせない。農家には貴重な現金収入になった。

青花紙ができると仲買人を通じて染織業者に渡り、職人が皿の水に紙の一部を浸して青色を取り出し、絵の具にする。水で洗うと落ちやすいので、友禅など和服の染めの下絵に用いられた。

図1　アオバナ畑で青い花を摘む中村雅幸さん（草津市内で）（2022年7月撮影）

現在は生産農家の存続が危ぶまれる。同館学芸員の岡田裕美（1990年生まれ）の調査によると、生産農家数は1871（明治4）年に350戸とされ、最盛期の1918（大正7）年には500戸を数えた。その後は化学染料に押されて急減。1988

年に25戸。1997年に9戸。東京文化財研究所の調査が始まった2016年には3戸まで減った。2022年時点で、栽培から摘花、青花紙の生産まで一貫して行う農家は、中川正雄（1930年生まれ）と中村雅幸（1955年生まれ）の2戸だけだ。

中村家では、雅幸の父・繁男（1929年生まれ。故人）と母・久枝（1929年生まれ）がアオバナの栽培と青花紙の製造を行っていたが、繁男が2020年に亡くなったのち、栽培と花弁の出荷は続けたものの青花紙製造はいったんやめた。雅幸は「お袋（久枝）も高齢となり、青花紙作りが難しくなった。しかし貴重な地域文化遺産なので、2022年から再び取り組むことを決意した」と語る。繁男が生前、地元の児童や湖南農業高の生徒を指導するなど、「何とか残さなあかん」と願っていたからだ。

中村家は兼業農家である。市職員だった雅幸は1.2haの田畑を所有する。2022年は3カ所の畑計500m²で、アオバナ栽培を手掛けた。繁男は日本通運の社員だったので、農業は久枝が中心的な役割を担った。紙に汁を塗り続け、天日干しする青花紙作りは久枝が主に担当してきた。暑い中で行う大変な作業は、雅幸の妻・ちづ子（1960年生まれ）が継承を試みることになり、久枝が技術指導を始めた。

青い花が咲く姿を見てみたい。そう願った筆者は2022年7月2日（土曜）の朝、中村家の畑を訪ねた。背丈ほどのアオバナにブルーの花びらが見え、雅幸が手際よく摘んでいた。「小学生のとき、早朝のラジオ体操を終えると家族全員で畑に出た。行商の人がアイスキャンディを売りに来ると、父が買ってくれた。本当においしかった。手を動かしながら家族と会話を重ねた。アオバナ栽培は家族のコミュニケーションの場でもあった」と懐かしんだ。

県立湖南農業高校の貢献

農家以外では県立湖南農業高校の教員や生徒らが校内の畑で栽培を続けている。現在、市農林水産課農商連携調整員の井上升二（1960年生まれ）は同校の教頭と校長を務めた。教頭に赴任した2013年のある日、市職員

図2　あおばな染めワークショップを指導した草津市の農商連携調整員、井上升二さん（2022年2月撮影）

がペットボトルに入れたアオバナ汁を持参して「先生、使ってください」と言った。汁の青さが印象的だったので「地域の素材を使って、まちおこしができるのでは」と直感。翌2014年から栽培を本格化させた。

学校敷地は約9ha。一角に畝を設け、同校花緑科のプロジェクト研究に位置づけてアオバナの栽培を始めた。同校生徒らとともにアオバナを育て、花を摘み、染色技術の開発に励んできた。2021年3月に定年退職。同年4月以降、アオバナ農家、関連事業者、農業高校、行政等の連携を調整する重い役割を担った。調整員は週3日の非常勤職員だ。

同校が力を入れた技術開発は主に2つ。1つにはアオバナの青色を食品づくりに活用するための天然色素の粉末化。2つには粉末の雑菌を減らす取り組みだ。目の細かい特殊なろ過装置を使い、2021年12月には天然色素粉の大幅な滅菌化に成功した。

井上は大津市生まれ。信州大学農学部を卒業後、県教委に採用され、農業科教員を拝命した。井上によると、着物が衰退した現代社会では和服文化に加えて新たな需要づくりが急務だという。草津では2000年初頭からアオバナ茶の開発が試みられた。アオバナの茎や葉を用いてお茶にする。あるいはコーヒー、アイスクリーム、餅、クッキー、カレー等の飲食物への活用が図られてきた。しかし従来の飲食物の色はブルーでなかったところが悩みだった。井上は「アオバナの関連商品だけにブルーが表に出ないと訴求力に欠ける。とはいえ青色は食欲を減退させる一面もあり、悩ましいところ」と打ち明けた。

市内で開かれれる「あおばな染めワークショップ」では、井上が指導者となり、保育士、観光ボランティアガイド、公共施設職員らを対象に普及活動をしている。布を染める技法を伝える。仕上がりを見た参加者から「きれいな青になった」との歓声があがる。

井上は「草津というと関東では温泉地と勘違いされる。今後は『ブルーのまち』として売り出したい。万年筆やボールペンのインク製造、ブルーのアイスクリームづくりなどが期待できる」と夢を描く。〈草津ブルー〉が都市の「色」になり、観光客にアピールできる日がそう遠くないかもしれない。

アオバナを生かした「名物」づくり

かつて湖南で栽培されていたアオバナが、なぜ草津の「市の花」になったのか？　話は江戸時代にさかのぼる。

アオバナから得られる染料は、手描友禅や絞り染めの製造過程の際、下絵を描くときに用いられた。水洗いすれば色落ちしやすい特性が活用された。中世から用いられたようだが、文献では 1645（正保 2）年刊行の俳書「毛吹草」に初めて草津とアオバナの記述がみられる。アオバナを育てた農家が花汁を用い、刷毛で和紙に何度も塗り重ね、「青花紙」を製造する。仲買人を通じて京都や大阪などの染料店、絵具店に届けられた。栽培地が集中すると好都合なので、京都から日帰り圏の草津が特産地となっていった。

「こんな新商品も開発されました！」 2022 年 7 月 3 日（日）、草津市の水生植物公園で開かれた第 18 回くさつあおばなフェスタ（市・草津あおばな会主催）の会場で、トークショーが行われた。司会を務めた井上升二は、アオバナの「青」を生かしたゼリーとようかんの新商品を初公開した。開発したのは、JR 草津駅の西口に立地するクサツエストピアホテルである。営業副部長兼料飲支配人の井上友紀子（1978 年生まれ）が井上升二の影響を受けて開発を主導した。

井上友紀子は 2022 年 3 月、草津あおばな会から乾燥アオバナ粉 1 袋の提供を受け、「商品開発を」と求められたことから、「青色のお菓子を作りたい」と思い立った。ホテル内の日本料理店「あお花」の料理長と相談。透き通った青さが印象的なゼリーとようかんに仕上げ、フェスタに間に合わせた。井上友紀子は「アオバナ粉が少ないので毎日お出しできないのが悩み。日常メニューではタイ産バタフライピー（マメ科の植物）の『青』を用いる。アオバナ粉を使った商品は特別の場合のみ」と話した。

「草津の名物」にするためにもアオバナの生産増が急がれる。フェスタのトークショーでは、NPO法人青花製彩の代表理事・峯松孝好（1993年生まれ）が登壇し、生産増の新たな取り組みを披露した。峯松は中村雅幸の父・繁男に弟子入りして栽培技術を習得し、現在は約1haの農地を借りて栽培する。峯松は「アオバナの摘花作業には大勢の人手が必要。有償ボランティアに摘んでもらい、100g当たり400円で買い取る。農家なら1時間で400gを摘むが、一般の方は250gが精いっぱい。それでも時給1000円になる」と増産に意欲を示した。生産量が増えれば学校の教材、観光客誘致の資源、新商品を開発した事業者に対する供給、同保存会への材料提供といった面で好影響が出る。

草津青花紙製造技術保存会の発足

アオバナは草津特産の農産物なので、市が農協や農家、事業者などと「草津あおばな会」（事務局・市農林水産課）を組織し、栽培を奨励してきた。同会が2018～2020年度にアオバナ栽培や染料製造を学ぶセミナーを開催すると、修了生が中心となり、2020年8月に「草津青花紙製造技術保存会」を発足させた。保存会は将来、文化庁の「選定保存技術」選定を目指す。

初代会長の森重文博（1967年生まれ。大津市在住）は自営で教材開発の仕事に携わる。2018年春、図書館でセミナー受講生を募るチラシを見つけ、事務局（同市立草津宿街道交流館）に連絡した。森重は「セミナーの事前講習会で、アオバナが伝統工芸産業を下支えしてきた歴史を知った。未知の世界の魅力に心が揺さぶられた」と振り返る。2019年度のセミナーは湖南農高から全面的な支援を得て、同校内で栽培の実習や染料づくりに励んだ。「農業高校の生徒さんと一緒に作業できて、とても充実していた」そうだ。保存会会員は14人と2団体（2022年9月30日現在）。現在は湖南農業高の畑を借りる日々だが、森重は「いつか保存会自前の畑を持ちたい」

と願う。

同保存会発足のきっかけは、東京文化財研究所が伝統工芸には欠かせない技術として注目し、2016～2018年度に調査を実施したことからだ。青花紙を手作りしていた農家で技術を撮影し、聞き取り調査を行った。調査成果を踏まえて、草津あおばな会が先述のセミナーを実施したのだった。

街道文化との関係

街道沿いの宿場町とアオバナの間にはいかなる関連性があったのだろうか。八杉によると、1つには染料の青花紙を運びやすかった。東西方向に加えて加賀友禅の石川県、染め産業の盛んな新潟県など、北国にも輸送しやすかったのではないかと推測する。2つには浮世絵の影響である。江戸期における東海道の風景を描いた歌川広重の浮世絵「五十三次　草津」には、アオバナの花を摘む着物姿の女性2人が描かれている。背景には琵琶湖が見通せる。浮世絵の絵の具としても青花紙が用いられたので、広重は「草津といえばアオバナ」の印象を持っていたとみられる。街道を行き交った大勢の人々もアオバナのことを知っていたのだろう。

東文研との共同調査以降、市教委は草津宿のシンボルである本陣、そして街道交流館の庭先に湖南農業高から借りたアオバナの植木鉢を置いている。来訪者や通り掛かりの市民に見てもらうのが狙いだ。アオバナの栽培地が湖岸沿いに限られるので、街道沿いの人々にもアオバナの魅力を伝えたいと願っている。

今も残された草津の本陣は国指定史跡である。「東海道の中で唯一、当時の姿をほぼ完全に伝える」（市教委）貴重な文化財だが、いつも同じ姿だ。青い花があれば、インターネット上で「SNS映え」する。本陣の館長も兼ねていた八杉は「宿場町の本陣や旅籠は全国どこでも同じ形状をしており、どうしても『絵』が似通ってしまう。地域の特色を出しにくいのが悩みだ。このため街道文化にアオバナ文化を加味することで、草津独自の色を出したい」と語った。

一方、草津市は、アオバナの栽培や青花紙作りが「形のない文化遺産」

であると評価し、「国の選定保存技術に持っていければ」と考えている。

産業と文化のありようを考えるきっかけに

筆者は2022年2月から7月にかけ、5回にわたって草津に通った。アオバナ栽培と青花紙製造の事例は、自治体文化政策を見つめるうえで示唆に富んでいると考えたからだ。

2017年制定の文化芸術基本法は、文化政策の対象を「観光、まちづくり、国際交流、福祉、教育、産業」などに拡張したとされる。アオバナ栽培と青花紙製造は観光客誘致、まちの景観形成、外国人との国際交流、郷土教育、産業振興など幅広く関連する。

2018年に策定された草津市の文化振興計画では、重点的に取り組む3つのプロジェクトのうちの1つに「ふるさと草津の心プロジェクト」が掲げられた。「市民のシビック・プライドを醸成するとともに、本市の文化の魅力を市内外に発信するため、本市の文化的資産の価値を再発見、再認識することができる機会の充実に取り組みます」とうたわれている。同計画第5章「基本施策・事業」の「基本施策10　文化的資産の継承および活用」に挙げられた「事業例」の1つに、アオバナの歴史や魅力をPRするイベントが盛り込まれた。計画作りを担当した市教委生涯学習課長の上原香織（1973年生まれ）は「草津特有の文化的資産としてアオバナには可能性を感じる」と語る。

とはいえ、活用ばかりに光を当てる訳にもいかない。アオバナの栽培が断絶して青花紙の製造技法が途絶えてしまえば、元も子もない。文化の保存・継承と活用の双方を考える意味で、とても興味深い事例である。

同時に都市イメージの構築とも関連する。草津市の職員が出張に出向くと「温泉の草津」と勘違いされることがしばしばある。それだけに行政側は「いかに都市の『格』を高めるか」「都市のアイデンティティや誇りをどう形成していくか」という課題に直面する。今後の動きを見守りたい。

（『地方行政』2022年10月17日号をもとに加筆修正した）

3 図書館が特産品の技術保存・展示を展開

滋賀県愛荘町立「愛知川びんてまりの館・愛知川図書館」

20年前のタイムカプセル

滋賀県愛荘町立愛知川(えちがわ)図書館に保管されてきた白い円筒型タイムカプセルが2020年7月10日に開封された。建設途中の20年前（1999年11月23日）に封印されたものだ。開けてみると幼小中の1200人、議員、町職員らの手紙や新聞、写真等が入っていた。図書館開設準備室職員5人が「2020年の担当者」に宛てた手紙には、中身を展示して町民に公開するよう記されていた。同館は2000年12月に開館。5人のなかで今も在籍する職員は同館参事（課長級）で学芸員の小川亜希子（1965年生まれ）1人だけ。彼女の心の中で込み上げるものがあった。当時の初心が鮮やかによみがえってきた。「初代館長は九州で実績を挙げ、請われて就任された熱い人だった。図書館に加えて公民館や資料館に勤務した自身の経験を踏まえて『地域とともに生きる』姿勢を強く求められた」（小川）からだ。愛荘町は琵琶湖の湖東に位置する。愛知郡の愛知川と秦荘の2町が2006年に合併した。人口約2万1000人。新興住宅地が開発されて住民は増加傾向にある。愛知川と秦荘の両図書館を合わせた蔵書は45万1162冊（2019年度末）。個人貸出点数は2～3万人の自治体で全国5位、広域利用未実施なら全国2位の多さだ。特に愛知川図書館は2007年の「ライブラリー・オブ・ザ・イヤー大賞」に選ばれ、町民らは「日本一の図書館」に誇りを感じてきた。読書のまちを支える社会基盤である。

滋賀県自体、図書館活動の盛んな自治体としてよく知られている。図書館には博物館類似施設「愛知川びんてまりの館」が併設されている。ここを会場にタイムカプセルの中身は7月22日～8月23日まで公開されている。それにしても、なぜ図書館と博物館が併設されたのか？　どうして伝統工芸品「びんてまり」が注目されたのか？　話は1997年にさかのぼる。

図1　愛知川図書館・びんてまりの館の外観（2020年7月撮影）

同準備室係長と企画財政課係長を兼務していた川村節子（1959年生まれ。2018年度末に愛荘町総務部長を定年退職）は「事業費に15億円が見込まれ、町単独では難しかった。県の個性あるまちづくり市町村事業の補助金2億円などを得るためには図書館以外に別施設の併設が条件だった。『町のシンボル』になるものを選んだ」と証言した。

瓶にてまりを入れる細工

高さ15cm、直径13cmの丸いガラス瓶の中に刺繍を施したてまりを収める。てまりはさらし紐や毛糸でつくり、さらしを取り出してから瓶に入れる。金襴の布地で蓋をする。赤青黄などのカラフルな刺繍には菊などの花柄と幾何学模様が施される。「丸く収める」ことから縁起物として話題を集めている。学芸員の小川によると、高い技術が必要でかつては「秘伝」だった。だれがどこで始めたかは定かでない。神戸市立博物館所蔵の瓶細工は、木箱の墨書から江戸期の1821（文政4）年に長崎で制作されたと判明している。「明治以降に瓶が普及した結果、全国各地で瓶細工が広がったようだ」（小川）。愛荘町には古代、渡来人の依知秦氏（えちはたうじ）が移り住み、機織技術等を伝えたとされる。明治になると郡は刺繍の海外輸出を図り、郡立愛知（えち）実業学校は刺繍教育を行った。女性による手仕事が盛んになった。明治生まれの女性・青木ひろが昭和40年代まで町内でびんてまりを作り続けた。死去翌年の1974年に「愛知川びん細工手まり保存会」が結成され、技術を継承した。現役の制作集団が活動するのは全国でも愛荘町ただ1つといい、2011年には滋賀県の「伝統的工芸品」に指定された。びんてまりの館は図書館と棟続きで広さ627m²。常設展示室では保存会の作品43点、収集した古作品等48点の計91点を公開する。ギャラリーでは毎年12月に約500点の企画展を行い、2000人程度が来場。この中から翌年の常設展用作品を選ぶ。写真や絵本原画等の独自企画展も行い、常設と合わせて年間3万人余が来館する。

保存会会員は毎月1回公民館で例会を開き、刺繍などの技術を教え合う。2003年に222人に達したが、高齢化で2020年4月現在94人。同館では後継者を育成するために初心者向け教室や夏休み中の小中学生向け教室などを主催している。

図2　色とりどりのびんてまりを楽しめる展示室（右は小川亜希子さん）(2020年7月撮影)

新たな観光資源に浮上

著しい高齢化のなか、2007年に入会した小林幸（みゆき）（1975年生まれ）が頭角を現してきた。和歌山県生まれ。大学の理学部を卒業後、大阪で働いていたが、結婚して退職。夫の職場が県内にあるので大阪から移住してきた。「手芸が大好き。自治会の回覧板でびんてまりのことを知って例会に参加した。多様な柄をつくることができる。色の組み合わせ次第でまったく別の作品になる。瓶の中にてまりを入れる技術が本当に難しい」と魅力を語った。年間で20点を制作するので精一杯だ。

会員による優れた作品は近江鉄道・愛知川駅内の町施設で販売されている。値段は1点平均2万3000円。年間200～400点が売れる。小林の作品も5年前から販売されている。とはいえ手間をかけるので時給計算すれば「内職並み」の収入にとどまる。

町内に旧中山道が走り、愛知川宿の面影も残される。街道に面した元銀行支店を改装して2018年8月に町の情報発信施設が誕生。施設内の観光案内所に小林は週3日勤務する。透明ケース内に収められた会員作品6点を見せて来訪者に解説する。自作品を持参して手で触って体感してもらう。施設内では作品を販売していない代わりに、町観光協会がてまりアクセサリーを新作して1点1500円程度で販売。さらにてまり制作ワークショップ付き観光ツアーを発案した。小林ら協会職員が案内・指導を担当する。

町観光ボランティアガイド協会元会長の谷川聰一（1943年生まれ）もびんてまり人気の高まりを感じている。「街道を歩く人たちを案内するとき情報発信施設のびんてまりを紹介する。『どうやって瓶の中に入れるのか？』と驚かれる。『再びお越しの際にはびんてまりの館をご紹介しますよ』と呼びかける」と笑顔で話した。

図書館と古文書の関係

谷川は2014年以降、愛知川びんてまりの館を会場にした「古文書をよむ会」に皆勤する。「ガイドに使えるネタを探すため」だ。愛知川図書館主催の無料講座で、毎月各2回の金曜と日曜に実施中。「とても分かりやすい。参加者は年配者から20～30代まで幅広い。初めて参加したときは5、6人だったが、講師の人柄が素晴らしく、今では20人余りに増えてきた」と谷川は述べた。

講師は司書の小豆畑靖（1975年生まれ）が務める。福島県出身で佛教大学文学研究科を修了した。

2020年7月10日の講座では地元の庄屋に伝わる彦根藩の倹約令を読んだ。結婚式のとき贈答品の華美を戒め、お膳には豪華な器を用いないよう命じた。受講生は「結婚式としては質素すぎる」と感想を述べ合った。小豆畑は「図書館が博物館学芸員を招く古文書講座はよくあるが、図書館自体が開く例はとても珍しい」と話し、利点は「受講生から町の情報が寄せられる。『うちの土蔵にお膳がたくさんある。どうしたら』などの相談をいただける」と効用を話した。小豆畑は郷土資料と地域行政資料を収集する担当である。開館時から資料収集を精力的に続けたことが2007年の「日本一の図書館」選出理由になった。

行政資料等に限らず町内の飲食店メニュー、新聞折り込みチラシ等をもれなく収集・展示する。町内自治会の広報誌を集めて館玄関ホールに展示したあと保存する。「町のこしカード」をつくり、町民に記入してもらって保存する。「ここでホタルを見た。あそこにコウモリがいた。お地蔵さんはあっちにある」等の情報を蓄積する。古写真の収集を続ける。資料類は中性紙の袋に入れて永久保存。郷土資料の特集を年に１冊発行する。飲食店や不動産の値段等の推移を記録して人々の暮らしを後世に伝える。このためには町民と図書館の協働が不可欠だ。

図３　愛知川図書館の玄関ホールに展示されていた自治会広報誌（左は司書の小豆畑靖さん）'
(2020年７月撮影)

２日間訪れた筆者は「MLA連携」という専門用語を思い浮かべた。博物館（Museum）・図書館（Library）・文書館（Archives）の３館の機能をいかに連携させるかという課題なのだが、「MLA連携」の今日的実例だと感じた。小川や小豆畑が採用された頃は博物館学芸員と図書館司書の両資格を有していることが応募条件だった。だから２人は両方の資格を持つ。神戸市出身の小川は同市立図書館で臨時司書、民間美術館でアルバイト勤務を経験した。先述したように「地域と生きる」仕事が重要視され、司書と学芸員を兼ねた業務が多かった。２人は「図書館を訪れた町民が併設の博物館にも足を運ぶ。逆の場合もある。だからこそ幅広い層に来館していただける」と両館併設の良さを語った。

小川はボブカットに茶色の眼鏡姿。館内外をいつも歩き回っている。人懐っこい人柄から役場内や住民に広い人脈を築いてきた。だからこそ元総務部長の川村は「図書館・博物館と町民をつなぐ小川さんの役割は大きい」と評価、小川の後継者育成がどうなるかを懸念した。定年まであと５年。タイムカプセルを開封した小川は次の決意を語った。「これまで言葉にしなくても当時の思いが伝わると思い込んでいた。しかし、これからは後輩たちにきちんと言葉で開館時の初心を伝えていきたい」。　(2020年９月号)

4　伝統芸能を支える伝統工芸の振興

京都市「伝統芸能アーカイブ＆リサーチオフィス（TARO）」

民俗芸能の支援

低く柔らかい三味線の音色が響き渡った。2019年4月6日（土曜）夜、鹿児島市中心部にある古いビルの地下ギャラリーで「ゴッタンライブ＆交流会」が開かれた。飛び入り参加があり、観客が立ち上がって踊り出す場面も見られた。鹿児島と宮崎両県に伝わるゴッタンとは胴の部分が木製の箱になった三味線で、別名「箱三味線」と呼ぶ。演奏者が減り、製造職人も数人だけなのだという。

そこで京都芸術センター内の「伝統芸能アーカイブ＆リサーチオフィス」（略称TARO）が2018年度の共同プログラムに採択してゴッタンに関する奏者と職人を学術研究。報告書『ゴッタンを語れ！』（2019年3月発行）に両者の聞き取り調査を掲載した。研究の一環として演奏会も行った。TAROリサーチャーの萩原麗子（1977年生まれ）と古川真宏（1981年生まれ）は「奏者が一堂に会して演奏する機会がなかったので交流する場をつくれた」と意義を話した。TARO側が地元新聞社に挨拶したところ「なぜ京都市がゴッタンを？」と不思議がられたそうだが、萩原は「外部だからこそ価値が見える場合もある。2019年度も技法や楽器の実態把握に努め、演奏者らの交流促進を図りたい」と話した。

TAROは京都市と同センターの共同事業である。内容は「学術研究」「総合相談窓口」「ネットワークづくり」の3つが中心。伝統芸能文化関係者とTAROが一緒に取り組む「復元・活性化共同プログラム」を全国公募して1件あたり年間100万円（上限）を確保した。

2018年度には①京都・上鳥羽の芸能六斎の復活（祇園囃子の創作）・復元、②柳川三味線のための胴皮新素材の開発、③ゴッタンの製造技法および基礎資料アーカイブと交流ネットワークの創出——の3件を選んだ。説

図1　室町通りに面した京都芸術センター。クリーム色の外観が印象的だ（2019年撮影）

図2　TAROの幕の前に立つ萩原麗子さん（右）。（左は「京都市文化芸術総合相談窓口」の移住・定住専任相談員、八木志菜さん。本書128ページ参照）（2023年10月撮影）

明会は京都に加えて東京文化財研究所（上野）でも開いたので、予想を上回る20件の申し込みを受けた。TARO相談窓口には北海道から沖縄県まで172件の質問や相談が寄せられた。

文化庁の京都移転

京都市の文化行政を知る筆者にとってTAROの取り組みは驚きである。同市は「文化首都」の誇りを有し、文化振興に熱心である半面、「京都文化でないもの」への関心は薄いと思われた。しかしTAROでは京都の古典芸能（能、狂言、歌舞伎など専門実演家によるもの）にとどまらず、京都以外の民俗芸能の調査にも乗り出した。背景には文化庁の京都移転があった。というのも京都市は2011年度に「国立京都伝統芸能文化センター」（仮称）の誘致を打ち出したからだ。毎年度、政府予算への計上を要望してきたが、政府のなかで建設機運は盛り上がらない。どうしたらいいのか？　市内部で議論が重ねられた。市文化芸術企画課計画推進係長の倉谷誠（1980年生まれ）は「伝統芸能文化センターを実現するためには、まず京都市自体が姿勢を示さなければならない。これまでの公演中心の支援だけでなく、全国を意識した基盤づくりが必要になると考えた」と振り返る。

2017年度中に文化予算の一部を組み替えてTARO事務所を設置。翌2018年度には1800万円の予算を計上してTARO事業を本格化させた。

京都芸術センターでは2000年4月の開館以来「継ぐこと・伝えること」

と題した伝統芸能の支援事業を実施。2007年度から異分野の演者が競演する「京都創生座」を、2013年度から「月イチ☆古典芸能シリーズ」を行った。同センターのプログラムディレクターを兼務する萩原は「2016年度まで続けた『月イチ』シリーズでは、年中行事の関係者、三味線や緞帳、楽器、弦などの職人ら、実に多彩なゲストを招いた。このときに築いた人脈がTAROを始める際に多いに役立った」と振り返る。萩原は京都府立大学大学院（修士課程）を修了後、2002年から3年間、同センターのアートコーディネーターに採用され、「継ぐこと・伝えること」事業等を担当。茂山千五郎家の茂山狂言会に6年間勤めたあと、2011年に同センターへ戻った。計17年ほど伝統芸能に関わってきた。

市民の支援を得た運営

京都市が設置した京都芸術センターは2000年4月に開館。公益財団法人京都市芸術文化協会が非公募で指定管理者に選定されている。同財団の基本財産は5000万円で、うち30%を市が出捐（しゅつえん）。2017年度の場合、協会は市からの指定管理料1億3080万円に加えて文化庁の補助金や公演収入などで年間1億7300万円を得ている。指定管理業務以外にも協会独自事業や市からの事業委託料など年間7100万円を得て、同センターと同協会を一体的に運営している。

同センターの建物は元小学校校舎である。1869（明治2）年に町衆の寄付によって創立された市立明倫小学校を9億8500万円で改装した。建物は1931（昭和6）年に建てられたクリーム色の洋館で、少子化に伴い1993年3月に閉校となった。元教室を活用した制作室12室は演劇・美術・ダンス等の稽古場として午後10時まで使われる。若手・新進の芸術家から利用希望を募る。最大3カ月間（更新可能）占用できる。元校舎を創造拠点に活用した先駆的事例である。

勤務する人材も特色の1つ。3年任期のアートコーディネーター6人のほか、プログラムディレクター3人を合わせて計9人の専門職が勤務する。同センター設立をめぐっては長い物語がある。拙著『芸術創造拠点と自治

体文化政策　京都芸術センターの試み』（水曜社、2006 年）を参照していただければ幸いだ。

芸術創造拠点の運営には市民の協力が欠かせない。2019 年 3 月現在、490 人のボランティアが登録している。

2016 年は 290 人だったので約 200 人も増加した。なかでもシニア世代が目立つ。美術展の監視や図書館受付、演劇・音楽公演の際のチケットもぎり、観客案内などの業務を引き受けている。ボランティアの 1 人、平野徹（1938 年生まれ）は 20 代から能の謡を学ぶなど伝統芸能に詳しい。先述した「創生座」では楽屋番のボランティアを務めた。今も展覧会の監視や図書室受付で毎月 5 日ほど通う。東京都品川区出身。逓信省職員の父の転勤に伴い幼稚園児のとき京都に移住した。島津製作所に就職。定年退職後、職場のあった東京から 67 歳で京都に戻った。「若手や中堅の演者を応援したい」と同センター主催「素謡の会」を聴きに来て、ボランティアに応募した。

10 年前から「古典芸能 自主勉強会」を隔月で主宰する。2019 年 3 月 27 日の第 55 回では嵯峨・清凉寺が舞台となった『百萬』を取り上げた。平野は「市民とともに伝統芸能の命を探り、新しい創造へのエネルギーを培っていきたい」と述べた。

楽器の開発を目指して

TARO の 2018 年度成果の 1 つに柳川三味線の胴皮開発が挙げられる。三味線の胴皮に用いられる猫皮は動物愛護面から手に入らない。猫の皮は薄くてしなやかだという。柳川三味線・地歌箏曲の社中を主宰する林美恵子（1949 年生まれ。京都市在住）は「代替品を開発したい」「和紙を活用できないか」と TARO に申請して 2018 年度共同プログラムに選ばれた。柳川流は地歌三味線の最古の流派で、流祖は 15 世紀の柳川検校である。三味線はやや小ぶりで細め。胴には猫の皮を張っている。しかし「2018 年の段階で柳川三味線の皮は 100 枚ほどしか残されていなかった」（林）そうで、危機が迫っていた。

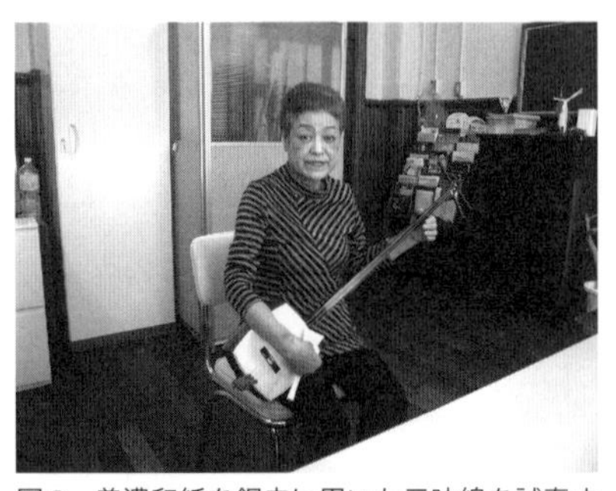

図3　美濃和紙を銅皮に用いた三味線を試奏する林美恵子さん（京都芸術センター・TARO 事務所で）（2019 年撮影）

TARO は、京都市産業技術研究所を通じて美濃和紙づくりの盛んな岐阜県産業技術センターに連絡。すると定年退職した元職員が美濃和紙を和太鼓の胴皮に用いた事例があるとの回答を得た。そこで林を含めた関係者が 2018 年 10 月に岐阜を訪れた。林の回想。「可能性はゼロに近いと思っていたが、和紙を張った太鼓に触ると音がよく響いた。『これなら可能性がある』と直感した」

岐阜側には厚さの異なる複数の美濃和紙の製造を依頼。和楽器店を通じて和紙を三味線の胴に張ってもらった。合計 6 丁を試作して試行錯誤を重ねたところ、動物の皮よりも和紙は柔らかいので、弦を張ると和紙上に置いたコマを通じて和紙の胴が沈み込んでしまうことが判明。猫皮に比べて弦高が 2mm ほど低くなるため、音が響かず、右手で持つバチの操作にも支障が生じる。対策としてはコマのつくりを工夫するなどして、和紙でも猫の皮に近い音色を出すことができるように試行錯誤している。

柳川三味線ではバチを胴にあてないように繊細な技術を要する。弦高が 2mm 低くなると肩に負担がかかってしまい長い時間の演奏が無理になる。今回の代替品づくりは未来につながる開発なのだ。林の社中は 2019 年 9 月 8 日、京都府立府民ホールで社中定期演奏会を開催。その際、林と長女の三味線演奏家・美音子（1981 年生まれ）の 2 人は和紙を用いた三味線を演奏した。美音子は「動物由来の皮が植物由来のものに代替できるなら、後継者である私たち若い世代には朗報」と期待する。林は「成功すれば、柳川三味線にとどまらず、慢性的な皮不足に直面している全国の流派も活用できるかもしれない。これからも改良を重ねていく。京都市のおかげなので、可能な範囲で情報を公開したい」と話した。京都芸術センターにと

っても新たな道が開けそうだ。（2019年7月号の連載原稿をもとに一部加筆修正した）

【補記】

筆者にとっての京都芸術センターは、修士論文と博士論文の題材に選んだところで、研究者の道に進んだ契機となったため、格別なご縁がある。若手・新進芸術家の支援をうたって2000年に開設された「芸術の揺りかご」（インキュベーター）なので、実に多様な事業に取り組んできた。雑誌連載は文字数3600文字だったため、全容を描き切ることは難しく、1つの事業であるTAROに焦点を当てたのが本稿である。

その後、どうなったのか？ TARO事業は順調に推移しているようだ。京都市の説明によると、伝統芸能文化復元・活性化プログラム採択事業のうち、完了したのは、2018年度に行った「上鳥羽の芸能六斎の復活を目指して－祇園囃子の創作」、「柳川三味線のための胴皮新素材開発」と「ごったんの製造技法および基礎資料のアーカイブと交流ネットワークの創出」、2019年度の「新内節の発信と保存プロジェクト」と「新素材による鉦すりの試作と生産業者の探索」である。

現在進行形の事業は、2019年度の「十津川盆踊りの伝承・保存活用発信」（奈良県）、2020年度の「見島のカセドリ藁蓑製作技術の確保計画」（佐賀県）、2021年度の「古物重厚意匠糊地能楽扇の写し製作」（京都市）と「笛譜・唱歌制作による岩見神楽の継承円滑化事業」（島根県）と「三味線音楽のScratch教材開発」（東京都）、2022年度の「若手へ向けた鯖江人形浄瑠璃の技能継承と他地域との交流」（福井県）と「社・東条を中心とした播州音頭踊りの継承と発信プロジェクト」（兵庫県）、である。

実に多様な取り組みに挑んできたことが分かる。

連載原稿に登場する萩原麗子さんは当時、京都芸術センターのプログラムディレクターだったが、現在は退職。フリーの形で同センターからTAROの業務を委託されている。

本書4章の「地域の文化から仕事をつくる」に京都芸術センターを含めることには、演劇・美術・音楽・ダンスなどの分野で熱心に若手芸術家育成を続けてきただけに、いくばくかの抵抗感もあった。しかし、2023年8月8日に同センター大広間で行われたアート×ビジネス共創拠点「器」のキックオフミーティングに参加して、同センターと産業振興の関係性の深さに思いをはせた。

京都市は2023年度、同拠点「器」の事業を始めた。制作室12室のうち2室と、倉庫など合わせて計4室を企業向けオフィスに転用。スタートアップやソーシャルビジネスなどの7社に貸し出した。アートとビジネスの融合を目指して交流会やセミナー、ワークショップ等を開いていくという。この第一弾の取り組みが8月8日という訳だった。これからのアートマネジャーには、従来の「社会と芸術をつなぐ」重責に加えて、芸術家と企業をつなぐ新たな役割も期待される。

全国各地でも、文化芸術×産業振興の取り組みが続くと思われる。見守っていきたい。

第5章

【自然・空き家×移住】

既に地域にあるものが 創造人材を呼ぶ

（写真提供：丹波篠山市）

少子高齢化に伴う人口減少は、地域にとって実に深刻な課題である。国立社会保障・人口問題研究所が2023年12月22日、「地域別将来推計人口」を公表した。5年に1度まとめるもので、2050年の日本の総人口は1億468万人と推計された。2020年に比べて2146万人減。東京都を除く46道府県で2020年の人口を下回る。東京への一極集中はより深刻になるとみられる。

高度成長期における右肩上がりの時代を過ごした世代には、深刻な時代と映るだろう。しかし数だけを競う時代は終わりを告げ、「生活の質」を問う次のステージに移ったと受け取ることもできる。住民票を移さなくても、しばしば訪れる交流人口という考え方も出現している。とはいうものの、自治体にとって人口の維持は、税収や国の補助金などの財務面を考えると喫緊の課題となるうえ、住民の姿がいなくなる現実は淋しい。コミュニティが崩壊すれば人々が支え合って暮らす光景も消えてしまう。

日本人がこれまで経験したことのない、未曽有の時代に突入しているのは確かである。こうしたとき、文化芸術は地域に対してどのように貢献することができるのか、を考えてみたい。

5章では、移住と文化政策について問いかけてみる。掲載したのは5事例で、奈良県川上村の文化施設「匠の聚（むら）」、福井県若狭町の若狭鯖街道熊川宿、千葉県松戸市におけるアーティスト・イン・レジデンス施設（芸術家が滞在制作できる場）開設や芸術家の移住、兵庫県丹波篠山市の丹波篠山まちなみアートフェスティバル、京都市の一般社団法人 HAPS が美術家らに空き家物件を紹介する試みである。

連載時は、締め切りを守るために懸命に出稿するので精一杯だった。しかし書籍化に当たって改めて振り返ってみると、文化芸術と移住の話が連載原稿に蓄積していた。文化芸術の振興を考えるとき、若者たちが地域に移住する状況を抜きに考える訳にはいかない。

浮かび上がったことの 1 つは、都市型であれ、過疎型であれ、どの自治体も創造的な人材の移住を歓迎している様子が伝わってくることだ。政令指定都市である京都市は、2023 年 6 月、京都市中心部の京都芸術センター内に置かれた「京都市文化芸術総合相談窓口」(KACCO) に移住・定住のための専任相談員を配置した。美術に限らず、演劇、音楽、ダンスなどあらゆるジャンルのアーティストの移住・居住相談に応じる試みを始めたのだ。人口減少対策に加えて、文化芸術都市であり続けるため、京都市には創造的な人材が求められるからであろう。対して、人口 1300 人弱の川上村にとって、「1 人の移住者」を確保することは、とても大きな数字なのだ。大規模な自治体と事情が異なり、1 人ひとりの存在が重いのである。

2 つには、行政主導型と民間主導型に分けられるということである。千葉県松戸市における芸術家の移住は地元不動産業者の熱心な取り組みによる成果である。丹波篠山市のアートフェスティバルは、芸術家主導の動きである。アトリエや住まいを求めて自主的に移り住んできた美術家らが自ら企画・運営した。当初、行政はそれほど関与していなかったそうだ。

いずれであろうと、地元に芸術家を受け入れる環境や態勢があってこそ、移住先に選ばれる。芸術家を受け入れやすい地域は寛容性を有しており、部外者でも温かく迎えてくれる雰囲気があるので、次の移住者を誘うのだ。移住の受け入れには優れたアートマネジメント人材が欠かせない。

芸術家の移住を単に人口増の面だけでとらえず、地域を変容させる貴重な人材として迎え入れたい。文化芸術振興にとどまらず、産業振興や雇用確保など、社会変革につながっていけば幸いである。

1 山里が取り組む自然を活かした芸術家移住策

奈良県川上村「匠の聚」

人口1320人の山里

「あおによし」の大和は北部に人口が集中し、南部の山岳地帯は過疎に苦しんでいる。川上村も著しい村民減少に見舞われてきた。1970年の国勢調査では6020人だったが、2015年10月現在で1320人まで落ち込んだ。2005年に2045人がいたので、10年間で700人程度も減ったわけだ。住民の高齢化率は57.5%で、いわゆる「限界集落」に含まれる。

吉野杉の産地で知られる同村には戦後大きな2つのダムが建設された。農業用水確保のためにつくられた大迫ダムと伊勢湾台風の甚大な被害を経て建設された多目的の大滝ダムである。洪水防止、水源確保、発電などのための大滝ダムは村中心部の約800戸を水没させてしまうために賛否両論が噴出。予備調査から竣工まで53年もかかった。難航ぶりは「東の八ッ場ダム。西の大滝ダム」と言われた。ダム建設に伴って村内の道路が整備された。吉野川に沿って蛇行していた県道がトンネル等で直線化されたり拡幅されたりして便利になった。麓に下りても村まで通勤可能となったので人口減少を加速させてしまった。

2016年5月。筆者は大型連休を利用して村を訪れた。冬には積雪する山岳地域なのだが、5月の村は赤・紫・白の芝桜が咲き誇っていた。目指したのは年に一度のアートフェスティバルを開催中の村立文化施設、「匠の聚（むら）」である。近鉄・上市駅（吉野町）で下車し、駅前で川上村営やまぶきバスに乗り継ぐ。当初は数人の乗客がいたものの、

図1　匠の聚ではアートフェスティバルが開かれていた（2016年5月撮影）

図2　匠の聚の内部（2016年5月撮影）

村内に入ると筆者1人が乗っている状態。約30分後、役場に到着した。村総務税務課によると、民間バス会社が乗降客減少に伴って村への路線バスを減便・廃止したので、2009年10月から近隣町村連携でコミュニティバスを走らせている。費用は1400万円。年予算28億8000万円の村にとっては痛い出費だが、「バス路線はうちの村の生命線」（同課）なのだ。

陶芸家らの移住を実現した文化施設

役場から車で15分の山間にある匠の聚は1999年に開館。鉄筋2階建てのセンター棟（延べ750m²）にカフェ、展覧室、工房がある。周囲にはアトリエ兼住居7棟（1棟140m²）が建ち並び、陶芸、彫刻、日本画などの作家が暮らしている。毎月の家賃は3万円、同共益費3500円である。併設されたコテージは、最安値で1泊2000円という安価な値段設定で、年間1500人が宿泊する。村長の栗山忠昭（1951年生まれ）が村産業振興課長時代に関わった。「私たちの発信力には偏りがある。芸術家が村の活性化に貢献し全国に魅力を発信してくれるはずと考えた」と狙いを話した。

開館時に入居して住民登録した陶芸家と会った。銀縁の眼鏡にあごひげ姿という風貌の鈴木雄一郎（1969年生まれ）は、神奈川県茅ケ崎市の出身。東京芸術大学美術学部デザイン科を卒業後、滋賀県信楽町で陶芸の窯元に勤めていた。そのとき新聞記事で匠の聚の開館を知る。信楽で出会って結婚した陶芸家の妻智子（1973年生まれ）と2人で応募した。「創作と生活

図3　匠の聚の外観。前庭ではシバザクラが満開だった（2016年5月撮影）

のバランスがとれている。何よりも水がおいしい。カルキのにおいがまったくしない。本当にぜいたく」と笑顔で語った。2002年に長女が、2009年に二女が誕生。現在は長女の通う中学校のPTA会長を引き受けている。アートフェスティバルの際には自宅アトリエ前にテーブルといすを並べ、自ら制作したスモークグリーンの器などを用いて食べ物を提供した。「ありのままを見ていただきたい。こんな暮らしがあるなら移住したいと感じてもらえたら幸い……」。娘の同学年生徒は3人だけなので仲間がほしいのだという。

運営する外郭団体

匠の聚は村の外郭団体・一般財団法人グリーンパークかわかみが管理運営する。開館以来勤務しているのは井上進哉（1975年生まれ）と上平伸太郎（1976年生まれ）の2人である。ともに村に生まれ、県外の大学に進学。卒業後Uターンした。近年は2人を慕ってコテージに泊まる馴染客が出てきた。センター棟カフェの壁には常連の村民が購入したコーヒー回数券の束が多数壁に張り付けられている。地元に浸透してきた様子をうかがわせた。上平は東京農業大学で林業工学を学んだ。祖父は林業で父が会社経営。「長男だから戻ってこい」と家族に懇願されて帰郷した。「入居する作家さんたちは積極的に村の行事へ参加してくださり、本当に有り難い。指導してもらう陶芸教室や写真教室などを村民も楽しみにしている。今後はより若い芸術家の移住を期待している。村が活性化するから」と上平は述べた。

同財団は匠の聚のほか、政府登録国際観光旅館のホテル杉の湯を経営して人気を集める。深緑色のダム湖を見ながら檜の風呂で入浴を楽しめる。同ホテルは都市部との交流人口を1人でも増やすために1988年にオープンした。人口減少の村ではあるものの、両施設を建設できたのは財政が比較的しっかりしていたからだ。村によると、大滝ダム建設が長期間に及んだために将来展望を描きにくくなった一方、ダムの存在によって全村が水源地域特別措置法の指定を受けた。受益者負担で道路、学校、上水道、病院などの社会資本整備が進められ、長年にわたり村の一般会計に資金を蓄積することができた。

図4　匠の聚のアトリエ兼住居の風景（2016年5月撮影）

山村生活に魅せられて

1320人の同村で13人の移住を実現することは1300万人の東京都では13万人に相当する。大きな数字である。定住促進課が新設された2013年以降に、9家族25人が移住してきた。今のペースで推移すれば、人口は1000人程度で落ち着くのではないかと予測される。

たとえば……。総務省の集落支援員として村に住みついた早稲田緑（1985年生まれ）は赤ちゃんを抱きながらアートフェスティバル会場に駆けつけた。2016年2月に長男を出産したばかり。横浜市出身で、地域おこし協力隊員として2013年6月に赴任。多彩な事業を立ち上げる一方、匠の聚にしばしば訪れ、運営を手伝ったり経営計画作成を支援したり。明るい話題を提供する「みどりさん」の経歴はユニークだ。歴史と文化の国際都市ウィーンに魅せられてウィーン経済大学に留学、2年間滞在した。帰国後、東京外国語大学に編入して戦争と経済の研究を始めた。

その後、機械翻訳ソフトを開発する都内の会社に勤めながら、お金だけで済まない時代について考えていたところ、インターネットで川上村の紹介記事を読み、「〈森が水をつくる〉とは究極のアートだ」と感じた。「森とともに生きたい」と決意した。「ここでは旧暦で生活している。現代生活で見えなかったことが山で見えてくる。山の生活の価値を言語化していくことが私のライフワーク」と話した。

同フェスティバルの運営を手伝っていた佐藤充（1967年生まれ）も移住者の1人である。村地域振興課のコンシェルジュ（週3日）を務め、観光PR、定住促進の仕事、村ホームページの更新などを担当する。大手家電メーカーに勤めて営業部、商品企画部などで仕事をしたが、2012年の早期退職募集の際に手を挙げて退社した。北欧3国、インドシナ3国、モンゴルなど海外を旅し、退職金と蓄えをほとんど費やしたあと、「養鶏業でもしてみるか……」と2014年6月から同村に住みついた。「村に移住して運気が変わった。いい人との出会いが増えた」と笑顔で語る。女性からプロポーズされ、2015年4月に結婚式を挙げた。コンシェルジュの報酬に加えて定住促進の仕事、歴史のある丹生川上神社上社の留守番役などを合わせれば月20万円近くになり、何とか暮らせるそうだ。

村民たちとすっかり打ち解け、消防団第1分団の副分団長を拝命した。愛車の青いイタリア車で山里を走る日々だ。

人口が少ない分1人ひとりの価値は逆に重い。山里の取り組みは実に興味深い。

（2016年8月号）

【補記】

奈良県川上村は、2016年5月の大型連休中に訪れて以来、ずっと気になっている自治体である。2021年12月、再び「匠の聚」を訪問し、コテージに宿泊した。山には雪が見られて寒い時期だったが、旧知の井上進哉さんが温かく歓迎してくれた。

「匠の聚」では人材面で変化があった。上平伸太郎さん（1976年生まれ）が家業を継ぐために退職。後任には百々（どど）武さん（1977年生まれ）が2017年に採用された。百々さんは新進気鋭のカメラマンで、写真集4冊を出版したり、川上村を舞台にした「なら国際映画祭」の映画「霧の淵」の撮影監督を務めたりするなど、活躍している。山村の暮らし風景や林業・狩猟の現場を追っており、早朝や休日を活用して川上村や奥吉野各地に出向いて撮影する日々だ。勤務先の理解を得て、東京五輪公式記録映画のスチールカメラマンに任命されて上京。20日間で10万枚の写真を撮ってきた。自身が芸術家なので、移住してきた芸術家と交流するなどして、川上村に新たな風を吹かせている。

2 清流・湧き水を活かした移住促進

福井県若狭町「若狭鯖街道熊川宿」

彫刻師が作業する工房

鯖街道（若狭街道）は、若狭湾で採れた海産物を京の都まで運ぶ重要な交通路だった。筆者は2022年7月28日と8月4日、福井県若狭町の旧宿場町・熊川宿に足を運び、重要伝統的建造物群保存地区（重伝建地区）を訪ねた。同地区は1996年に選定。東西の長さ約1.1km。幅約100m。東から「上ノ町（かみんちょ）」「中ノ町（なかんちょ）」「下ノ町（しもんちょ）」で構成される。古民家、酒蔵、土蔵など多彩な建物を楽しめる。

上ノ町の街道沿い。築約150年という木造民家で、龍を手彫りしている男性がいた。新野（にいの）彫刻店を経営する彫刻師・新野佑一（1969年生まれ）だ。工房の窓ガラスの一部を透明にしており、散策する観光客も内部をのぞき込むことができる。「10年前に熊川で古民家を購入した。街道沿いの店舗が閉まり、観光客は『何もない』と言っていたので、仕事ぶりを見てもらうことにした」と述べた。

あご髭姿の新野は横浜市生まれ。カメラマンだった父が小5のときに亡くなり、中3で母の出身地・福井県三方町に転居した。富山県・井波で彫刻の修行を行ったのち、三方町に工房を設けたが、新たなスペースが必要となって熊川に移った。欄間（らんま）、虹梁（こうりょう）、だんじりの装飾など幅広く手掛ける。5年前から弟子を取るように。公開する理由の1つに弟子の指導もある。「手を動かす仕事なので終日だれとも話さないときがある。弟子が人と話し、人を見る力を養うためにも作業をご覧いただいている」と話した。

横山春香（1997年生まれ）は群馬県伊勢崎市出身。京都伝統工芸大学校を卒業後、2022年4月に5年間の約束で弟子入りして下ノ町に暮らす。「古いまちなみは心が落ち着く。自然が豊かなうえ若者が好みそうなコーヒー店もある」と話した。新野も「訪れる人の層が変わってきた。以前は高齢者が多かったが、子ども連れの夫婦、若者のカップルが歩く」と証言した。

東京から出店したコーヒー店

横山が言ったのは「SOL'S（ソルズ）コーヒー」である。台東区浅草橋に本店を構える専門店がなぜここに？　世田谷区に自宅のある店長・池松亮祐（1989年生まれ）は「おいしい水と空気があるから」と話した。熊川の店内には10kgの豆を焼ける焙煎機を設置している。「コーヒーは豆次第だと思っていた。『熊川の水はおいしい』と聞いていたが、『と言っても水でしょ』と半信半疑だった。東京でうまく焙煎できなかった豆を持って来て、若狭の水で淹れてみると、これが実にうまいんですよ。水が『水の味』をしている。丸みがある」。新たな発見だった。

車で10分余りの「瓜割（うりわり）の滝」に出向き、水を汲み、コーヒーに用いる。「瓜も割れるほど冷たい」のが名前の由来で、環境省の全国名水百選に選ばれ、「おいしさが素晴らしい名水部門」の全国2位。この水に感銘を受けた池松は、以前に店長だった同コーヒー・ソラマチ店（墨田区）で瓜割の水のペットボトルを販売する。「東京の人たちに知ってもらいたい」と願う。

同コーヒー店が入居する建物は炭問屋だった「菱屋（ひしや）」である。築140年の木造2階建てで床面積300m^2。所有者から借りて運営するのは、施設開発・建築設計等を行う株式会社デキタの代表取締役社長、時岡壮太（1980年生まれ）だ。

2018年以降ここに同社オフィスを構え、宿屋を経営するほか、テナントにも貸し出す。時岡は福井県おおい町出身。県立若狭高校を卒業後、武蔵野美大に進んだが「建築の仕事をしたい」と1年で退学。京都の著名ホテルで契約社員をしつつ受験勉強に励み、早稲田大学理工学部建築学科に進学、同大学院修士課程を修了した。東京の開発コンサルタント会社で働いたのちに起業した。中央区・築地で、まちづくりや施設開発の業務に関わった。福井県人会の会合で若狭町職員と出会い、早速訪れると「環境」「水」「食」を同時に体験できると実感して福井にUターン。「次は、山村を舞台に食文化と環境文化の振興をしたいと考えていた。熊川を歩いて、ここだ

図１　鯖街道（若狭街道）に面する若狭町指定文化財の「逸見勘兵衛家住宅」。前に立つのが「おもてなしの会」の石倉真澄さん（左）と藤井美栄子さん（2022年8月撮影）

と感じた」と振り返る。

眼鏡姿の時岡は「菱屋の改修費用は800万円。総務省の補助金が3分の1。残りは自己資金と銀行融資で賄った」と語った。宿屋では菱屋に加えて街道沿いの古民家も借り、計3棟4室を運営する。同コーヒー店の改装費も必要だ。投じた計5700万円のうち、文化庁の補助金（観光拠点整備事業）は約3分の1、残りは自己資金で賄った。大きな転機だった。

おもてなしの会の活動

東京在住時も、時岡は頻繁に熊川を訪れ、お泊り処「熊川宿勘兵衛」に宿泊した。住民団体「おもてなしの会」が切り盛りしており、民宿担当の石倉真澄（1953年生まれ）や喫茶担当の藤井美栄子（1949年生まれ）らの世話になった。

中ノ町に立地する同処は1858（安政5）年に建てられた町の指定文化財「逸見勘兵衛家住宅」で、旧熊川村長や伊藤忠商事2代目社長の実家だ。2人の話によると、傷みがひどく、1993年に壁が崩落してしまった。そこで翌1994年に所有者が町に寄贈。受けた町は1995年から本格的な整備を始め、1998年に竣工させた。このことが重伝建地区の選定（1996年）の契機になった。

石倉は「グリーンツーリズムの人気の高まりとともに全国から年間300組が宿泊に来られる。熊川に生まれ育った私なので、特産品を意識したことがなかった。葛、サバ、野草などをいかに調理して提供するか、を懸命に考えた。食に対する意識が変わった」と打ち明けた。藤井は「住民が当番で勤務するので、互いの意思疎通を図る絶好の場にもなっている」と話した。

時岡が営む「菱屋」の宿屋でも、おもてなしの会が「田舎料理」（石倉）の晩ご飯を提供している。若狭のサバの醤油干し、自然薯、こんにゃくの唐揚げなどの特産品を活かした料理が出される。1食6000円である。

まちづくりの多彩な取り組み

熊川宿は、まちづくりの好事例として知られる。住民団体「若狭熊川宿まちづくり特別委員会」の会長、宮本哲男（1953年生まれ）は「熊川宿の住民は現在約250人。昔から入れ替わりが激しい」と述べ、「商売で成功すると自宅を大きくしようとするが、間口が決まっており横に広げられない。高さ制限もある。広い土地を求めて他所に転居する」と語った。新しい人材を受け入れる気質があるのだ。街道を歩いて気持ちが良い理由は、電線が地下埋設されて空が広いこと。民家前に澄んだ「前川」が流れ、水の音が響いていること。「これまで公共工事のまちなみ整備に力を入れてきた」（宮本）という。「前川」の護岸はコンクリートから石積みに変わった。

宮本は関西電力元社員で彦根営業所長などを歴任。2012年に4代目会長に就任してから「若者が生き生きと暮らせるまちづくり」に尽力してきた。同委員会では2012年と2016年に移住者向け「暮らしのガイド」を1000部印刷、移住や店舗開設の希望者に配布した。2021年には「暮らしと出店のガイド」と改題して800部を発刊した。

移住や出店の希望者が相次ぐ。宮本らが街道を歩いて案内する件数は年間50回に達する。電話やメールの問い合わせはもっと多い。同委員会空き家対策部長だった宮本が初めて案内したのが冒頭の彫刻師・新野佑一だった。「熊川宿に工房を構えたいと相談にやって来たとき、説明する資料が手元になかった。必要性を痛感した」と宮本は回想した。

住民が移住や出店の希望者らに伝えたい事柄は数多くある。たとえば建物を守るための防災活動。近隣通報システムが100%完備され、空き家にも火災報知器を取り付け、「いざ」の際には隣家の警報器が鳴る。住民全員で火災を防ぐため、毎月訓練を行う。

図2　熊川宿を流れる「前川」と、まちづくり特別委員会会長の宮本哲男さん（手にしているのは川に設置する水車）（2022年8月撮影）

このほか、地元の「てっせん踊り」を80年ぶりに復活させたり、毎年10月には1万人以上が集まるイベント「熊川いっぷく時代村」を開いたりするなど、地域活動は活発だ。

とはいえ課題も山積する。宮本によると、2020年6月現在、同地区の建物は入居95棟、空き家46棟で、空き家率32.6%。保存・継承の取り組みを続けつつ、さらなる文化財や文化遺産の活用が地域課題に浮上してきた。「菱屋」を営む時岡は「現在の人口減と少子化は、ひと時代前の空想小説が現実になる非常事態だ。若狭町の人口も2045年には今の46%にまで減少するとされている。従来の保存の仕方では限界がある」と指摘した。

2021年には活性化のための第三セクター「クマツグ」（資本金1200万円）が若狭町、地元土木会社、デキタなどの出資を得て設立された。古民家の再整備事業や地元特産品の販売促進事業などに取り組む。社名は「熊川宿の文化を継いでいく」気持ちを込めた。同社が下ノ町の古民家を借りて整備した食品加工場は2022年7月末に竣工した。

デキタが1階を借りてタルタルソース、マスタード、薬草茶を製造する。時岡は「雪の降る地域なので、真冬の宿泊客は期待できない。スタッフの雇用を維持するためにも、特産品づくりが必要だ」と狙いを語った。そして来夏にはキャンプ場の開設も計画している。

2018年には同町内のNPO法人が古民家を改修して美術館を開設した。保存活動を維持しながら、いかに活用するか？　熊川宿のチャレンジは続く。

（2022年10月号）

3　空き物件を活用したアーティスト滞在制作と芸術家移住

千葉県松戸市「パラダイスエア」

温かいスープと出前のピザ、ビールやワイン、スイカ、乾き物のつまみ……。簡素なテーブル上だったが、若者10人が集ったサロンに笑い声が弾けた。2019年5月28日（火曜）の夜遅く。千葉県松戸市の文化施設「パラダイスエア」には芸術家向けの滞在制作部屋が用意されており、短期滞在中の芸術家ジェローム・シャゼックスを囲む懇親会がサロンで開かれた。仏出身の彼は独ベルリンで活動中。ユニークな衣装をつくり、映像や音楽で表現する。この日午後7時からJR松戸駅前や公園などで撮影し、その映像を映しながら作品を説明した。

芸術家が滞在制作する取り組みを「アーティスト・イン・レジデンス」（AIR）と呼ぶ。同市文化観光国際課（当時。現在、にぎわい創造課）で同AIR事業の開始以来担当してきた臼井薫（1977年生まれ。2021年度から同市政策推進課）の話によると、2019年6月末まで、同駅西口近くのパチンコ・スロット店「楽園」4、5階フロア（全16室）は「所有者の社会貢献事業として比較的安価で」（臼井）、地元まちづくり会社に貸し出されていた。このうちAIR用3室・事務室・サロン等は同市の予算で借りられ、2013年度からAIR事業を展開。2016年度からは一般社団法人PAIRが市から委託されて運営主体を務めている。PAIRホームページによると、代表理事は森純平（1985年生まれ。2022年度まで東京藝術大学助教）の名前が掲載されている。

同課によると、2021年度のAIR実績は長期滞在3組、短期滞在49組である。長期滞在の申込数は605組だったので200倍余の人気ぶりだ。年間予算は2000万円。文化庁の「文化芸術創造拠点形成事業」から補助金1000万円を獲得し、同市が同額を支出した。

臼井は「AIR用の3室には、3カ月の長期滞在者と2、3週間の短期滞在

図1　松戸駅西口公園のトイレの外観。滞在した芸術家が描いた壁画は色彩鮮やかだった（2019年5月撮影）

図2　千葉県松戸市パラダイスエア。隧道壁画制作は松戸まちづくり会議のメンバーも手伝った（PAIR提供）

者が利用する。他自治体のAIR事業は年間数組のところもあるが、松戸の特色は滞在者数の多さで、年間を通じてだれかは泊まっている状態。さらに地元住民との密接な交流も松戸らしい」と述べた。芸術家が訪れると歓迎会が開かれ、松戸を紹介するツアーも行われる。

長期滞在と短期滞在では支援に違いがある。長期には渡航費、滞在費（1日3000円）、制作費等を支給する。対して短期は無料で泊めるが上記の支援額はない。当初は「東京に近い」ので海外から問い合わせが寄せられたものの、近年は滞在経験者の口コミが広がり、「MATSUDO」や歴史を詳しく調査したうえで滞在申請してくる。

松戸の中心市街地を歩いてみた。駅の西口公園トイレ、常磐線線路を越える跨線橋の側面や地下隧道の壁などに、滞在した作家らが描いたカラフルな作品を見かけた。アートがあると、まちの風景が変わるから面白い。

常磐線はアートの鉄道路線

なぜ松戸市がAIR事業を手掛けるようになったのか？　話は2010年にさかのぼる。東京藝術大学の新キャンパスが2003年、茨城県取手市内に誕生し、同年に取手アートプロジェクトが始まった。2006年には東京都足立区の北千住に新校舎ができた。同じく2006年には取手市が主導してJOBANアートライン協議会が発足した。1996年に藝大学生寮が開設された松戸市も同協議会に加わり、2010年にアートプロジェクトを主催し始めたという訳だ。事務局は2011年度以降、地元のまちづくり会社が受託した。このとき事務局業務を引き受けたのが、庄子渉（1987年生まれ。元PAIR代表理事）と不動産担当の殿塚建吾（1984年生まれ）だった。松戸生まれの殿塚は実家が不動産業。大学時代に宅地建物取引士の資格を取得した。自転車で走り回りAIRに使える物件を探した。駅西口近くの「楽園」上層階が使われていないことに気づき、所有者に「アートに使わせてほしい」と懇願。熱意が実り1年余り後に借りることができた。「上層階はいわゆるファッションホテル。お風呂も備わっており宿泊に最適だった。防音も施され、音の出る作業や交流会を行っても、近所から騒音の苦情も来ない安心感があった」と振り返る。AIRの施設名「パラダイス」は店舗名が由来だ。芸術家にも「楽園」だから。このあと殿塚は独立して市内で不動産業を開業。今もPAIRに協力する。

庄子は電子音楽家。東京藝術大学音楽学部の卒業生だ。きっかけは北千住に設けた自分たちのフリースペース「おっとり舎」だった。仙台出身の庄子は同藝大進学後、千葉県柏市に暮らした。1年生は取手キャンパス、2年生以降は北千住で学ぶことが決まっており、中間に部屋を構えた。2年次に北千住で学び始めるとアトリエがほしくなり、同級生4人で元洋裁店を借りた。

1カ月5万円の割安物件。しかし片付けられないまま。授業で知り合った1学年上の森が同藝大建築学科だったことを思い出して相談すると、森は手際よく畳や壁を取り外してスペースを生み出した。こうして森も運営側に加わった。卒業後に手放したが、この3年間の経験が松戸の〈原点〉になる。

庄子は「アムステルダムの電子音楽研究所に3週間滞在した際、欧州の音楽家と知り合うと『東京に行くから演奏させてほしい』と真剣に頼んできた。国が違っても演奏の場を求める事情は変わらない。音楽家は自ら渡航費と宿泊費を負担して来日してきたので、彼らが自由に泊まれて日本人と交流できる場がほしいと願った」と振り返る。

市民の支援を受けて

同AIR事業の主催者は市民団体「松戸まちづくり会議」が2013～2015年の3年間引き受けた。松戸駅界隈の14町会（当初は11町会）の代表などで構成。市の補助金を得て夏の盆踊りやビアガーデン等の事業を行う傍らAIR事業も執り行った。しかし難点も生じた。

1つに予想以上にAIR参加申請が急増して審査作業が大変になったこと、2つに前衛的な現代芸術に対してシニア世代中心の会議では対応が難しいこと。「専門集団に任せよう」との声が上がり、PAIRに主催を引き継いだ。

主催を降りてからも同会議はAIRに関わり続ける。長期滞在の最終審査会（5人）に会議代表が加わり、市民の声を反映させる。短期滞在1組には渡航費や日当などの資金援助を行った。代表の堀尾眞誠（1950年生まれ）は「AIRアーティストには理事会終了後に来てもらい、歓迎の懇親会を開いたり、有志でおいしいそばを御馳走したりした」と言う。2017年度の短期滞在はロシアの女性芸術家2人だった。堀尾は「彼女らが『日本の出汁の取り方と厚焼玉子の作り方を体験したい』と希望するので、うちの自治会（松戸三丁目東自治会）の女性部に声をかけて自治会館で料理教室を開いた」と思い出を語った。

今も語り草になっている女性芸術家が、2018年11月に短期滞在に招いたナディーン・コロツィーである。独ベルリン出身の映像作家。JR線路をくぐる隧道の壁画作成を提案し、同会議が支援を決めた。隧道両脇に幅30mの大型壁画制作を提案したものだから2週間の滞在期間では間に合わない。

同会議理事らが帰国に間に合うようにペンキ塗りを手伝った。堀尾は「80歳を超えた町会代表が夜遅くまで作業した。隧道の壁画は芸術家と住民の協働作業だった」と振り返る。ナディーンも、手伝った同会議メンバーも、あまりに空腹となり、隧道のなかにラーメン、チャーハンの出前を頼み、ビール箱を机にしてみんなで食べた。この支援のおかげでナディーンの作品は無事完成した。

宿場町のDNAと創造的な都市づくり

江戸時代の松戸は水戸街道の宿場町だった。太平洋の海産物は銚子から野田まで利根川を遡って運ばれ、江戸川の流れを利用して野田から松戸まで届けられた。船で房総を回るのは転覆の恐れがあったからだ。松戸は物資の中継地となり、遊郭も栄えた。だから地元関係者によると、松戸には「千客万来」の精神がある。同AIR事業の歌い文句も「一宿一飯」ならぬ「一宿一芸」である。PAIR関係者は「公園などの利用に理解があり、ダンスを企画しても認められる。東京よりうんとやりやすい」と歓迎する。

同市は創造的な人材を市内に集めたいと考えている。市経済振興部審議監（部長級）兼同課長の白井宏之（1963年生まれ。2020年度から同市病院事業管理局長）は「コンテンツ産業の育成に取り組みたい」と述べた。その政策の一環としてパラダイスエアは欠かせない存在なのだ。これまで、同建物の残る9室はその他のクリエーターに一般貸しされていたが、建物の所有者と、市から委託を受けたPAIRが契約して、2019年7月から計16室すべてを借りる。PAIRが全室を取り仕切り、クリエーター向け賃貸で収入を上げて自己財源にする。白井は「PAIRには自立できる収入が入るように配慮した。もし国の補助金が取れなくなっても、規模を小さくしてでもAIR事業は継続する」と語った。

松戸から上野まで常磐線で20分。沿線に藝大生が暮らすほか、メトロ千代田線と直通するので都心に出やすく、クリエーター系の若者が移り住んできているそうだ。不動産業の殿塚は「貸せないほど古い倉庫を改修して安い家賃で募集すると制作場を求める若者が入居する。自分が関わった物件だけでも200人ほどのクリエーターが移住してきた。女性が多くを占める」と証言した。松戸から目が離せない。

（2019年8月号掲載の連載原稿を、その後の情報を加えて修正した）

4 移住美術家が主導する芸術祭

兵庫県丹波篠山市「丹波篠山まちなみアートフェスティバル」

女性美術家たちの展覧会

兵庫県丹波篠山市の河原町妻入商家群で、女性美術家8人の美術展「篠山未來女子作家展」が2017年9月15～18日と22～24日に開かれた。1932年に建てられた木造の地元公民館「鳳凰会館」（元南丹銀行）に造形、ガラス、革道具、陶芸、木工などの多彩な作品が展示された。参加者、ほんでいんすみよ（水上純代＝1963年生まれ）は京都市立芸術大学大学院（彫刻専攻）を修了した造形作家。1999年に大学同級生の夫と移住してきた。「2016年12月に市内の女性作家たちが集まって市長と対談した際、初対面の方もいらしたので、『何か一緒にやりたいね』と話し合った」と笑顔で打ち明けた。

同展は、2年に1度開催される「丹波篠山・まちなみアートフェスティバル」の間の事業の1つとして企画された。主催する実行委員会の委員長は同商家群の一角に住み、美術商「尚古堂」を営む中西薫（1959年生まれ）である。「2008年に実行委を結成して小規模な展覧会を行った。好評を得て翌2009年には丹波篠山城築城400年祭の一環として本格的に実施した」と振り返る。そして「地元住民や市内在住芸術家らで実行委員会を構成する民間主体の取り組みで、私が館長を務める民間美術館・丹波古陶館が無償で事務局を引き受けてきた。ここは商人町なので、人が家のなかに入って来ることを喜ばしく思うDNAがある。『会場を貸してほしい』とお願いして断られたことはない」と話した。

実行委によると、2009年は古民家など28軒の土間、居間、軒先などを借りて参加作家36人の規模だった。前回2016年は41軒を借りて参加作家84人まで増えた。借りる際に原則1日1000円を支払う。入場無料なので会計は火の車。収入は作家の参加費（1人2万円）、企業協賛、行政補助金

図1　下河原町妻入商家群の風景（丹波篠山市で）（2017年12月撮影）

等で賄い、予算は3600万円程度の少額だ。

重要伝統的建造物群保存地区

河原町妻入商家群は篠山城下の南東部に位置する。東西700m。通りに沿って江戸時代末期から昭和初期までの町屋や土蔵が立ち並ぶ。妻入の建物で、白漆喰塗り壁、格子、うだつ、など外観はレトロである。2004年、国指定史跡の篠山城や旧武家町とともに国重要伝統的建造物群保存地区（重伝建地区）に選定された。城と城下町の選定面積は40.2ha。東西1.5km、南北600mに及ぶ。「美しい日本の歴史的風土100選」（2007年）、「都市景観大賞」（都市空間部門、2014年）に選ばれたほどの風情がある。

河原町妻入商家群は重要である。重伝建地区全体の指定物件（所有者が残したいと同意して国が保存を判断した物件）286件のうち、同商家群（西隣の小川町を含む）は210件（2016年12月現在）を占めるからだ。外観修復工事は800万円を上限に、行政側が80％、所有者が20％を負担する。毎年4～8件の修景工事が行われ、約70件が工事を終えた。貴重な建物群ではあるものの、国の重要文化財と異なり、「外壁が変更されない限り、建物内部では何を展示してもらっても大丈夫」（市教委）という。

アートフェスティバルの効用

丹波篠山市は丹波地方の中心地である。JR大阪駅から快速電車に揺られてJR篠山口駅まで1時間6分。路線バスで城下町まで約15分で到着する。快晴に恵まれた2017年12月3日の日曜日、筆者は同商家群のまちなみを実際に歩いてみた。古民家を活用してカフェ・飲食店6軒、雑貨・ジュエリー・工芸店5軒、パン店、ワイン中心の酒店が相次いで開業し、散策や買い物を楽しむ若い女性客らでにぎわっていた。同フェスティバル総合ディレクターを引き受け、自らも写真家として参加する中西俊介（1965

図2　電柱や電線がなくなり、伝統的な建造物群の魅力が際立つようになった河原町妻入商家群の光景（丹波篠山市提供）

年生まれ）は「2008年に実行委を発足させたとき、通りの店舗は24軒だった。住民の高齢化で八百屋、果物店など生活用品を取り扱う店6軒が閉店したものの、2016年までに13軒が新規開業して河原町や小川町の重伝建地区の店舗は31軒に達する」と証言した。

同市商工観光課の調べによると、隔年開催の同フェスティバルの人出は、2012年が1万8000人、2014年が2万人、2016年は1万2000人。会期は10日間前後なのだが、これがきっかけとなって、「春のれん」と題した物産や飲食の市やマルシェがそれぞれ開かれるようになり、通年観光に貢献する。同課調べの市観光客入り込み者数は2014年度230万6000人から2016年度240万2000人に。10万人ほど増えた。同市創造都市課長（2021年から企画総務部長）の竹見聖司（1966年生まれ）は「数字ではそれほど表れないが、女性客を中心に確実に増えている。従来は観光バスの年配客が1時間ほど城周辺を歩く程度。近年はおしゃれなカフェが雑誌やSNSに取り上げられるおかげで、若い観光客が河原町まで出向いて散策する。滞在時間が随分と長くなった」と歓迎する。

芸術家たちの移住

旧多紀郡4町の合併で誕生した丹波篠山市にとって一番の悩みは人口減である。2002年の4万7817人をピークに2017年4月には4万2443人。(2022年9月現在、3万9993人)。最悪のペースなら2060年に2万973人

図３　無電柱化を機に行われた鉾山の巡行（丹波篠山市提供）

まで落ち込む。同市定住、空き家対策政策官（2020年から市議会議員）の上田英樹（1956年生まれ）は「若い人は新しいビルよりも古い町屋に注目している。リノベーションして自由に改装できるところが好み」と語り、空き家バンクの開設や若者定住住宅補助金支給など対策に懸命だ。空き店舗等を活用した起業を支援する市の助成先を調べると、2015年度は８件のうち女性が４件、2016年度は12件のうち女性が７件。この計11件のうちカフェやパン店の開業、農家民宿が計９件だった。女性の〈起業ラッシュ〉が起きている。

芸術家の移住も目立つ。「未来女子作家展」に出品した、ほんでいんが1999年から住む自宅は河原町妻入商家群の通りに面した戦前の木造古民家。「夫が学生時代に暮らしたアパートの隣室だった同級生が市職員（当時は町職員）になり、ある日『借家』と張り紙された古民家を見つけて連絡してくれた。創作のアトリエがほしかったうえ、自然豊かな土地で１歳の長女を育てたかったので宝塚市内から移って来た」と話した。同展の参加作家８人全員が都市部からの移住者か、いったん都会に出て古里に戻って来たＵターン組なのだ。

芸術人材の移住には訳がある。京阪神から１時間余と比較的近いうえ、篠山が「文化のまち」であるからだ。日本の６古窯の１つ「丹波焼」があり、陶芸が昔から盛んだった。実行委員長の中西薫が経営する美術商「尚古堂」は民藝運動の柳宗悦やバーナード・リーチが訪れたほど知られている。能楽も継承されてきた。2015年にはユネスコ（国連教育科学文化機関）の創造都市ネットワーク（クラフト＆フォークアート部門）に加盟した。中西薫や俊介も東京や大阪から故郷にUターンしてきた。2013年に転居した鉄造形作家の近藤明（1953年生まれ）は当初からの同フェスティバル参加者。「以前に関わっていた他のアートプロジェクトに比べて、篠山は、中西薫さんや俊介さんをはじめとする関係者にアートへの思いが熱く、本気の人たちばかり。俊ちゃんがアトリエに使える自動車修理工場跡を市内中心部で探してくれたので、思い切って引っ越した」と語った。

2017年3月、朗報が舞い込んだ。国土交通省の景観まちづくり刷新支援事業（全国10カ所）の1つに選ばれたのだ。国庫補助を得て市は、河原町妻入商家群の無電柱化工事（600m）を東京五輪・パラリンピック開催の2020年までに実現させる。電柱がなくなると伝統的建造物群の魅力は一層際立つ。このまちでアートを楽しみながら散策する人たちはこれからも増えていくだろう。

（2018年2月号掲載。訪れた当時は「篠山市」だったが、2019年5月に「丹波篠山市」に改名されたこともあり、連載原稿の一部を修正した）

【補記】

市企画総務部長の竹見聖司さんに連絡すると、河原町妻入商家群の無電柱化工事は2017年度から2021年度にかけて順調に行われ、すでに完成した。電柱39本を抜き、電線共同溝を設けた。長さ600m。事業費は約3億9000万円（照明灯の修景を含む）。

竹見さんは「見違えるようになっていますよ」と話してくれた。写真で見ると、往時にタイムスリップできる通りに生まれ変わっている。映画やテレビドラマの舞台になりそうな雰囲気だ。2023年5月には、全国重要的伝統建造物群保存地区協議会（伝建協）の全国大会が丹波篠山市で開かれた。同大会に合わせて、河原町では、無電柱化を機に、110年ぶりに屋根の上の鉾を復活させた鉾山の巡行が行われ、笛、鉦、太鼓が演奏された。

5 空き家を芸術家に斡旋、暮らしと創作活動を多角的に支援

京都市「HAPS」

自治体文化政策の新たな試み

4月の京都市は桜の花で色づいていた。五花街の1つ宮川町の歌舞練場では第68回京おどり（2017年4月1日〜16日）が繰り広げられ、界隈には舞妓らのポスターが掲げられた。歌舞練場から南東約200m。同市東山区大和大路通五条上ルの2階建て民家軒先に「東山アーティスツ・プレイスメント・サービス」という白い看板が取り付けられている。略して「HAPS」（はっぷす）と呼ぶ京都市の文化事業を行う実行委員会の事務所だ。1階の表は透明ガラス戸のギャラリー。奥はフリースペースや台所。2階は事務室に使われる。

事業開始は6年前の2011年だった。市文化政策のトップ、市文化芸術政策監の平竹耕三（1959年生まれ）によると「京都文化芸術都市創生計画―改訂版―」にうたった「若手芸術家等の居住・制作・発表の場づくり」に基づく施策である。「狙いは2つあった。市内の芸術系5大学から毎年2000人が卒業するので、若手芸術家が京都で生活しながら生計を立てられるようにしたかった。そして居住する新進芸術家のエネルギーをまちの活性化につなげたいと考えた」と平竹は振り返る。東京一極集中のなかで「上京しなくても芸術活動できるモデル」を構築しようとした。従来の自治体文化政策と一線を画し、「芸術家が食べていけるための新たな政策」（平竹）なのだ。市が年間約2000万円を負担している。

HAPSの支援活動は主に四つ。「物件マッチング」（芸術家からの住まいやアトリエ確保の相談や空き家を見つけて所有者と交渉）、「地域連携」（地域団体などからの要請で芸術家をコーディネート）、「スタジオ」（閉校小学校の6教室を借りてアトリエに活用）、「キュレーター招聘」（国内外から第一線の学芸員らを招き、若手芸術家に紹介）である。

東山区・六原学区

事業開始から2016年3月までの物件紹介は「暗室作業ができる場所がほしい」「染色の3人でシェアできるスタジオ物件を探している」など芸術家から304件。「家が空いているので芸術家のアトリエに使えないか」など家主から109件。計59件で貸し借りが成立した。

事務所を置く六原学区では13件が成立した。六原にHAPS事務所を設けた理由は、市内屈指に空き家が多いうえ地元が本気で対策に取り組んでいるからだ。2006年調査によると六原学区で200戸の空き家が見つかり、事態を憂いて住民組織・六原まちづくり委員会が立ち上がった。HAPS事務所に再生した老朽民家物件を発掘したのも同委員会である。委員長の菅谷幸弘（1952年生まれ。六原自治連事務局長）は「持ち主は島根県の方で、10年以上だれも住んでいなかった。床が抜け、庭の植物も伸び放題。今さら人に貸そうにも何千万円もかかるので、そのままになっていた」と回想する。芸術家やボランティア100人以上が参加して手作りの改修作業を繰り返し、割安の工費と家賃で2013年1月、今の事務所が誕生した。

界隈には昭和40年代まで清水焼の職人らが住み着き、登り窯で陶器を制作していた。窯元が煙公害で郊外に移転するまで普段の暮らしに工芸家の姿が見えていた。「だから若い芸術家を支援しようという機運がある」（菅谷）。たとえば陶器の絵付けやデザインを手がける男性が住居兼アトリエを探していた際、同委員会が一肌脱いだ。腰を痛めた所有者が旧宅を片付けられないでいた。風呂もなく空き家だった。菅谷は「ボランティアが3時間で片付けた。入居した芸術家は150万円を投資して改装。うち市から補助金90万円が出たので60万円を自己負担した。そこで所有者の理解を求め、11カ月分の家賃月5万円を免除していただけたので、芸術家は改修費を回収できた」と互いに利点があることを強調した。

アーティストと地元自治会の連携

六原学区（計30町）は清水寺、祇園、円山公園などの著名観光地から徒歩圏にある。だが同学区自体は観光地ではなく下町で、菅谷はここで生まれ育った。学校の視聴覚教材等を官公庁に販売する仕事をしている。息子が3人いて元六原小学校のPTA会長を務めた。昭和30年代に1000人を超えていた児童数が2010年の閉校時は83人に減少。人口も35年間で30%減って3300人余に。厳しい市景観条例のため5階建て以上のマンションは建てられない。何とかしなくては……と考えているとき、芸術家のための空き家を探す市職員と知り合った。「芸術家は自らの手で改装することを楽しむ人たち。僕らが『とても使えへん』と思う、相当ぼろい物件でも活用してしまう」と笑った。

事務所北側にある元新道小学校の教室スタジオ6室では、利用希望の選考倍率が10～20倍の人気ぶり。滞在期間は3年間だ。映像作品を制作するアーティスト・ユニット「トーチカ」のモンノカヅエ（1978年生まれ）はHAPSの紹介で六原学区内・薬師町の路地裏に暮らし、スタジオまで主に徒歩で通った。「お年寄りが大半なのに組長として参加し、近所で起こる問題の解決や年数回の行事運営も参加しました」と話し、そして「スタジオまでの通勤が楽で本当に便利。3年間は最高でした」と笑顔で語った。筆者が訪れた際は部屋を片付け作業中で、今春、作品づくりと表現の研究のため、オランダに飛び立った。

異色のディレクターと文化芸術都市・京都

肩までのロングヘアにあごひげ。めがね姿。どこか1970年代の雰囲気を醸し出すのがエグゼクティブ・ディレクター遠藤水城（1975年生まれ）だ。札幌市に生まれ、横浜国立大学教育学部を経て九州大学大学院文学研究科に進学。仏哲学や文化人類学を研究した。哲学者ミッシェル・フーコーを修士論文の題材にした。「年間300本の映画を見て、1日1冊本を読む日々だった」九大時代の2004年、福岡市博多区にアートスペース「tetra」を創設。実験音楽、現代美術などを催した。家賃10万円は仲間10人で1万円ずつ負担した。「やんちゃな文化的オルガナイザー」（遠藤）だった。若手キュレーターとして頭角を現し、イタリアの国際的な賞を受賞。米国留学の機会を与えられる。帰国後2007年から2010年まで茨城県の芸術家滞

図1　HAPSの事務所（中央）。1階はギャラリーになっている。若手キュレーターが展覧会を企画する「オールナイト HAPS」は夜通し灯がともり、地域防犯にも貢献していた（右端は遠藤水城さん）（2017年4月撮影）

図2　HAPS事務所の内部（2017年4月撮影）

在制作事業「アーカス」のディレクターを務めた。

思うところあって滋賀県に移住。茅葺屋根の農家を借りて米作りに専念していた際、空き家と芸術家の関係をリサーチする仕事を京都市から依頼され、HAPS事業を発案した。「プランをつくっているうちに自分でやりたくなった」と打ち明けた。「近郊農村に芸術村をつくる」「小学校を改装してアートセンターを開設する」など複数の案から現在の形が決まった。香港やベトナムなどしばしば海外を旅して席を温める時間がないほど。

「HAPSは空き家対策が注目されがちながら、『アーティストとは何か』という再定義を使命としている。美大を卒業して画家になり、作品が美術館に購入される。分かりやすい道だが、美術館に頼らなくてもアーティストは成立するはず。作品を作りやすい環境を整えることこそが大切」と言葉を強めた。「ここには展覧会や収集の機能はない。しかし社会に必要なアーティストの姿を提案する機能がある」と説明する。物件紹介にとどまらず、「緞帳の糸5tが不要になった。ほしい芸術家はいないか」「店舗シャッターに絵を描く芸術家を探している」「地域を走るバスにラッピングをしたい」など地域側の要望が寄せられている点が重要なのだ。「年間300件前後の『よろず相談』こそHAPSの神髄」と遠藤は言い切った。

文化庁は2019年以降、京都市への全面的移転が予定される。先駆けて同庁地域文化創生本部がHAPS事務所のある東山区に置かれ、4月から業務を開始した。HAPSはお膝元の小さな取り組みながら、中央政府の文化政策に影響を与える可能性を秘めている。 (2017年6月号)

【補記】

2017年6月号に掲載した連載原稿で、HAPSが行う主な事業を紹介した。「物件マッチング」(芸術家からの住まいやアトリエ確保の相談を受け、空き家を見つけて所有者と交渉する)、「地域連携」(地域団体からの要請で芸術家をコーディネートする)、「スタジオ運営」(閉校小学校の6教室を借りてアトリエに活用)などである。

その後、どうなっているのか？ HAPSは一般社団法人になった。京都市によると、同市が一般社団法人HAPSに支出する補助金は、2022年度決算額で4160万円。内訳は若手芸術家の居住・政策・発表の場づくり2315万円。文化芸術による共生社会実現に向けた基盤づくり事業1445万円。アート市場活性化事業400万円だった。連載当時の約2000万円（正確にいうと2017年度決算で2330万円）から増額されており、京都市が力を入れていることが分かる。

このうち2017年度から新規に始めた「文化芸術による共生社会実現に向けた基盤づくり事業」(初年度は名称が異なる)を紹介しよう。2020年6月には、南区東九条に「HAPS HOUSE」を新たに設け、「SW/AC」（ソーシャルワーク／アートカンファレンス）を開設して、アートと共生に関わる様々な分野や活動についての相談を受け付けている。福祉施設からは施設内でのアート活動の始め方や改善方法についての相談、あるいはアート側からはケアや共生社会に関する活動に携わりたいとの相談などが寄せられている。

HAPSの「アトリエ運営」は継続中。スタジオを設けていた新道小学校はすでに取り壊されて、代わりに元・楽只(らくし)小学校校舎（京都市北区）を活用した複合施設のなかに6つのスタジオを確保した。

一方、連載原稿で紹介した物件マッチングのコーディネートがそれほど盛んではないようだ。市によると、マッチングが実現した数は2019年度4件、2020年度4件、2021年度2件と推移し、2022年度は0件だった。関係者によると、国内外から大勢の観光客が訪れる京都だけに、市内の空き家がゲストハウスに改修される事例が相次ぎ、空き家物件が見つかりにくくなったり、希望する家賃や広さなどの条件が一致しなかったりする、などの理由がある。2022年度の場合、成約に至らなかったものの、それでも36件の相談（芸術家から25件、家主等から11件）が寄せられており、一定の需要がある様子だ。

こうした状況のなか、京都市は、本格的に芸術家の移住等の相談や斡旋に乗り出した。同市はコロナ禍の2020年7月、京都芸術センター内に「京都市文化芸術総合相談窓口」(KACCO）を設けて、芸術家を支援してきたが、2023年6月27日から芸術家等の京都への移住・居住推進のための相談事業をスタートさせ、同窓口に移住・居住の専任相談員を新たに配置した。採用されたのは京都芸術センターでアートコーディネーターを務めた経験を有する八木志菜さんである。(本書97頁参照)

担当する市文化芸術企画課は「芸術家が京都市に集い、住み、活動しやすい魅力的な環境づくりのため」といい、「京都という、異なる文化に触れることで、新たな表現を生み出そうとする芸術家による移住・居住のニーズに対応したい」との見解を示した。

HAPSが活動を始めた当初は、京都市内を卒業する芸術系5大学から毎年2000人が卒業する現実を踏まえ、若手芸術家が京都で生計を立てられるように――との狙いを込めていた。当時の市幹部は「上京しなくても芸術家が食べていけるための新たな文化政策」と述べ、新鮮味があった。筆者も同感して、HAPS を取り上げた。

その後、京都市の人口は減少。なかでも若い人たちの市外流失が目立つために、同市が移住対策に力を入れた形である。美術に限らず、演劇、音楽、ダンスなど幅広い創造的な人材を受け入れる。HAPS には従来から培った住居斡旋のノウハウが蓄積されているので、今後、KACCO の事業に協力していくそうだ。

本書 5 章では「移住と文化芸術の今」を語る事例を集めた。そう、まさに時代は、移住政策と文化政策の連携を要請していると思われる。奈良県川上村のような過疎の村であれ、京都市のような政令指定都市であれ、芸術家の移住が、今後、大きな焦点になることは間違いない。

記録的な「暑い夏」となった 2023 年 8 月、筆者は、久しぶりに京都市東山区大和大路の HAPS 事務所を訪ね、そのあと、事務所から北に約 200m に位置する元・新道小学校に足を伸ばした。以前に訪問したときは、閉校された校舎で芸術家が創作活動に励んでいたものの、現在は校舎の姿がなく、ホテル棟の建設工事が進められていた。界隈には宿泊施設が目立つようになった。古都・京都の姿は日々変貌している。まちの変化に合わせて京都市の文化政策も変容していく。

第6章

【歴史・建築・施設×シビックプライド】

まちの個性を市民の誇りに育てる

自治体が文化政策を進める根拠は何か。1つには「住民の誇り形成に貢献する」ことが挙げられる。「このまちに生まれて幸いだった」、あるいは「市民になって良かった」との気持ちは何事にも代えがたい貴重な感情だ。こうしたシビック・プライドがあってこそ、観光・まちづくり・国際交流・福祉・教育・産業等に文化芸術は貢献できると思われる。自らが好きでないまちを、他者の観光にお勧めする訳がない。

筆者は大阪市旭区に生まれ、2022年5月から同市此花区に研究室を有する。高知、静岡での大学教員生活を経て、16年ぶりに関西に戻ってきた。京都府内の自宅から、電車に乗って大阪の都心に出ると、「大阪は本当に興味深い都市」との気持ちに包まれる。興味津々に大阪のまちを歩いている。6章の前文を書いた日（2023年8月12日）には、お盆の四天王寺界隈（天王寺区）を散策してきた。聖徳太子が建立された古代の寺院に建つ五重の塔と、この時点では日本一の高さを有した超高層ビル「あべのハルカス」（330メートル）が併存する不思議な都市景観に魅せられた。

同じような経験はだれにだってあるはずだ。生まれ育った古里でなくてもいい。何かのご縁ができた「この土地」に愛着を覚えて移住したり、何度も足を伸ばしたりするところも、古里同様に「自らのまち」なのである。

6章では6事例を取り上げる。町民総ぐるみで文化財の保存・継承に務める奈良県大淀町、徳川家ゆかりの邸宅がある千葉県松戸市、松竹大船撮影所が設けられていた神奈川県鎌倉市、東日本大震災時に避難場所となった小学校を震災遺産として保存した仙台市、足軽組屋敷を保存・活用する滋賀県彦根市、ストリートピアノを市内に置いた大阪府豊中市である。事例の多彩さから6章は事例編のハイライトの1つであろう。

本稿で言及した事例には、他地域には見られない独自の歴史がある。土地固有のヒストリーを今に伝えている。しかし特段の歴史を有さない自治体関係者は「うちのまちには何もない」と悲観する必要はない。大淀町も、文化財の宝庫とされる奈良県のなかで、「国宝・国指定重要文化財」がなかったまちとされていた。足元に注目すれば何かを再発見できる。

大淀町が興味深いのは、町役場でたった1人の発掘技師である松田度(1974年生まれ)を採用して以降、まちが変容していった様子である。松田は少しずつ理解者を増やしていき、住民主体の文化財調査会を設立した。この経緯から、専門職員を1人でも雇用すれば、町の文化度が高まっていく可能性が浮かび上がる。

千葉県松戸市には同市戸定歴史館が設けられている。開館準備の時期から採用された学芸員、齊藤洋一(1958年生まれ。元館長。現在は名誉館長)が勤務して幕末の研究を長く続けてきた。

シビック・プライドを構築するためには、これら専門職員の活動が不可欠である。文化施設(ハード的整備)に先駆けて人材の雇用や配置(ヒューマン的整備)により、専門職員が住民とつながり、人の輪を生み、地元の誇り形成に貢献する。地域を活性化するのは、文化芸術の専門性に富んだ人材の充実があってこそなのだ。人材を疎かにしては持続性がないと肝に銘じたい。もちろん、専門人材には限りない自律的な研鑽が求められる。

仙台市の震災遺構である荒浜小学校には2018年8月に訪問して以来、再訪できていない。コロナ禍のため調査旅行を自粛していたからだが、ぜひお勧めしたい施設である。見学を終えた来訪者は、一緒に来た友人知人らと一斉に思い出話を始めた。東日本大震災当日に自分はどこにいて、何をしていたか。せきを切ったように語り出した。記憶がよみがえったのだ。

1 郷土文化遺産を活かした地域住民による「名物」づくり

奈良県大淀町「おおよど遺産」

「郷土の偉人」の顕彰

「10年に1度」の大寒波が2023年の年明け、日本列島を襲った。日本気象協会によると、奈良の最低気温が氷点下1.3度だった同年2月6日（月）、奈良県吉野郡の玄関口・大淀町を訪れた。町教育委員会文化振興課の主任技師・松田度（1974年生まれ）に会うためだ。松田は同町でただ1人の学芸員で、「吉野熊野国立公園の父」とされる林業技師・郷土史家の岸田日出男（1890～1959年）が、半世紀をかけて収集した資料の分析・保存・活用を担当。2016年度にそれらを顕彰するプロジェクトを始めた。松田は「文化財が少ないとされる大淀町だが、他の自治体にない貴重な資料を発掘し、住民の誇り形成や観光資源の開発に役立てたい」と意気込む。

岸田は県内の他地域で生まれたが、幼少の頃に大淀町に転居し、亡くなるまで暮らした。1908（明治41）年、県立農林学校（大淀町）の林科を卒業。吉野郡役所（現在の奈良県庁）の技手（後に技師）に採用された。1916（大正5）年、吉野山で東京帝国大教授による吉野名山の保護に関する講演を聞き、吉野の原始林の価値に気付いたという。紀伊半島では森林開発が進み、電源開発のためのダム建設が計画された時期だった。

図1 「吉野熊野国立公園の父」とされる岸田日出男。紀伊半島の山々を歩き、資料を収集した（大淀町提供）

岸田は「国立公園にして自然を保護したい」と発案。山中を歩き回って実態を調査し、国立公園の指定運動に奔走した。今でいう「エコロジスト」の先駆け的存在とされる。活動が実り、1936（昭和11）年に吉野熊野国立公園が指定された。1946（昭和21）年に退職後も開発と保護の調整に励み、山村の民俗や暮らし、伝承を聞き取り、研究資料として残した。

映画フィルムなど貴重な資料の発見

話は2016年12月26日にさかのぼる。松田の職場に、日出男のひ孫・岸田高志（1986年生まれ。町立大淀桜ケ丘小学校教諭）から相談の電話が入った。「曽祖父の資料があるので見ていただきたい」。

依頼された松田は年末休暇に入った同月29、30日の2日間、岸田宅（日出男の元自宅）を訪れて資料を確認した。段ボール58箱。それらを居間で開いた瞬間、「日出男の資料がとうとう出てきた」と心の中でつぶやいた。番号を付けて写真を撮影し、居間で保管した後、翌2017年1月中旬に車に載せて町立杉本記念文化センターに運び込んだ。

奈良県立大の教員や学生らの協力を得て整理し、2022年2月に資料リストを完成させた。「明治30年代から没する1959年までの資料」で、「4179点」に達した。自筆資料／聞き書き／未刊行資料／行政文書／書簡／刊行書籍や雑誌／新聞切り抜き／地図・地形図・作業図等／観光パンフレット・絵葉書等／書画・色紙等／写真・映像（焼き付け写真・ガラス乾板・ネガ・写真帳等）――などに分類できた。

特に重要視されたのが35mmの可燃性フィルム4点である。うち2点は、1922（大正11）年に内務省衛生局撮影隊が撮影した白黒サイレント映画「吉野群峯」（全3巻）の第2巻（15分44秒）と第3巻（8分48秒）。大正年間の大台ヶ原や大峯山系の風景を映像に収めた記録は、その後の調査で県内最古だと分かった。国立公園指定を見据えた調査の一環で、撮影には日出男も同行した。残る2点は、翌1923年撮影の白黒サイレント映像記録「瀞八丁実写」（7分47秒）と、1937年撮影のトーキー映画「熊野路」（12分31秒）である。2017年12月から2018年3月にかけて4点をデジタル化し、2018年3月に町のホームページで公開した。

日出男の関係資料は2018年1月、岸田家から町に寄贈された。町教委は「町の財産」として、杉本記念文化センター2階の会議室に保管。可燃性フィルムだけは自然発火の恐れがあるため、大阪市の専門業者の保管庫に置かれている。

町文化財保護審議会は2021年、これら4点の映画・映像資料を評価。町に文化財指定を求めた。答申では「本資料は、奈良県内に残されてきた戦前の記録映像群として一級の価値を有している。いずれも保存状態は良好で、その来歴がある程度判明しており、大正・昭和初期における吉野・熊野地域の記憶を留める歴史資料としての価値が高い」と述べた。これを受け、町教委は町の有形文化財（歴史資料）に指定した。

審議に加わった同審議会委員で町議会議長の長谷川力雄（1948年生まれ）は「奈良県では、古代の古墳・神社・寺院や古文書に値打ちがあるとされがちだ。しかし『文化財＝古文書』ではない。時代は変わった。フィルムは古文書に代わる資料だと思う」と述べた。

松田は「県内で映画・映像資料が文化財に指定されたのは初めて。古代の文化財が中心だった奈良だけに新たな意義がある」と語った。

一緒に寄贈されたニホンオオカミの骨

先述の日出男資料と同じく、2018年に岸田家から町へ寄贈されたのが、ニホンオオカミの頭蓋骨1点（全長212.8mm）である。自宅2階で大切に保管されていた。高志は「日出男の孫である母によると、これまでも県外からニホンオオカミの研究者が訪ねて来た際、ご覧いただいていた」と語ったので、以前から「知る人ぞ知る資料」だったとみられる。しかし地元では知られておらず、松田も「話には聞いていたが、見たのは初めて」だった。

筆者も拝見した。1つには鼻筋のラインがなだらか。犬の場合は急角度である。2つには上あごの下部（口蓋後縁部）がへこんでいる。犬は飛び出ている。3つには後頭部のトサカが突出しており、「ウルトラマン」のように飛び出た形状。犬はなだらかだ。

町教委は研究者の協力を得て、頭蓋骨に小さな穴を開けてDNAのサンプルを採取。海外や国内でニホンオオカミと確定された資料と比べたところ、ミトコンドリアDNA配列が一致し、「ニホンオオカミの頭蓋骨である」と断定できた。

この骨には日出男による来歴記録が残る。資料に「明治16（1883）年、吉野郡上北山村の民家へ小便を飲みに来た病気のオオカミの頭蓋骨」との趣旨が鉛筆で記されていた。1939（昭和14）年、この民家で保管されていたものを入手したという。

図2　ニホンオオカミの頭蓋骨（大淀町にて）（2022年8月撮影）

町文化財保護審議会は「有形文化財・天然記念物」としての複合的価値を持つと高く評価。2023年2月15日、町に文化財指定を求めた。答申では「本資料は、その来歴が判明する奈良県吉野産のニホンオオカミの頭骨として貴重であり、近代吉野の人と自然の文化的かかわりを物語る歴史資料としても価値が高い。また今後は、岸田日出男が収集したニホンオオカミ関連資料とあわせて、博物館等における教育・研究資料としての一体的な活用も期待できる」と述べた。委員長の浦西勉（1960年生まれ）は「文化財に指定されることで、行政として保存・継承するべきものになった。社会的に認知された形だ」と語った。

これを受け町教委は3月末、町文化財に指定した。「生物標本が文化財に指定されるのは県内で初めて」（松田）という。何より、奈良県南部の紀伊半島に生息していたとされるニホンオオカミなのに、同県には骨格標本がなかったので、県内唯一という価値がある。

松田の説明によると、ニホンオオカミの完全標本はオランダのライデン国立自然史博物館にある。江戸幕末に著名な医師・植物学者のシーボルトが収集、オランダに送ったものとされる。

一方、英国の大英自然史博物館はニホンオオカミの毛皮を所蔵。骨を抜いた剥製である。米国人収集家が購入したもので、「1905（明治38）年に奈良県東吉野村で猟師が捕まえたもの」とされている。これが最も新しい標本で、同年までは紀伊半島に生存していたようだ。

ニホンオオカミの絶滅時期は分かっていない。大英自然史博物館の剥製から「明治30年代」ではないかとされていた。対して、1934（昭和9）年に行われた日出男の聞き取り調査では「オオカミの遠吠えを聞いた」と記録されている。松田は「その頃に絶滅したのではないか」と述べ、長く生き残っていたとする新たな説を提唱する。生物学上のロマンである。

紀伊半島のニホンオオカミは野獣を退治してくれる存在だったそうだ。村人は信仰の対象とし、骨を煎じて飲んでいた。いわば「薬」だった。「紀伊半島では、ニホンオオカミが人間を襲ったという記録はほとんどない。この点が他の地域と異なる。奥吉野では修験道の信仰が盛んで、人々は自然を崇拝し、自然と共に生きていた」（松田）。

国内には、どのぐらいの先例があるのか。町教委の調べによると、国内に保存されたニホンオオカミの完全標本は国立科学博物館（東京）、東京大農学部、和歌山県立自然博物館（和歌山大教育学部より寄託）に各1体あるそうだ（いずれも文化財指定を受けていない）。

自治体が文化財に指定したニホンオオカミの頭蓋骨は3例（長野県上田市、東京都青梅市、神奈川県秦野市）だけ。うち上田市のものは天然記念物、残る2つは有形民俗文化財（オオカミにまつわる信仰や魔よけの意味を持つもの）だという。

住民が自ら選ぶ「おおよど遺産」

大淀町は吉野川の北岸に位置し、人口1万6000人余り。吉野郡内で最も人口が多い。東西を流れる吉野川の水運と南北に走る国道で、交通の要衝として栄えてきた。近鉄吉野線が町内を走り、大阪まで通勤可能なので、ニュータウンが造成されて新住民が移住した。

一方で「文化財が少ないまち」という評判もあった。文化庁の調べ（2021年）によると、県内の国宝・重要文化財は1328件と全国3位。国宝の彫刻は76件（全国の54.2%）、国宝の建造物は64件（同28.0%）で、共に全国1位である。しかし大淀町内では、国宝・重文の指定はない。旧住民、新住民のいずれにも同町で暮らす誇りを持ってもらうため、地域の歴史顕彰が急がれていた。そんな中、2016年12月に岸田日出男の資料が発見されたのだった。

図3　岸田日出男が残した映画フィルム（大淀町提供）

町は2016～2020年度に「おおよど遺産」を選定。各地区の地域遺産から「とりわけ魅力あるストーリーを持つもの」「住民みんなに伝えたい地域の宝物」を計100件選んだ。有形、無形は問わない。1年で約20件を選び、5年間続けた。町教委の定めた実施要項は「50年以上を経過」「区長らの推薦」を条件とした。

町地域遺産会議（12人）で審査した結果、先述した岸田日出男の関係資料も2018年、第34号として選出された。同会議の中で懸命に取り組んだのが常任運営委員会（6人）である。委員長の小西正久（1948年生まれ）、副委員長の森本悦子（1952年生まれ）らが調整に奔走した。

2022年8月23、24日という暑い時期、筆者は関係者の話を聞くために同町を訪れた。森本は福島県生まれ。地方銀行員を経て、夫の転勤で大阪府内に。鼻炎気味だった長男を「空気の良い所で育てたい」と希望し、1988年に大淀町内の南大和ニュータウンに移住した。2013年から「おおよど語り部の会」会長を務める。高齢者の話を聞き、絵本や紙芝居にして子どもたちに語る。戦争の記憶を伝える。特産の柿の葉ずしを作る講習会を開き、レシピを広める。「おおよどふるさとカルタ」を作成し、販売したこともある。

森本は「奈良の言葉に慣れなくて。最初はこのまちが嫌いだった」と打ち明けた。専業主婦として子ども2人を育て、2004年以降は町内に開設された道の駅のインフォメーションでパート職員に。「吉野の玄関口なので、旧吉野郡全域の名所・旧跡を知っていないといけない。南朝の武将に関する旅行者の質問に答えられずに赤面した」。負けず魂に火が付き、歴史を猛勉強。「大淀町に引っ越して来て、本当に良かった」と語った。

「おおよど遺産」の選定に当たり、森本が譲らなかったことがあった。

「私の住む新興住宅地にも神社が設けられ、祭礼が続けられてきた。大切な地域資源だ」と選出を求めた。町の実施要項では「50年以上」を対象としており、選出の同意を得られなかったが、森本の熱意と住宅地に残された「山の神」のほこらが古いことから、「まちづくりの原点　山の神と平城神社」として、最終の5年目に第88号とされた。「ニュータウンは人口が多く、このまちの未来を背負っている。私は引かなかった。他の委員も納得してくださった」と笑顔で振り返った。

小西は町内の大岩地区に生まれ育った。教諭を経て、上北山村の小学校校長で定年退職した。自らの田畑で農業を始め、栽培・収穫の体験農園を設けた。農作物を育てるうちに都市部から仲間が集まって来た。レストランに委託生産を頼まれた。福祉施設とも連携する。2021年にはNPO法人「おおいわ結の里」の理事長に就任。事業の1つに「地域の歴史や文化の継承活動」を掲げ、古墳周辺の草刈りや古い道標の復元、火にまつわる民俗行事を語る会の開催などを行っている。

住民主体の文化財調査会

小西の地元・大岩地区はゴルフ場に取り囲まれた山里で、23戸に43人が暮らす。高齢化のため、60歳以上が70%を占める。10年余り前は同じ戸数ながら120人が暮らしていたので、独居高齢者が増えた。

同地区の石神古墳を含む大岩古墳群は「地名の由来は大きな岩」として、「おおよど遺産」の第83号に選定された。石神古墳は発掘調査で飛鳥時代(7世紀中ごろ)の貴重な土器が出土したので、ゴルフ場の中に残された。しかし草が生い茂り、山上の遺跡なので、急な斜面を登って見学するのは困難な状況だった。この難局を支援したのが、2005年設立の民間ボランティア団体・大淀町文化財調査会である。これも松田が設立を発案した。調査会は石神古墳を巡る悩みを知って支援。雑草を刈り、竹を伐採し、見学路を整備した。

小西は「見学路のためにブロック石を購入し、機械で山の上に上げて設置し、丸太を打って固定した。すべて町民の手作業だった。本当にありがたかった」と述べた。町は石材購入費を負担し、作業は手弁当という官民協働のスタイルだった。調査会の事務局を務める松田は「自分一人の力では限界があった。住民に遺跡保存を手伝ってもらうことで仲間を増やし、知識や技術を伝えた。『素人に遺跡を触らせるなんて』との批判もあったが、前に進めた」と回想。石神古墳の管理や整備は現在、地元の区と「おおいわ結の里」が引き継いでいる。

荒れていた当時の石神古墳は文化財に指定されていなかった。2010年11月に町指定文化財になり、2012年3月には県指定文化財に昇格した。早期指定の理由について、松田は「住民が自ら見学路を作るなど、地域として継承していく取り組みが評価されたから」と解説した。支援に感激した小西は2010年、調査会に入会。現在は他地区に出向き、遺跡保存活動に参加する。

石神古墳の整備時にブロック石を運んだ一人が、元川上村立川上中学校長の中村隆昭（1940年生まれ）である。町文化連盟会長と町文化財保護審議会副会長を務める。「おおよど遺産」制度に共鳴した理由は、自らが暮らす佐名伝地区にも数多くの文化財があり、まちづくりに役立てたいと願ったからだ。同地区には文学者・花岡大学（1909～1988年）が住職を務めた寺院がある。花岡が著した童話作品は「ほとけの心とやさしい言葉」として、同遺産の第21号に選ばれた。同寺院には司馬遼太郎、住井すゑら著名な文学者が花岡を訪ねて来ていた。

中村は、2022年4月に発足した町文化財保存活用地域計画協議会の委員長にも就任。100件に上る同遺産の課題について「担い手不足で存続が危ないものがある。そして選定した遺産を展示し、観光や教育などに役立てるスペースが欲しい」と指摘した。

文化財専門職員の重要性

再三登場する松田は、一連の動きのキーパーソンである。大阪で生まれ育ち、同志社大文学部に進んだ。同大教授を務めた考古学者・森浩一（故人）の弟子で、同大大学院の前期課程では墓から見た古墳時代の文化史を修士論文にまとめた。後期課程の2年間は三重県松阪市の臨時職員として発掘に励んだ。この後、同大に戻って新校舎敷地の調査に従事したが、発掘が終わると「無職」になった。

2005年7月、即戦力を求めていた大淀町の臨時職員に。2008年4月には正式な職員として採用された。唯一の専門職員だけに1人で測量・発掘を行い、報告書をまとめていたのだが、「文化財を守る仲間や協力者が必要」と痛感。2005年12月から各地区を訪れて勉強会を開き、情報交換したり教えを請うたりした。続けて「おおよど歴史学習会」を2007～2011年度に24回開き、延べ643人の参加を得た。

並行して2006年7月から2010年8月まで、町広報誌に50回にわたる連載「おおよど歴史物語」を執筆した。この取材でも「住民の皆さんから学ぶことが多かった」(松田)。次第に住民の信頼を得て、文化財保存活動に巻き込んでいった。築いた人脈が「おおよど遺産」の選定に役立つ。町地域遺産会議や文化財調査会を設立できたのは、豊かな人的ネットワークがあったからこそだ。「言いたいことを言い合える仲間がいた」と語った。

大淀町の事例から得られる教訓は、主に3つあると筆者は考える。1つには「国宝や国の重文がないまち」であっても、足元を見詰めれば貴重な文化遺産を再発見でき、「名物」をつくれる可能性がある。岸田日出男関係資料の発見は「おおよど遺産」の始まりとは直接の関係がないものの、町内で地元の文化財を探す機運が高まったことが遠因になったとみられる。

2つには、大淀町の人々は「おおよど遺産」を選定する過程で地域文化遺産の大切さを痛感し、自らの力で保存・継承・活用する決意を固めていった。シビックプライド（地域を誇りに思う気持ち）の向上につながったわけである。多彩な住民を束ねて地域を経営するためには、コミュニティの形成が欠かせない。旧住民であれ新住民であれ、地域文化遺産の価値を再発見できたとき、まちを愛する気持ちが一つになる。

3つには、文化専門職員の重要性である。1人でもいれば、まちは変容する可能性がある。松田が赴任して以降、「松田さんのおかげで大淀町が変わった」と複数の住民が筆者に語った。

とはいえ、同町の文化財保護行政には課題が山積する。今後、劣化していくフィルムをいかに保存・継承するか。貴重なニホンオオカミの頭蓋骨をどのように公開し、観光資源として役立てるか。 吉野郡の他自治体は観光資源が豊富で、「桜」の吉野山や、世界遺産の「紀伊山地の霊場と参詣道」などに多くの観光客が押し寄せる。対して、大淀町の宿泊施設は「吉野郡の中で格段に少ない」(松田)。国宝や国の重文がないこともあり、観光バスやマイカーは素通りしがちだ。

訪日外国人（インバウンド）の姿は見掛けない。同町の調べによると、年間の観光客数は新型コロナウイルス禍前の2018年で県南部が391万3000人、大淀町が56万7285人。コロナ禍の2021年度は県南部255万1000人（2018年比34.8％減）で、大淀町は45万5852人（同19.6％減)。インバウンドの影響が比較的少ない。

町の関係者は文化観光の「名物」をつくり、国内外の観光客に訪れてほしいと願っている。動物の頭蓋骨は訪日外国人にも分かりやすい。しかし専用の保管・展示施設、あるいは博物館・資料館がない現状では、文化観光の資源に結実しにくい。

2022年10月に初当選した町長の辻本眞宏（1970年生まれ）は、岸田家をこれまで50回以上訪れたことがあったが、ニホンオオカミの頭蓋骨については全く聞いていなかったという。「日出男の長男・文男さんは民俗学・国文学の研究者。町総務課の広報担当職員だった頃、町広報誌に連載していただいていたので月に2度、自宅1階に原稿を受け取りに行った。まさか2階に骨があったとは」と驚く。

そして辻本は「『オオカミの骨』という6文字は、とてもインパクトがある。デジタルミュージアムを設け、世界中からアクセスできるようになれば……。吉野の玄関口・大淀町で岸田日出男の業績を知り、『オオカミの骨』に接してから吉野をドライブするとき、見える風景が違ってくる。地域全体の振興に貢献できる」と語った。今後の推移を見守りたい。

（『地方行政』2023年2月27日号）

2 市民に親しまれてきた歴史的建築を保存活用

千葉県松戸市「徳川家ゆかりの戸定邸」

千葉県松戸市は東京都に隣接しており、人口約50万人。東京・上野駅からJR常磐線の快速に乗れば約20分で松戸駅に到着する。南北に流れる1級河川・江戸川が都県境で、同川の鉄橋を渡ると車窓から、こんもりとした森が右手に見えてくる。戸定が丘歴史公園（約3ha）である。

その一角には、今回の主題に選んだ戸定邸と松戸市戸定歴史館が建っている。戸定邸に関心を抱いた筆者は2019年に2度訪れ、新型コロナウイルス禍を経た2023年5月9日と同16日には集中して聞き取り調査を行った。

国の重要文化財

戸定邸とは何なのか？　最後の水戸藩主である徳川昭武（1853～1910年。江戸幕府15代将軍・徳川慶喜の実弟）が、1884（明治17）年から主に暮らした私邸で、近代の旧大名邸がほぼ往時のまま今に伝わる。本宅は現在の東京都墨田区にあったが、東京と水戸の間に位置する松戸の土地を購入した。

戸定邸は木造平屋一部2階建ての延べ725m^2。9棟で構成されており、部屋数は23もある。2006年、国の重要文化財に指定された。「明治前期における上流住宅の様態の指標となるものとして歴史的価値が高い」と評価された。

戸定が丘歴史公園と戸定歴史館は1991年に開設され、戸定邸も含めた一般公開が始まった。歴史館は瓦屋根の建物で、地上2階、地下1階、延べ489m^2。2階にある展示室は広さ150m^2。館内には写真撮影用の部屋がなく、荷解き場も狭いという悩みを有する小規模の博物館である。

館長を含めて事務職員3人、名誉館長1人、学芸員1人、研究員3人、非常勤職員2人という小所帯だ。それでも収蔵品は豊富で、徳川家ゆかりの品など約1万4000点を数える。このうち松戸徳川家に伝わった資料が約4000点で、外国語の資料が5%を占める。

後述するように、昭武は2度にわたって計6年、パリを拠点として欧州に留学していたので、フランス語に堪能だった。英語もできた。自筆の仏文日記や仏文による文通を重ねていたため、日仏交流の勃興期を知るには得難い施設である。

図1　戸定邸の外観（手前は名誉館長の齊藤洋一さん（左）と研究員の小寺瑛広さん）（2023年5月撮影）

庭園は広さ約1.4ha。2015年に国の名勝に指定されたことを機に復元が図られ、2018年に工事が完成した。戸定邸南面の書院造庭園と、その南の東屋庭園に分かれる。前者は東洋と西洋の文化が融合した空間で、後者は園遊の場だった。

書院造庭園は、円錐形のコウヤマキやアオギリの大木などで構成されている。樹木選定には昭武の意向が反映された。昭武はカメラを愛して大量の写真を残したので、さまざまな角度の古写真を基に専門家と共によく似た樹形の木を探して植樹した。豊富な写真や徳川家職員の日記から、選定した樹木やその入手先、移植位置、運搬状況などが分かっており、造園史研究の対象としても注目される。

戸定邸と共に歩んだ学芸員人生

戸定邸や戸定歴史館については、齊藤洋一（1958年生まれ）の存在を抜きに語れない。元館長で、今も名誉館長を務めながら幕末史や慶喜・昭武の生涯を研究している。早稲田大大学院文学研究科後期課程に在学中、教授の推薦を得て同館準備室の嘱託職員に。開館前年の1990年に正規の学芸員として採用された。

齊藤は東京都江戸川区の出身。定年退職してからも、同区にある自宅からオートバイで通って来る。腰が軽く、偉ぶらず、誰にでも朗らかに接するので、松戸市民にファンが多い。

齊藤が初めて戸定邸に入ったときの印象は、今も鮮やかである。

「古色を帯びた、たたずまいだった。当時、住み込みの管理人が２家族いて、清掃や雨戸の開け閉めなどの維持管理に従事していた。このままでしっかりと保存や活用ができるのかと危惧した」

当時は近代建築の価値や評価が定まっていない頃で、戸定邸はほとんど注目されておらず、「文化財保護行政のはざまにあった」。しかし旧華族の邸宅が次々と取り壊されていく中、戸定邸はほぼ完全な形で残され、先駆的な庭園も保存されていることから、次第に熱い視線を集めるようになっていく。

戸定歴史館の資料などによると、太平洋戦争後に華族制度が廃止されて間もなく、華族らに高率の財産税が適用されたので、やむなく邸宅を手放したり、国に物納したりするケースが増えた。その結果、多くの邸宅が姿を消した。

そのような状況にあって、戸定邸はなぜ残ったのか？　昭武の死後も、次男である武定（1888 〜 1957 年。元東京帝国大学工学部教授）が暮らしていたが、1951（昭和 26）年、松戸市に建物と敷地の寄贈を申し出た。市への寄贈により、戸定邸は財産税の対象から外れた。武定は社会教育施設としての活用を希望したことから、市は 1954 年から 1991 年までの 37 年間、公民館「戸定館」として使用したので、奇跡的に壊されずに済んだ。

齊藤は「武定の先見の明と、当時の市の決断のおかげで、戸定邸は生き延びた」と指摘した。

「公民館だったことが大きな意味を持った。結婚式や青年団の会合などで市民が使い、庭園では若者が一升瓶の日本酒を飲んだものだった。だからこそ市民も戸定邸を愛する気持ちがあった。単に偉い人が住んでいた屋敷という認識ではなく、地元に愛されていた」

市民の支持があってこそ、建物は残るという教訓である。

パリ万博に派遣された「プリンス・トクガワ」

徳川昭武は、幕末に詳しい歴史ファンにはよく知られた人物だが、どこかで「知る人だけが知っている」面もあったと筆者は振り返る。しかし、ブレークするときがやってきた。2021年に放送されたNHK大河ドラマ「青天を衝け」である。

主人公は日本の「資本主義の父」とされる渋沢栄一で、俳優の吉沢亮が演じた。「最後の将軍」徳川慶喜は元SMAPの草彅剛。そして昭武は、若手俳優として売り出し中の板垣李光人が務めた。と言えば「あの俳優さんか」と気付く読者がいるかもしれない。昭武がドラマ内で登場したのは、慶喜の名代として幕府から1867（慶応3）年のパリ万国博覧会に派遣された際、慶喜の家臣である渋沢が随行したからだ。

板垣は2021年2月、役作りのために戸定邸や戸定歴史館を訪問。名誉館長である齊藤の案内で、昭武ゆかりの展示品を見学した。放送後の今も、衣装を着た板垣を紹介する市の広報紙が歴史館の玄関に飾られ、来館者を迎え入れる。

齊藤はこのドラマで「時代考証」を務め、制作に関わった。「これからを嘱望される若手俳優に昭武を演じてもらえて、本当に幸いだった。昭武への関心が高まれば」と期待する。

テレビドラマによって昭武への関心が高まったことは、数字上でも明らかだ。戸定邸・戸定歴史館の2021年度の入館者数は6万3798人に達した。2020年度（2万8480人）の2倍以上だ。コロナ禍にもかかわらず、庭園が復元された2018年度（6万9785人）に匹敵する実績を残した。

開館以来の最多は、同じく大河ドラマの「徳川慶喜」が放映された1998年度の11万4301人だった。齊藤は「当時、戸定邸の床が抜けるかもしれないと不安になるほど、来館者が押し寄せた。貴重な建物を保存・継承するためには、保存と公開のバランスが重要になる」と話した。

大河ドラマ「徳川慶喜」の中で、昭武は一度も登場していない。この頃は主人公である慶喜ゆかりの邸宅として注目された。対して2021年の大河ドラマでは、昭武自身がしばしば登場してクローズアップされたので、今後の追い風になりそうだ。

昭武はパリ万博のとき、ナポレオン３世に謁見したほか、欧州を巡って各国元首と会った。英国を訪問してビクトリア女王に謁見した際には、現地の新聞「イラストレイテッド・ロンドン・ニューズ」（1867年12月21日号）で、次の将軍候補「プリンス・トクガワ」と報道された。

万博後もパリ留学を続けたが、幕府が瓦解したため、急ぎ呼び戻された。こうした数奇な運命は大河ドラマで詳しく描かれた。

松戸らしい特産品

2023年５月に松戸市へ出向いた際、筆者は自宅で待つ妻にお土産を買って帰った。「プリンス徳川カフェ」と名付けられたコーヒー豆である。100g入りで750円。茨城県の企業が開発した。イエメン産のモカを深煎りのフレンチローストで仕上げてある。妻からは「香りが良く、甘みも感じられ、飲みやすかった」と好評だった。

昭武はカフェ（コーヒー）を愛飲していたことが分かっている。パリ万博に向かう船中でのこと。昭武と食事を共にした渋沢は食後に「カツフヘエー」を出され、「頗る胸中を爽にす」と日記に書いた。昭武も同じ思いだったに違いない。

また仏シェルブールを訪れた際、昭武は仏文日記に「海原を眺めながらコーヒーを喫む」とつづった。渋沢と共にフランスで複数のコーヒー店に立ち寄った。

「プリンス徳川カフェ」は2018年に発売された。名誉館長の齊藤が、館長時代に歴史考証を引き受けた。「歴史は文字から入りがちだが、味覚を通して史実を追体験してほしいと考えた」からだ。売り上げの一部は松戸市に寄付される仕組みになっている。

なぜモカを選んだのか？　齊藤によると、１つには帰国船に乗り、イエメン・モカ沖を通過した際、「モカの街は優れたコーヒーを産する」と昭武自身が仏文日記に書いたこと。「モカ」の名はしっかりと昭武の脳裏に刻まれていた。２つには、当時の欧州ではコーヒーのことをモカとも呼んでいたこと。これらから昭武がモカを飲んでいたと推測した。

日本では、コーヒーは幕末まで薬用として扱われていた。対して昭武は、本場フランスのコーヒー文化に親しみ、嗜好品として味わった。歴史館はこの点を重要視している。

図2　徳川昭武がパリで愛好したコーヒーに寄せた「プリンス徳川カフェ」

慶喜もコーヒーに縁があった。当時の資料によると、1867（慶応3）年に大坂城で晩餐会を開いて欧米公使を接遇した際、コーヒーを提供した。わが国の公式行事としては初めてのことだった。

「プリンス徳川カフェ」は、戸定が丘歴史公園駐車場の売店で販売されている（原則として土日・祝日に営業するが、真夏や真冬などの一定期間は休業）。売店を訪れるには同歴史公園への坂道を登って行く必要があるため、2022年9月に松戸市観光協会がJR松戸駅西口の協会事務所で常設販売を始めた。

一方、松戸駅東口から戸定邸に至る道路沿いで営業する手作りパン店「ブーランジェリー・ラ・マシア」では、「戸定あんぱん」を製造・販売している。徳川の家紋である「葵」をかたどった三色あんぱんで、つぶあん・コーヒーあん・抹茶あんを入れる。

コーヒーあんには「プリンス徳川カフェ」の豆を市観光協会から仕入れて使う。経営者の村中拓馬（1978年生まれ）は「駅から戸定邸に至る道筋を盛り上げたいと思い、訪れた人に何かお土産になる物を……と考案した。このコーヒー豆を使ったおかげで、香りがぐんと良くなった」と話した。

村中は幼い頃から戸定邸になじんでいた。母が戸定邸を案内する市民ボランティア団体「松戸シティガイド」の活動に参加していた。通っていた市立相模台小学校の同級生宅が戸定邸近くにあった。さらには、自身の子どもたちが「七五三」のときに戸定邸の庭園で記念写真を撮影したので、一層親しみが増したという。

ちなみに、同市では「七五三」や「成人式」の際に記念写真を撮影する親子が無料入館できるという、粋なサービスを行っている。村中は「パン作りの修業のため、盛岡市に暮らした。盛岡には素敵な歴史的建築物がたくさんあり、『いいまちだな』と思った。松戸に戻って来て『うちのまちにも戸定邸があったぞ』と思い出した。松戸の外に出て、初めて地元の価値に気付いた」と語った。

市民との交流

同パン店の斜め向かいに「戸定そば　幸　まつど」が2017年に開店した。当初は「石臼挽きそば　幸」と名乗っていたが、1年後に改名した。名物は780円の「戸定そば」だ。経営する白根邦子（1968年生まれ）は「私たちの事業は地域と一緒に盛り上げるものなので、この地域に由来した名前にしたかった」と笑顔で話した。

白根は一般社団法人ハッピーチョイスの代表理事を務める。同法人が設置した障害者の就労継続支援B型事業所「ハッピーワーク松戸」の施設長である。「戸定そば」では延べ12人の障害者が交代で勤務し、石臼でそばを挽き、提供する。

白根によると「松戸のラーメンはよく知られているが、戸定邸は『和』なので、そばを選んだ」そうだ。「戸定邸の来訪者が行き帰りに食べてくださる。少しでも戸定邸への道筋を活気ある通りにしたい。『小江戸』で有名な（埼玉県の）川越みたいになれれば」と期待する。

歴史を生かしたまちづくりの試みも展開されている。例えば「松戸宿坂川献灯まつり」（主催・同まつり実行委員会）である。旧松戸宿を流れる坂川沿いを会場に毎年8月9、10の両日に開催される。会場全体にLED（発光ダイオード）照明を設置したり、川の上に仮設舞台を設けたり、1000余りの灯籠を流したり……。旧松戸宿時代の「とうもろこし市」も復活させた。

当日は大勢の人たちが川べりを行き交う。長さ約500mにわたる電気設備の仮設を担当する実行委員の1人、近藤善信（1955年生まれ。「コンドウ家電」経営）は「坂川は運河で、江戸時代には多くの荷物が船で運ばれ、にぎわった。宿場町を繁栄させた先人をしのんで、2006年に今のまつりが始まった」と説明した。坂川はJR常磐線の西側を流れる。戸定邸は常磐線の東側で、線路の反対側に位置する。

近藤は「常磐線が1896（明治29）年に整備されるまで、坂川かいわいと戸定邸は同じ町内だったので仲良くしていた。徳川家の職員も買い物に来ていた。戦後、公民館になってからも地元の人たちはよく使っていただけに、今もなじみ深い」と振り返った。まつりのパンフレットには「戸定邸・戸定歴史館にもおでかけください」と掲載し、来訪を呼び掛けている。

実を言うと、坂川は徳川慶喜と昭武の兄弟が写真撮影を楽しんだ場所なのだ。慶喜が坂川で撮影する後ろ姿を、昭武が写真に収めている。名誉館長の齊藤は「2人の兄弟に厚い信頼関係があったからこそ、飾らない日常の姿を背中から撮影できた」と解説した。

現地を訪れた筆者は、この古写真の撮影場所を探して坂川沿いを歩いた。明治の2人は何を思いながら、坂川の流れを見詰めていたのだろうか？　歴史のロマンを感じさせる。

千葉大園芸学部との連携

戸定邸と戸定が丘歴史公園の南側には千葉大のキャンパスが広がり、国立大では全国唯一の園芸学部が立地する。前身校の敷地の一部は、昭武が売却した自邸敷地という。戸定邸と学部構内の森はつながっているものの、柵で区切られており、行き来できなかった。

このため、松戸市の当時の市長らが「緑の回廊」構想を提唱。戸定邸庭園とキャンパス内に設けられた珍しい英仏伊の洋風庭園や木々を見学しながら、庭園や樹木を学び、散策することができればという願いが大学を動かした。

とはいえ、構内には実験施設や学生寮もある。外部の者が自由に歩き回っていいものでもない。千葉大学附属図書館松戸分館長の小林達明（1959年生まれ。前園芸学部長、同学部教授）の話によると、先に紹介した市民ボランティア団体「松戸シティガイド」の会員らが講習を受けて「園芸フェロー」の肩書を得て、散策希望者を引率できるように工夫したそうだ。

2020年以降のコロナ禍でしばらく引率案内は中断していたが、2023年春の花見シーズンの際に復活した。小林は「この春、シティガイドの皆さんの要望で、私が桜の木に関する知識を伝え、案内する際の話題を増やしてもらった」と語った。

小林は、以前から「緑の回廊」事業に関わってきた。「シティガイドの案内台本作りには千葉大の教員も協力した。園芸学部が松戸にあるからには市、歴史館、大学、市民が一緒になって地域を盛り上げていきたい。戸定が丘全体が文化の拠点になれば」と願う。

小林の発言には背景がある。関係者の話を総合すると、園芸学部は千葉大の学部の中で唯一、松戸市に立地する。一時、千葉市内の本部キャンパスに移転する構想も浮上したが、反対する松戸市民らが署名を集めるなどして「存続」を訴え、移転計画はなくなったという。

こうした大学・行政・市民の連携が背景となり、松戸分館の新設工事の際には募金活動が行われた。小林によると、新築予算は国に認められたものの、分館の外構部分の予算はつかなかった。小林ら大学幹部が地元経済界を回り、市民や卒業生らに募金を呼び掛けることになった。

その結果、約5000万円が集まり、「緑のテラス」と呼ばれる外構部分を完成させることができた。「一定額以上の寄付者には図書館利用証を贈呈させていただいた」と小林は振り返った。

2023年5月16日。筆者は小林の案内で、園芸学部のキャンパスを歩いた。新築の松戸分館から眺めるフランス庭園の姿は、実に印象的だった。分館からイタリア庭園に至る外構は植栽がないと様にならなかったのだが、見事に緑で覆われていた。

フランス庭園そばにある建物はかつての講堂で、松戸市民が社交ダンスを楽しむこともあったという。当時から市民がキャンパスに出入りしていた様子がうかがえる。

松戸分館内で興味深い文献を見ることができた。小林が書庫から探し出したのは、植物学者の牧野富太郎（1862 ～ 1957 年）によって創刊された英語論文集『植物研究雑誌』である。巧みに描かれた植物画も牧野自身の手によるもの。思わず見入ってしまった。「日本植物学の父」とされる牧野は、前身の県立園芸専門学校時代に嘱託で教壇に立っていたそうだ。

現在放映中の NHK 連続テレビ小説「らんまん」（2023 年度・前期）の主人公のモデルだけに、話題を集めることは間違いないと思われるが、小林は「図書館も含め、大学内には展示施設がなくて……」と打ち明けた。

そこで浮上したのが、松戸分館の所蔵する貴重な文献や資料を、隣接する戸定歴史館の展示室で公開する構想である。早くも 2023 年 7 月に実現した。歴史館の夏季展「殿様たちの自由時間～植物をめぐるモノ語り」（同年 7 月 8 日～ 9 月 3 日）では、昭武が植えさせた植物や園芸に関する品々を紹介するが、併せて千葉大と連携して『植物研究雑誌』など、分館所蔵の約 10 点を特別に展示している。

小林と名誉館長の齊藤は「戸定には大学図書館と歴史館という博物館、国重文の邸宅、国名勝の庭園がある。東京・上野の文化的な環境と似ている。今後も戸定の貴重な文化的集積を生かしていきたい」と口をそろえた。

保存活用計画、策定へ

2023 年 4 月に戸定歴史館の館長（課長相当職）に就任した尾形一枝（1972 年生まれ）は、ユニークな経歴を有する公務員だ。かつてはリクルートに務め、国内旅行事業部「じゃらん」に 10 年間在籍して旅行雑誌の編集制作に携わった。さらに大手 IT 企業で 7 年近く働いた。

松戸市が民間経験者を対象とした職員採用に踏み切ることを知り、「自分の経験を生かしたい」と考えて応募。2012 年 4 月 1 日付で政策調整課の広報担当室（当時）に採用された。同市にとっては初の民間経験者採用だった。2014 年に広報広聴課のシティプロモーション担当室に、2018 年には文化観光国際課（同）に異動した。

尾形は「都市間競争の中で松戸市が選ばれるまちになるためには、どのようにプロモーションを展開し、まちと人の魅力を伝えていくかを考えてきた」と話した。広報広聴課にいた当時から戸定邸がシティプロモーションの対象の1つになるのではないかと想定していた。

館長に就任して間もなく、戸定邸を紹介する無料のマップ（A4判）を作った。以前からA4判で4ページの「解説シート」を用意して有料販売していたが、無料で手軽な物は見当たらなかったからだ。尾形は「予算措置がない中、パソコンで手作りして市役所の印刷機で刷った。私が文章を書き、学芸員にチェックしてもらった」と打ち明けた。

2018年6月、国会で「文化財保護法及び地方教育行政の組織及び運営に関する法律の一部を改正する法律」が成立し、翌2019年4月1日に施行された。地域の過疎化や少子高齢化に伴い、文化の担い手が減少する中、地域社会が総がかりで文化財の継承に取り組む体制づくりが急がれているからだ。法改正によって、市町村に「文化財保存活用地域計画」の策定が求められた。そして同法改正で地域がより主体的に文化財の保護や活用を進める状況になってきた。

国指定等文化財については、個別の保存活用計画が国の認定を受けた場合、同計画に記載された行為について、文化財の現状変更などの「許可」を「届け出」にするなど、手続きの弾力化を図ることができるようになった。また従来は教育委員会の所管だった文化財行政を、条例制定で首長部局が担当できるようにもなった。首長部局に移管する場合には専門性を確保するため、任意だった地方文化財保護審議会の設置が必要である。

戸定邸には、これまで建造物の保存活用計画はなかった。そこで市は2023～2024年度に現地調査や課題抽出、方針策定などを行い、2025年度の計画認定を目指す。尾形は「戸定邸は2034年に建築150年を迎える。次世代に引き継ぎたい。歴史遺産の保存・継承・活用は行政だけでは限界がある。市民の皆さんと一緒に臨んでいきたい」と話した。

（時事通信『地方行政』2023年8月24日号）

3 都市の記憶をつなぎ、まちの個性を伝える

鎌倉市「川喜多映画記念館」

鶴岡八幡宮の近く

古都・鎌倉は雪に覆われていた。筆者は2022年1月5日（水曜）～7日（金曜）、鎌倉市が設置した川喜多映画記念館（雪ノ下2丁目）を訪れた。滞在中の6日には雪が降り続け、地名通り、積雪下の訪問となった。

記念館はJR鎌倉駅から小町通りを歩いて8分。鶴岡八幡宮のそばにあり、和服姿の初詣客が歩いていた。界隈は第1種低層住居専用地域等に指定された閑静な「お屋敷まち」である。

2010年に開館したのだが、なぜこの場所に建てられたのか？　話は1994年にさかのぼる。市の説明によると、同年、映画界で活躍した川喜多かしこ（1993年没）の遺族から、映画資料館建設のために、土地9484m^2と旧川喜多邸の建物等を市に寄贈する申し出を受けた。市は2年後の1996年、（仮称）川喜多記念館基本構想を策定。厳しい財政事情から実施計画は先送りされ、民間資金の導入を検討。2000年に建設等基金を設けて民間寄付を募ることになった。2001～2002年度に建設専門委員会を設置して施設内容を決めた。

記念館の初代総括責任者だった大場正敏（1945年生まれ。元東京国立近代美術館フィルムセンター主幹）は「鎌倉の映画愛好団体が上映会を開き、収益を建設基金に入れた。上映会場でも募金活動が行われた。市民の寄付などが記念館開設の後押しとなった」と振り返った。市によると建設費の総額は3億3926万円。うち基金の積立は3406万円だった。

開館時から指定管理者制度が導入された。期間は5年間。1期目は公益財団法人・川喜多記念映画文化財団（東京）と施設管理会社のグループが、2期目以降は同財団と別のビル管理会社のグループが、それぞれ同管理者に選定された。指定管理料は開館以来ほぼ同額で2021年度は3490万円。

図1　雪景色の鎌倉市川喜多映画記念館。住所は「雪ノ下2丁目」である（2022年1月6日撮影）

川喜多長政とかしこ夫人

同邸に暮らしたのは川喜多長政（1903～1981年）と妻かしこ（1908～1993年）である。長政は1928（昭和3）年に東和商事合資会社を創業、ドイツなど欧州の映画を輸入・配給した。『巴里祭』『会議は踊る』『民族の祭典』等である。日本映画の海外輸出も図った。日中戦争時には日本の国策映画会社「中華電影」（上海）を経営した。著名な映画スター李香蘭（山口淑子）と知り合いだった。かしこは英語に精通し、東和商事合資会社に入社したのち長政と結婚。夫婦二人三脚で海外を飛び回った。同社はのち東宝東和となる。

同館の2代目総括責任者を務めた増谷文良（ますやふみよし）（1978年生まれ。同財団職員）は「川喜多夫妻は映画の買い付けを通じて欧米の映画プロデューサーたちと個人的に付き合った。戦前から築いた映画人脈で世界中に人的ネットワークを広げていった」と解説した。かしこはベルリン国際映画祭など世界各地で26の映画祭審査員を務めた。

夫妻の一人娘だった和子が1955年にロンドンのバレエ学校に留学する際、かしこも同行して英国に滞在。パリでは「シネマテーク・フランセーズ」の運営者と知り合い、1960年代には日仏交換映画祭の開催に尽力した。この際に収集した貴重なフィルムがのち東京国立近代美術館フィルムセンター（現在の国立映画アーカイブ）の礎となった。

かしこは日本アート・シアター・ギルド（ATG）の活動に奔走。1970年代には岩波ホールの高野悦子とともに非商業的な映画を上映する運動「エキプ・ド・シネマ」を主宰して芸術系映画の普及に尽した。近代女性史を語るうえで重要な人物である。娘の和子はフランス映画社を設立して1980年代のミニシアターブームを牽引した。

川喜多邸には著名な俳優のアラン・ドロンやミレーユ・ダルクら、監督のジム・ジャームッシュやヴィム・ヴェンダースらが訪れた。

展覧会は年に4回

記念館の建物は鉄筋コンクリート造の平屋で広さ389m^2余。展示室(150m^2)、映画書籍などを閲覧できる情報資料室(26m^2)、展覧会関連の映画等を鑑賞できる映像資料室(51席)を備える。商業映画館が市内にないので、映画を楽しめる貴重な場でもある。

筆者が訪れた際は企画展「崩壊と覚醒の70sアメリカ映画」を開催していた。『イージー・ライダー』『タクシードライバー』『追憶』などのポスター216点を展示。現在の総括責任者(3代目)である馬場祐輔(1984年生まれ)が担当した。

同館自体に収蔵庫はない。しかし以前から同財団が同市内に収蔵庫を設置していたので、同館の展示資料は財団収蔵庫を活用する。先述した大場は収蔵庫の資料整理のために週に4日通ってくる。

馬場は「今回の展示のうち、大半の175点は財団の収蔵品から。さらに国立映画アーカイブから10点余り、民間のコレクターから30点近くをお借りした。アメリカン・ニューシネマから半世紀が過ぎ、70年代映画の光と闇を振り返ってみたいと考えた」と述べた。

特別展は秋に1回、企画展は3回、合わせて年4回の展覧会を開催。一般の入場料は企画展200円、特別展400円。展示関連映画の上映鑑賞は1000円である。

同館の年間総入場者数は、コロナ禍の影響を受けなかった2018年度実績で2万2385人。市によると鎌倉市民の占める割合は20%程度という。駅前観光案内所のチラシや小町通りに貼ったポスターなどを見て入って来る観光客が多いそうだ。

図2　展覧会関連の映画等を鑑賞できるように、映像資料室には映写機を備えている(鎌倉市川喜多映画記念館で。右は馬場祐輔さん)(2022年1月撮影)

鎌倉で暮らす4姉妹を描いた2015年公開の『海街dairy』（是枝裕和監督、日本アカデミー賞最優秀作品賞受賞作）には鎌倉の風景がふんだんに登場する。カンヌ国際映画祭で上映され、海外でも話題を呼んだので、外国人観光客から「同じアングルで写真を撮りたい」との相談が同館に寄せられた。

大船撮影所の思い出

松竹撮影所は1936（昭和11）年、東京・蒲田から鎌倉北部の大船に移転した。このため鎌倉が「映画のまち」になった。名監督・小津安二郎や伝説の女優・原節子、田中絹代らも鎌倉に自宅を持った。撮影所から近い鎌倉の寺社や邸宅でロケをした作品も少なくない。国民的映画だった渥美清主演の映画『男はつらいよ』シリーズ（山田洋次監督など）は設定こそ葛飾・柴又だが、大船撮影所（2000年に閉鎖）で撮られた。

だからこそ同館では地元・大船撮影所の作品に関心を寄せる。2020年1月には企画展「昭和を彩る女優たち　松竹大船撮影所物語」を開催して関連資料を展示するとともに、館内の映像資料室で、岸惠子『君の名は』、高峰秀子『二十四の瞳』、岡田茉莉子『秋津温泉』、岩下志麻『雪国』等の松竹名画を上映した。企画展のチラシを見た筆者には上映作品の貴重さが分かった。『秋津温泉』（吉田喜重監督）がパリ・ポンピドゥセンターで上映されたとき、調査で渡仏していた筆者も鑑賞した。客席はフランス人で占められていた。日本映画は欧州でもよく知られている。

しかし同展の途中、コロナ禍のために休館を迫られたので再び企画。2022年3月18日からは企画展「追悼　山内静夫　松竹大船撮影所物語」（6月12日まで）を始める。山内は小津作品のプロデューサー。鎌倉に生まれ、2021年8月に96歳で亡くなった。

3月からの同展を企画したのは学芸員の阿部久瑠美（1984年生まれ）である。大学院の博士課程に在籍して、東映・任侠映画を主題に1960年代の日本社会の研究を続けている。阿部は「当時を知る関係者が年々減ってきた。同じ鎌倉にあるので、大船撮影所はうちの館にとって大切なテーマ」と語った。会期中、大船撮影所があった界隈のまち歩きを計画。松竹の撮影監督だった中橋嘉久（1945年生まれ）をゲストに招く。

中橋は京都市生まれ。平安高校を卒業後、松竹京都撮影所に入り、1964年に大船に移籍して映画やテレビドラマを撮影した「キャメラマン」だ。大船の閉鎖を見守った。中橋は「大船は太秦より数倍広かった。宣伝部が入った建物は山小屋風、撮影部は別荘風、俳優部は学校風。さらに煙突のある工場、病院、神社に模した建物も所内に建てられ、外に出なくても映画を撮ることができた」と笑顔で回想した。さらに「オープンセットは野球場が2つ取れるほどの広さ。昼休みになると撮影中の俳優やスタッフが対抗試合を行った」と懐かしんだ。撮影所近くに監督や俳優の自宅があり、JR大船駅から撮影所まで商店や飲食店が立ち並んで繁盛した。「最盛期の撮影所には1000人以上が働いていた。所内の食堂では間に合わず、俳優やスタッフは近所の蕎麦屋、中華料理店等で食事をした」（中橋）。

大船は「田園都市構想」に基づき開発された。興味を抱いた筆者は翌7日、積雪の大船を歩き、松竹時代の名残を探した。川に架かる橋の名前が「松竹第五橋」であることや、撮影所正門近くの交差点に掲げられた「松竹前」の掲示を発見した。他にもいくつかあるそうだ。

撮影所そばに多数の洋館が立ち並んでいたと中橋から聞いた。「1軒だけ当時の洋館が残されている」（中橋）との話をもとに、探し回って見つけた。往時の大船がいかにおしゃれだったのか、華やかだったのか、をイメージできた。

撮影所には創造人材が集まり、まちの雰囲気や景観を形づくった。文化的な空気を形成した。産業振興にとどまらず、まちづくりに欠かせない「装置」だったと思われる。京都の自宅に帰る新幹線の車内で考えた。京都・太秦には松竹と東映の映画撮影所が健在である。これからも撮影所文化を大切にしたいと願った。

（2022年4月号）

4 被災建物の保存で地域の記憶をつなぐ

仙台市・震災遺構「荒浜小学校」と震災語り部

320 人の命を救った校舎

東日本大震災から 7 年目の 2018 年 8 月 28 日（火曜）と 29 日（水曜）、仙台市立の震災遺構荒浜小学校（若林区）に通った。両日とも雨ながら、児童がバスで視察したり、海外の人たちが訪れたりして来館者は途切れることがなかった。同校は市唯一の震災遺構で 2017 年 4 月 30 日に開館した。東北で学校保存は初めて。海岸線から約 700m に建つ同校舎の 1、2 階が高さ 4.6m の津波に襲われ、児童 71 人、教職員 16 人、住民ら 233 人は 3、4 階や屋上に避難した。夜を徹したヘリの救助活動で児童が救助されるなど計 320 人全員が無事だった。

仙台市は東部海岸沿い（南北 10km、東西 1km）を「災害危険区域」に指定。中央に位置する荒浜地区（当時約 2200 人）では 200 人近くが犠牲になるなど被害は甚大で、約 700 世帯が移転して住む人はいない。民家も松並木もなぎ倒されたまま。同区域に残された荒浜小は復興のシンボルとなった。外壁には津波到達点が示され、鉄柵も破壊されていた。校舎内部に入ると凄惨な光景が広がる。1 階は壊滅状態。天井は津波で押し上げられ、配線は垂れ下がったまま。窓ガラスもほとんど割れた。2 階も浸水跡が残る。

図 1　津波になぎ倒された松林と犠牲者を慰霊する観音像（荒浜地区）（20018 年 8 月撮影）

被害のなかった 4 階教室は展示室や交流活動室に用いられ、震災前の地域の様子、当日の惨状を伝える展示や映像が映し出されていた。開館 1 年で 7 万 7363 人が訪れた。来館者は 1 階を見て息をのみ、4 階の展示や映像を通じて 3・11 の記憶を蘇らせていた。

市は保存工事と展示制作に総額2億4000万円を投じた。保存と公開という二律背反のため改修には困難が伴った。運営担当である市防災環境都市・震災復興室主任の柳谷理紗（1985年生まれ）によると、来館者が内部に立ち入るためには消防法上、壊れた天井の修復や消防設備設置等が求められた。そうすると当時の様子を伝えきれない。外観を見てもらうだけでは訴求力に欠ける。検討の結果1、2階は立ち入り範囲を一部制限する代わりにガラス越しに破壊された校舎内部を見学できるよう工夫した。柳谷は「地区や学校の長い歴史でみると震災は『点』にとどまる。被害のみを伝えるのでは震災前後の暮らしが抜け落ちてしまう。住民の感情と震災を伝える意義のバランスが難しかった」と打ち明けた。

5人の職員

年間運営費は2150万円。同校に詰める職員5人には荒浜地区の住民らが起用された。髙山智行（1983年生まれ）、川村敬太（1982年生まれ）、貴田恵（1963年生まれ）、庄子智香子（1953年生まれ）、そして市区政課長や若林区まちづくり推進課長を経験して地元事情に詳しい鈴木憲一（1951年生まれ）である。5人は案内しながら同地区や同校の歴史、震災時の避難、保存の苦心、災害危険区域の現状を丁寧に熱心に語りかける。彼らの説明によると、震災1年前にあったチリ地震後、校長が体育館の避難物資を急きょ校舎の3階に移していたおかげで、非常食や毛布を確保できたそうだ。

学校そばに暮らした貴田は校舎に逃げ込んだ320人の1人である。「小5の次男と中2の長女、義母とともに学校に避難した。子どもたちは低学年から高学年の順番で階段に並んでヘリの救助を待った。泣き叫ぶ子は1人もいなかった」と回想した。日系ブラジル人で、荒浜出身の夫と結婚して移り住んだ。日本語は堪能なうえポルトガル語・スペイン語圏の来館者にも対応できる。海岸近くに自宅のあった庄子は市民団体「荒浜再生を願う会」庶務として活動してきた。「空き地に発電パネルがずらりと並ぶ風景にはしたくない」と感じたからだ。同会では代表の土地にプレハブ建物を設け、市民らと海岸を清掃したり、ピザを焼いて一緒に食べたり……。「荒浜地区は先祖供養を大事にするところ。月命日として毎月 11 日に訪れる方が少なくない。自然に集まることのできる場がほしい」と述べた。震災後、長男の隆弘（1973 年生まれ）と「海辺の図書館」を開設した。実際に本を集める訳でなく、「地区のことを語る人を『本』とみなし、荒浜全体が図書館という考え方」といい、元住民や市民らと地区内を歩き、建物遺構を巡りながら往時を語り合いたいと願う。

「守り人（もりびと）」として

高山は隣の七郷小に学んだが、自宅（笹屋敷）との距離は荒浜小の方が近く、近所の友達も同校児童だった。荒浜には市内ただ 1 つの海水浴場があり、夏休みによく通った。「荒浜小の校庭、海の家、駄菓子屋さんが遊び場だった」と話し、同校への思いは強い。

震災翌年から 3 月 11 日に荒浜で花の種を入れた色とりどりの風船を空に飛ばす「HOPE FOR PROJECT」を始め、現在も代表を務める。「震災当日は仕事が休みで自宅にいた。母や祖父を車に乗せて避難する途中に車は津波に洗われた。あと 30 秒避難が遅かったら逃げ遅れていた」と振り返る。高台の親類宅に祖父を届け、避難所に戻る際、「2 歳の娘が見当たらない」と探す荒浜小出身の同級生に会った。避難所ではツイッターを用いて避難者氏名を確認するボランティア活動を始めた。「結局、娘さんは亡くなった姿で見つかった。緑色のものが大好きな子だったので、命日に緑を含めた風船を空に飛ばすことを決めた」。

2012 年 3 月 11 日に数多くの風船が空に上がった。「灰色のまちに色が出た。風船に手を合わせる人たちがいた」（髙山）。その行動力が柳谷ら市職員に注目され、嘱託職員に請われた。髙山は自らの役割について「決して語り部ではない。震災当日の惨状を伝えるだけでなく、ふだんの荒浜の暮らしを後世に伝えることが大切だと思う。同級生が集まって再会する集いの場が欠かせない。そうした場の『守り人』が自分たちの役割と考えてい

図2　荒浜小には雨にもかかわらず小学生らが見学に訪れていた（2018年8月撮影）

る」と語った。

荒浜小卒業生の川村は2018年度から採用された。来館者の多さに伴い、職員4人から1人増員されたからだ。髙山とは中学・高校の同級生。震災時は大阪で働いていた。その後古里に戻り、髙山と一緒に風船を放つ活動をしてきた縁で嘱託職員に就いた。

2018年8月16日夜。約200の灯籠が同校そばの貞山運河に流された。震災後初めて夜間に行われ、300人が手を合わせて灯りを見守った。住民とともに地域外に移転した寺院の僧侶が読経する光景も見られた。髙山、川村ら地元の若者で実行委員会（5人）を発足させて実施した。委員長の髙山は「お盆らしい光景になった。これまで昼間に流していたので50人程度だったが、夜間実施で6倍の人々が訪れた。みなさんの表情を見て、この『灯り』を消してはならないと痛感した。次の年も続けたい」と話した。

復活に7年も要したのには訳がある。災害危険区域は夜間無人で、街灯もなく真っ暗なのだ。闇に包まれており危ない。灯籠流し自体は震災翌年から住民有志で再開されたものの、本来の夜間実施は困難とされ、毎年午後4時に実施されてきた。

2018年夏は赤い羽根募金基金の助成や市民の募金等で費用を賄い実現できた。市職員もボランティアで駆け付け、側溝等でけがをしないよう赤灯を振って交通整理に協力した。

図3　海外からの団体に説明する八巻寿文館長(2018年8月撮影)

3・11 メモリアル交流館との連携

荒浜小に先立って2016年2月、せんだい3・11メモリアル交流館が開館した。

地下鉄東西線の開通に伴い、東部海岸への玄関口として荒井駅が新設された際、仙台市は急きょ用途変更してメモリアル施設を整備した。広さ906m²。1階には交流スペース、2階には震災被害や復興状況を伝える展示室やスタジオ、3階には屋上庭園が設けられた。同市市民文化事業団が委託されて運営する。年間運営費は6500万円。演劇拠点「せんだい演劇工房10—BOX」工房長だった八巻寿文（1956年生まれ）が館長に就任した。「うちの館が先にできた時には責任の重さを感じたが、震災遺構の荒浜小が開館して『震災のリアリティ』を背負ってくれたので役割分担できた。案内する際には必ず『荒浜小に行きますか？』と尋ね、学校滞在時間を示したバス時刻表を手作りして配布している。荒浜小で感じたことを交流館で整理できるプログラムを制作したい」と話す。同館と同校の間は市バスで15分程度。現状は平日10便、休日9便だけだが、今後は「セットで行き来しやすい環境になれば」(八巻) と考えている。

8月の灯籠流しでは同館も協力して事前に灯籠をつくる手伝いをした。両施設は市震災復興メモリアル等検討委員会の提言により実現した。委員会は沿岸部に自転車道をつくり回遊できる長期イメージを示した。市側は広大な災害危険区域に体験型観光果樹園等を誘致し、海水浴場の本格再開も目指している。東北全体も含めた「震災ツーリズム」は大切な取り組みであろう。同提言では市中心部にも3・11の記憶を収集・編集・発信する拠点づくりをうたった。その前提として震災遺構のリアリティが何よりも不可欠であると筆者は感じた。

荒浜小校舎は1979年の建築で老朽化しているうえ津波被害も大きかった。市の説明では遠くない将来に校舎改修の再検討が必要になるという。現場を歩いてみて、まさに「百聞は一見に如かず」と痛感する。今は公開されていない3階をいかに活用できるかが今後の鍵になるとも思う。これからも同校をめぐる動きを見守りたい。

(2018年11月号)

【補記】

その後の荒浜小学校はどうなっているのか？　筆者はずっと気になっていたのだが、コロナ禍のために、仙台市を再訪することはかなわなかった。本書の出版企画が立ち上がったとき、現地を調査した際にお世話になった同市防災環境都市復興室・震災メモリアル担当課長（当時）だった庄子希恵さん（現在、地域包括ケア推進課長）に連絡を取ったところ、持ち前の明るく元気な声で「市職員（会計年度任用職員）の高山智行さん、川村敬太さん、貴田恵さん、庄子智香子さんの4人は、今もお元気で、『守り人』をつづけていらっしゃいますよ」と話してくれた。震災時の同小校長だった先生が新たに市職員（会計年度任用職員）として採用されたそうだ。

庄子希恵さんによると、大震災発生の「3・11」に風船を空に飛ばす恒例の「HOPE FOR PROJECT」の取り組みは続けられており、2023年3月11日には荒浜校区の人たちが集まり、赤、黄、青、白などのカラフルな風船が荒浜の上空を舞ったという。当時、高山智行さんが「同級生らが集まって再会する集いの場が欠かせない。そうした場の『守り人』が自分たちの役割だと考えている」と筆者に語った言葉を思い返した。連載原稿で紹介した貞山堀での灯籠流しも続けられている。

庄子さんの後任である同市震災メモリアル事業担当課長、田中智洋さんによると、荒浜小学校は一時的に休館して展示替えを行い、2023年1月31日に再オープンした。「震災から10年余り。震災を知らない世代が増えており、小中学生らに分かりやすく伝える防災教育コーナーを新設した」という。改修費は1205万円。市内の全市立小学校が荒浜小学校の見学を行っているそうだ。

5 歴史的住宅を住民が管理し、コミュニティの場に

滋賀県彦根市「足軽組辻番所と屋敷群」

「小江戸」の風情を伝える

幅2.7mの細い路地が東西に走り、碁盤の目のような町並みだった。2018年4月23、24日に滋賀県彦根市（人口11万人）を訪れ、彦根城天守から南1kmの同市芹橋2丁目（238世帯）を歩いた。江戸時代から伝わる足軽組屋敷が今も35軒ほど残る。かつて足軽集団「善利(せり)組」の屋敷群が密集していた。中心部にある足軽組辻番所と旧磯島家住宅は市文化財に指定されたあと保存修理された。辻番所は切妻造の4畳間。城下侵入者を監視する見張り窓を備えている。道路は「くい違い」になっていて窓から東と南を見通せる。足軽が交代で見張り番を務めた。辻番所とは別棟の同住宅は平屋の足軽組屋敷だ。現代風に言えば、約50坪の敷地に建てたマイホームである。

住民団体「彦根辻番所の会」が辻番所と同住宅を管理運営する。2007年に発足して以来、渡邊弘俊（1937年生まれ）が会長を務める。土・日曜と祝日は無料公開され、住民約40人が当番制で管理する。文化サロンも定期的に開かれる。渡邊は「所有者が土地建物を1000万円で売りに出した。『城下町のシンボル』として残したいと07年からNPO法人等や住民有志らでトラスト運動を始め、保存できた。みなさんの善意で残されただけに公開しなくては」と話す。午前10時～午後1時、午後1時～4時の両時間帯に各2人体制で詰める。平日も開けたい

図1　芹橋二丁目のまちなみ（彦根市）（2018年4月撮影）

が、現態勢では休日（年間105日）の無料公開が精一杯だ。トラスト運動とは、自然や歴史的建造物を寄付・買い取り等で保存・管理する運動のこと。目標を1000万円に掲げ、住民有志や企業等が賛同して700万円を集めたが、目標額に達せず、市に全額寄付した。

市は受け皿の基金を設置したあと904万円で買い取った。市が1日当たり4860円の委託金を支出する。年間51万3000円。ここから当番ボランティアに人件費（1日700円）を支給する。このほか寄付金などを含めて同会収入は年60万円程度。住民の努力で管理運営が続けられてきた。渡邊は愛媛県生まれ。少林寺拳法の道場を開くため30代で彦根に転居した。地元企業に勤めながら青少年を指導。定年を迎えた。「辻番所にも足軽組屋敷にも関心がなかった。娘の同級生が古い家に住んでいるなと思っていた。2006年に自治会長に就いて『こんな貴重な文化財が近所にあったのか』と初めて知った」と苦笑する。

歴史まちづくり法に認定

市は辻番所と同住宅を購入したものの困った。傷みがひどく相当の修復費用が見込まれたからだ。お金の工面をどうしようかと考え込んでいたとき「追い風」が吹いた。当時は市都市計画課職員で現在は市文化財課主査の深谷覚（1970年生まれ）の証言。「2007年ごろ国土交通省内で歴史まちづくり法を制定する機運が高まった。2008年に制定され、2009年1月には第1号都市が認定される運びだった。認定後には国の補助金を獲得できる。『これだ』と市庁舎内は勢い込んだ。他市が先行して、うちは最後の書類提出だったが、何とか間に合って認定された。幸いだった」。

申請が間に合ったのには訳がある。深谷によると、国の景観法制定（2004年）により市は新景観条例（2007年）を制定。

同条例に基づく景観計画で「城下町景観形成地域」を指定して、城下町らしい町並み形成のために建物の高さ、屋根の勾配、色彩を規制した。「歴史まちづくり法の認定申請には重点区域を定める必要があり、景観条例の同地域をベースに重点区域を設定した。いちからの作業では間に合わなか

図2　修復された足軽組辻番所（左手前）と屋敷（2018年4月撮影）

った。景観計画が役立った」（深谷）。国土交通省の補助金を得て、2010年から3年半かけて総額1億1500万円余（半分は市負担）を投じて辻番所と同住宅を本格修理できた。

なぜ足軽屋敷が貴重なのか？　彦根藩の特異性が背景にある。藩主・井伊家は徳川四天王とされ幕府の重鎮だった。京に事があれば彦根藩水軍が琵琶湖を走って都に駆け付ける構えだった。

30万石ながら武士の数が多かった。『新修彦根市史』によると武士2万人、町民1万6000人とされ、侍が過半数を占めた。多くは足軽である。古地図をみると、彦根城外堀の外側に足軽組屋敷が広がる。計約700戸。特に芹橋地区に多かった。他都市の足軽は長屋住まいだが、彦根では小さいながらも門のある屋敷に暮らし、道や石垣の普請、火消し、門番など多様な役割を引き受けた。足軽組屋敷は彦根独自の景観なのである。

安心安全のまちづくり

芹橋2丁目地区の景観保全には課題が山積する。1つには2.7m幅の路地では消防車等の緊急車両が走りにくい。2つには住民の高齢化が進み空き家が94軒に達する。3つには駐車場が増えて路地の景観が崩れてきた。自治会まちづくり部会長の大菅勝造（1944年生まれ。前自治会長）は「2017年度、定期的に路地防災の勉強会を開き、防災時の避難マップを作成した。ブロック塀や電柱が倒れたら逃げ場がなくなる。空き地を活用して避難所をつくりたい」と語った。将来には住民総意を得て地区計画をまとめ、東西各1本程度の道を拡幅して防災道路に、などと想定している。

同自治会自主防災会は2018年度、井戸の実態を調べる住民アンケートを行う。事務局長の北川泰崇（1951年生まれ）は「昔は屋敷ごとに井戸が掘られていた。使える井戸を確定することで、災害時に洗濯やトイレ等の生活用水に活用したい」と述べた。城下町らしい防災対策である。北川自身、足軽出身の家庭に生まれ育った11代目。先祖は「原太夫」で、文政年間（1818～1830年）の古地図にも北川屋敷が掲載されている。「木造の自宅は築200年を超える。うちにも井戸が残されている」と話した。

自治会は2016年から辻番所の北隣空地を借りて災害時の避難場所にしている。平時は焼き芋などの自治会行事に使う。自治会役員が市外に暮らす持ち主に「草刈は自治会が行うので無償で使わせてほしい」とお願いして理解を得た。10年間の契約を交わした。

住民の場づくりと観光対策

住民らが辻番所等を自主的に管理運営する取り組みは、コミュニティ再構築の場づくりに結び付いた。鍵を預かっているので自由に出入り可能。同住宅には8畳間と6畳間等の居間があり、平日夜は住民の会合に使われる。住民利用者は年間2100人余り。筆者が訪れた4月24日夜には自主防災会役員が集まり、井戸の実態調査実施を決めた。辻番所の会会長の渡邊は「2丁目自治会はかつて4つに分かれていたこともあって、住民同士が顔を合わせる場が少なかった。以前、古民家の狭い小部屋を自治会会議室にしていたが、5、6人入れば一杯。足軽組屋敷に集まって会議することで住民の一体感が醸し出されてきた」と振り返った。

渡邊が自治会長に就任した2006年時点で市文化財指定の足軽組屋敷は2軒だったが、今は10軒に増えた。文化財指定や調査には所有者の同意が必要である。足軽組屋敷で住民同士が顔を合わせて情報交換することで建物保存の関心が高まった。指定されると保存修理工事に年間最大300万円の補助金（最長3年）が出される。

図3　辻番所の内部。見張り窓から侵入者を監視していた（中央は彦根辻番所の会会長の渡邊弘俊さん）（2018年4月撮影）

近年の話題は観光対策である。彦根城には年間77万人もの有料入場者があるものの、足軽組屋敷が集まる芹橋2丁目を歩く観光客は少ない。辻番所の来館者は年間1160人にとどまる。「彦根市は、文化財保護であれ観光振興であれ、国宝・彦根城が中心になっている」と深谷は指摘した。対して芹橋2丁目は住宅密集地で、歩いても足軽組屋敷を活かしたカフェや土産物店など歴史的建築物の活用事例は見つからなかった。例外は陶芸家の中川一志郎（1958年生まれ）である。地区内の住居兼工房を構えて陶器の製作が行われている。「若い芸術家5、6人が古民家に入居しアトリエや店舗を構えて作品販売すれば、人々はこのまちを行き交うようになる」と中川は予想する。

2017年には自らの工房隣にある市指定文化財の足軽組屋敷を購入した。使い道を考えているところだ。「寄付を募って修復したあと観光客に屋敷を公開しようと思う。うちでつくった茶碗でコーヒーを飲めるようにして、辻番所を含めてまち歩きできるコースをつくりたい」と語った。近くに住む渡邊に請われて辻番所の会の副会長にも就任した。

彦根市は、彦根城天守や日本庭園を中心にユネスコの世界遺産認定を目指している。同市世界遺産登録推進課の鈴木達也（1986年生まれ）は静岡大学教育学部の学生時代、戦国時代の城に詳しい小和田哲男教授（現在名誉教授）に学んだ。「わが国で最初に認定された姫路城に対してどのように区別化して申請できるのか？」がいつも頭の中にある。彦根の足軽組屋敷は他の城下町に比べて面積がとても広いうえ、密集して暮らしていた点は強みになる。芹橋2丁目の足軽組屋敷は点在する現状なので、世界遺産の登録資産にするには無理があるのだが、「登録資産の周りを保全するバッファゾーンと考えれば、足軽組屋敷の保全は大切。城下町の歴史風致が残されていれば登録の際に役立つのではないか」と話した。彦根の場合、国宝の天守だけでなく、城下町の町割りや歴史的建物にも目配りしてこそ、本当の魅力が伝わるのかもしれない。（2018 年 7 月号）

【補記】

彦根市の足軽組屋敷を訪れたのは 2018 年 4 月 23、24 日だった。5 年余り経過したが、住民団体「彦根辻番所の会」の活動は順調のようだ。連載原稿に登場する市職員、鈴木達也さんによると、2019 年 4 月、NPO 法人「善利組まちづくりネット」が設立された。理事長には北川泰崇さん、副理事長には大菅勝造さんが、それぞれ就任。自治会活動では、芹橋 2 丁目の景観を守り、空き家・空地を解消するには限界があり、法人を設立して、空き家・空地を所有して継続的な事業を展開していきたいという。

同まちづくりネットは、辻番所の斜め向かいの建物に事務所を置くとともに、同建物でコミュニティスペース「あしがるノイエ」をオープンさせて、運営している。

筆者が訪れた当時は、芹橋 2 丁目の足軽組屋敷を活用した店舗や土産物店がほとんど見当たらなかったのだが、近年少しずつ増えてきた。2018年10月には、市指定文化財の足軽屋敷を活用してチョコレート専門店「ハレトケト」が開業。2020 年 9 月には、同じく市指定文化財の足軽屋敷を活かして陶芸家の中川一志郎さんによる湖東焼のギャラリー兼カフェ「みごと庵」が開設された。

地元を歩いて楽しめる地図も作成されている。少しずつ、地域の魅力度が高まっている様子だ。2023 年度には辻番所西側の空地を防災広場とする整備が始まった。

連載原稿に登場していただいた市職員にも人事異動があった。市文化財課主査だった深谷覚さんは市景観まちなみ課課長補佐を経て 2023 年度、再び文化財課の副主幹に異動した。市世界遺産登録推進課の鈴木達也さんは滋賀県に派遣され、県文化財保護課の彦根城世界遺産登録推進室の室員に。県市協働で世界遺産登録を実現するために勤務している。

6 行政と企業による都市の「らしさ」を活かしたシティプロモーション

大阪府豊中市・ストリートピアノによる音楽のまちづくり

エアポートに流れるピアノの音色

大阪空港に直結する大阪モノレール・大阪空港駅ロビーに、森・花・果実などが描かれた緑色のグランドピアノが置かれている。2022年4月22日（金曜）午後3時30分、白い衣装を着たピアニスト・小塩真愛（大阪音楽大学非常勤講師）が姿を現し、テレビ番組「情熱大陸」のテーマ曲を弾き始めた。さらにスタジオジブリ映画「魔女の宅急便」の曲「海の見える街」を奏で、タンバリンを用いた。最後の曲はモンティ作曲「チャルダッシュ」。右手で鍵盤ハーモニカ、左手でピアノを演奏しながら笛を吹き、盛り上げた。野外音楽会は30分間。大きな荷物を持った空港利用者たちが足を止めて聴き入った。最後は拍手に包まれた。この催しは、「音楽あふれるまち」をうたう豊中市が2020年から始めた「ストリートピアノプロジェクト」である。

小塩は豊中市出身。東京藝術大学大学院を修了後、オーストリアのザルツブルク・モーツァルテウム音楽大学修士課程を修了。各国の国際音楽コンクールで入賞している。弾き終えた直後に熱演の感想を尋ねると、笑顔で「空港なので、ここから日本各地に旅立たれる。演奏者にとって、とてもやりがいを感じる場所です」と話した。このピアノは午前7時30分から午後9時まで、だれが弾いてもOK。音楽会のあとは母親に連れられた女児が「線路は続くよ どこまでも」を奏でていた。

発端は新型コロナウイルス感染拡大前の2019年にさかのぼる。同市都市活力部長の長坂吉忠（1964年生まれ。2023年4月から市教委事務局長）や同部職員らが仕事終わりに食事等に出向いた席上、NHKで放送中の「駅ピアノ」シリーズの話題になった。だれともなく「豊中市でもやりたい」の声で一致した。始めるためにはピアノが欠かせない。「予算をつけて買う訳にはいかなかった」（長坂）ので、市教委に相談して小学校現場を探した。使われなくなった河合楽器製作所のグランドピアノ１台（1990年代製造）、東海楽器製造のアップライトピアノ１台（80年代製造）が見つかった。

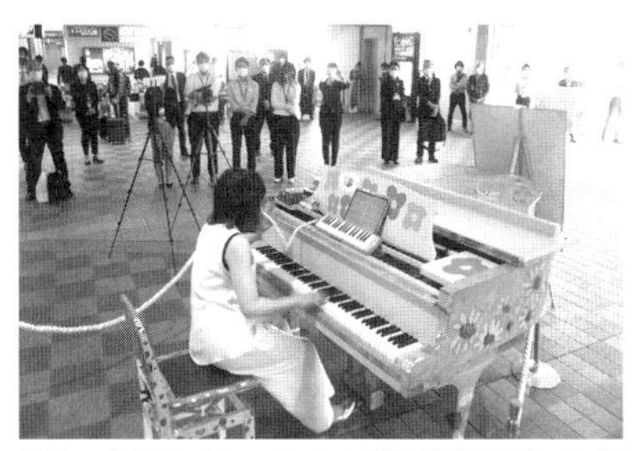
図１　大阪モノレールの大阪空港駅ロビーに置かれたグランドピアノを熱演する小塩真愛さん（手前）と聞き入る聴衆ら（2022年4月22日撮影）

子どもたちと一緒に色彩鮮やかにペイントすることに決めた。2020年12月25日、同プロジェクト親善大使に絵本作家の山田龍太と著名ピアニストの西村由紀江（豊中市出身）を任命。同月27日に山田の指導を得て小学生らが2台に絵を描いて色を塗った。グランドピアノは「自然」をテーマに緑色に描かれた。2021年1月5日に「お披露目コンサート」を開き、西村が市内の施設で弾き初めを行った。

駅ピアノの取り組みは全国各地で行われている。長坂は「それだけに独自色を打ち出そうと考えた。1つには多彩な市民が関わること。2つには豊中ゆかりの若手演奏家を招いた音楽会の企画。3つにはピアノの置き場所を固定化せず、市内各地を巡回するつもりだった」と話した。

ピアノチームの結成

しかし、計画通りにいかないのが世の常である。市魅力文化創造課主幹（2023年4月から同課長）の林史洋（ふみひろ）（1973年生まれ）の話によると、新型コロナウイルス感染拡大に伴い、最初の実演が2021年1月まで実現できなかった。さらにピアノの音が耳障りだと受け取る声もあったという。林は「ある公共施設1階ロビーにグランドピアノを置いて市民に公開したところ、『音が響き過ぎて会議にならない』との悩みが寄せられた」と打ち明ける。常連の奏者が歌を歌いながら長時間弾き続けると苦情が出たそうだ。「音楽あふれるまち」なのだが、あふれすぎてもいけないのだった。対策として「1人10分間」に規制せざるを得なかった。音の出る催しは「言うは易く行うは難し」なのである。

市都市活力部は2021年4月1日、〈実行部隊〉としてピアノチームを設けた。同日の機構改革で、従来の魅力創造課と文化芸術課が統合されて魅力文化創造課になったのに合わせ、同課在籍の女性職員4人が起用された。他の業務と兼務する。音楽会の司会、演奏者との事前打ち合わせ、チラシ作成などの広報、本番を記録した公式SNSの開設など、仕事は山積みだ。ところがコロナ禍のために会場確保が困難に陥った。「換気の良い野外であれば」「音が出ても大丈夫なところ」と頭をひねった。

チームの一員である玉城絢子（1991年生まれ）が思いついた先は、大阪モノレールの大阪空港駅ロビーだ。経営する会社に趣意書を送り、丁寧に意義を説明すると熱意が通じた。同年7月2日に吉報が舞い込んだ。「10月からやってみましょう」との返事をもらうことができたからだ。

航空会社との連携

玉城は、全日本空輸（ANA）グループ企業であるANA大阪空港株式会社の社員で、旅客サービス担当アシスタントチーフである。新型コロナウイルス感染拡大に伴い航空利用者が激減したことを契機に、2021年度、同市の「会計年度任用職員」として魅力文化創造課・都市ブランド推進係に配属された。市による民間人材活用策である。2022年4月1日からは、ANA・豊中市の人事交流制度が整い、同市に派遣された。継続して同課で働いてきた（2023年4月、派遣元のANA大阪空港に戻った）。コロナ禍による人事の工夫だったのだが、これが予想外の効用をもたらした。

玉城は2019年、空港カスタマーサービススキルコンテスト2019で準グランプリを受賞した実績の持ち主。丁寧な接客ぶりに定評がある。同時に自らバイオリンを奏でる。ANAグループの職場では同僚らと音楽サークル「空楽隊」（30人）に所属。練習は個人で行うのだが、定期的に会社の会議室に集まり、イベントを企画してきた。市に派遣されたのち、彼女が思い浮かべたのが出身企業の「空楽隊」の活動だった。大阪空港を発着する航空会社の音楽愛好者が「会社の壁」を越えて一緒になって音楽会を開けないか……というアイデアを市の同僚と温め、上司に相談。「やろう」の了解を得た。

2022年3月18日。各社社員が出演する異色の音楽会がモノレールの大阪空港駅ロビーで催された。全日空グループからANAウィングスの客室乗務員1人、日本航空グループからジェイエアの客室乗務員1人、JALスカイ大阪のグランドスタッフ2人、そして大阪モノレールの技術者1人の計5人がピアノなどを演奏した。仕事用の制服や作業用のつなぎ服を着こんで奏でた。最後に「幸せなら手をたたこう」が披露され、聴衆約50人は楽しそうに手をたたいた。

図2　豊中市都市活力部魅力文化創造課に勤務していた当時の玉城絢子さん（豊中市役所で）（2022年4月撮影）

玉城の人事について、当時、同市都市活力部長だった長坂は「2021年度はANAから市への一方通行だったが、2022年度はANAと市からそれぞれ1人ずつを出して人事交流することになった。玉城さんの頑張りが双方の組織を動かした」と解説する。

プロオーケストラの本拠地

豊中市が「音楽あふれるまち」をうたう大きな理由は、市内に日本センチュリー交響楽団の本拠地があり、大阪音楽大学が立地するからである。何よりも音楽好きの市民が多いそうだ。

同交響楽団は2016～2020年度の5年間、市立文化芸術センターの指定管理者に選定された共同事業体に加わっていた。交響楽団が指定管理者に選ばれたのはきわめて異例。2期目の2021年度からは諸事情で同事業体から外れたものの、〈パートナーオーケストラ〉として市の各種文化事業に関わり続ける。行政の期待に応えて、子どもや高齢者などの弱者を社会包摂する事業を継続し、社会的な評価を高めてきた。事務所には岡町商店街そばにある地元信用金庫のビルの1フロアを借りている。

同楽団の活動に魅せられて2022年4月、山形市から男性職員1人が豊中市に派遣され、魅力文化創造課に配属された。ピアノチーム初の男性職員、山﨑拓哉（1995年生まれ）である。豊中と山形の両市は人事交流を行

図3　色彩鮮やかにペイントされたストリートピアノ（豊中市の大阪モノレール・大阪空港駅ロビーで）（2022年4月22日撮影）

い、山﨑が赴任を希望した。動機を聞くと「日本センチュリー交響楽団による活発なアウトリーチ活動はとてもよく知られる。楽団の取り組みを吸収して山形市に帰る」と意気込んだ。山形大学地域教育文化学部を卒業して山形市職員に採用され、市障害福祉課で勤務していた。豊中市への派遣期間は1年間とされていたが、もう1年延長された。山﨑は「古里に戻ったら文化行政を担当したい」と夢を膨らませていた。

ピアノプロジェクトは、「まちの魅力発信」を担う代表的な取り組みの1つだ。空港のある自治体の存在アピールや市役所の活動のPRに努め、市内外の人たちに「豊中の優良なイメージ」を伝える。

グランドピアノは大阪空港駅に置かれているのだが、もう1台のアップライトピアノは北大阪急行・千里中央駅そばの複合施設に置いてもらうことができた。ピアノチームによると、2台とも「これまで1度も傷つけられたことがない」そうだ。

ピアノチームは、地元に空港がある都市らしい新しい取り組みを企画した。大阪空港に離発着する航空機の真下に位置する騒音公害対策の緩衝緑地「ふれあい緑地」の芝生広場に、グランドピアノを持ち込み、作曲家・ピアニストの西村由紀江に弾いてもらう催しで、2022年10月23日（日曜）に実施した。

豊中市は「音楽あふれるまち」である一方、2本の滑走路を有して年間旅客数1629万人（2018年）が行き交う「空港のまち」なのだ。筆者が幼いころ、豊中というと航空機騒音がイメージされがちだった。その後、航空機材の改善が進み、緩衝緑地の整備も進んだ。

「音楽」と「空港」という同市の2枚看板が、ストリートピアノを通じてつながってきた。「空港のあるまち」ならではの光景だ。今後、新たな企画が実現されることを期待したい。

（2022年8月号をもとに加筆修正した）

第7章

【演劇・環境×教育】

文化と学びでまちの未来をつくる

7章では文化芸術と教育の関係を考えたい。紹介するのは、岩手県滝沢市の劇団ゆう、京都市が設置した京エコロジーセンター、福岡県筑後市の公立文化施設・サザンクス筑後である。

この3事例を選んだのには訳がある。民間主導であったり、行政設置の文化施設であったりするなど、設置母体は異なるが、地域と密着した事業を展開しており、「まちの未来」を考えている。いずれも専門人材が主導する施設でもある。筆者は来訪時にそのように受け止めた。

「劇団ゆう」は青年団の演劇活動に関わっていたリンゴ農家の菊田悌一(1950年生まれ)が設立した劇団で、子どもが出演するミュージカル作品を中心に上演活動を繰り広げてきた。東日本大震災で被災した地域を支援したり、県内5か所で定期公演を行ったりするなど、公共的な取り組みを展開してきた。京エコロジーセンターは、筆者の恩師である新川達郎（同志社大学名誉教授）が館長を務める環境教育施設で、ミュージアム施設も有する。同センターで育ったボランティアたちは地元に戻り、地域活動に関わる点が興味深い。サザンクス筑後は久保田力（1964年生まれ）がキーパーソンで、四半世紀にわたり、子どもたちに演劇教育を続けてきた。受講した小中学生らはその後、劇団四季の俳優、公務員、警察官、裁判所書記官、新聞記者、幼稚園教諭、保育士などに育ったという。

サザンクス筑後の場合、公益財団法人筑後市文化振興公社が指定管理者に選定され、久保田は同公社職員で事務局長を務める。公社職員の尽力ぶりに頭が下がった。一方で、筆者の訪問時、築後市には文化振興条例と文化振興計画がいずれも制定されていなかった。久保田は「市長の交代に伴い、行政方針が変わることが心配される。市の文化行政に『こうしていこう』という明確な根拠がほしい」と筆者に打ち明けた。

文化政策の所管は、自治体の規模が小さい場合、教育委員会が受け持っている場合が少なくない。筑後市も同様である。近年では次第に首長部局に移管されつつある。あるいは、現代的な文化芸術振興策は首長部局で行うものの、文化財行政は教育委員会で所管する自治体もある。

所管が首長部局であれ、教育委員会であれ、ここで中川幾郎（帝塚山大学名誉教授）の言葉を思い返したい。

1章で紹介したように、中川は自治体文化政策を考えるにあたり、①文化条例の制定、②文化振興計画の策定、③文化審議会の設置という「3点セット」が整備されてこそ、自治体文化政策が安定的に実施されるとの考えを示している。中川の主張に筆者自身も共感する。

文化振興条例制定、あるいは文化振興計画の策定には、市民・住民が論議に参画するうえ、審議会にも委員として加わることで、市民・住民と行政が総ぐるみになった体制を整えることができるのだ。行政トップが交代するたびに文化政策が不安定になることは決して好ましい状況ではない。

「学び」や「教育」に関する事例は、7章だけにとどまらない。他の章にも文化芸術と学び・教育に関連した事例が存在する。共生社会を考える8章では京都市のNPO法人劇研が展開するシニア劇団のケースを取り上げるが、生涯教育の実践であるとも理解できる。教育を見つめる9章に登場する東京都新宿区の芸能花伝舎は元小学校校舎の活用事例である。先の6章で取り上げた仙台市の震災遺構・荒浜小学校も震災教育を強く意識した実践であろう。

総括してみると、文化芸術と学び・教育とのつながりの強さが裏付けられる。全国の自治体で、積極的な取り組みが行われることを期待したい。

1 演劇を通じた次世代育成とコミュニティ再生

岩手県滝沢市・1600人が支える「劇団ゆう」

ふるさと交流館を本拠地に

岩手県を訪れた2021年12月28日（火曜）。盛岡市の最低気温は氷点下8度を記録した。車で西隣の滝沢市に向かった理由は、同市を本拠地とする認定NPO法人「劇団ゆう」に関心を持ったからである。市の社会教育施設「滝沢ふるさと交流館」の指定管理者に選定されたり、東日本大震災の津波被害に遭った三陸海岸沿岸部の支援を続けてきたりするなど活発な活動を行う同劇団が、どのように育ってきたかを知りたくなったのだ。同市は人口5万5600人余り。2013年までは村で、「人口日本一の村」として知られた。農村と盛岡市近郊ベッドタウンの両面を有し、今も人口は増加傾向にある。

積雪のJR盛岡駅に迎えに来てくれた交流館長の熊谷一見（かずみ）（1954年生まれ）は市の商工観光課長、企業振興課長を経て市教委文化スポーツ課長で定年退職した。温厚な人柄や調整力を評価されて2019年7月、館長に就いた。

同館はホール（最大500席。移動客席180席）、学習室（108人）、調理実習室（24人）、集会室（畳、96人）、会議室（24人）、研修室（27人）、コミュニティルーム（30人）を備える。熊谷は「市職員時代は交流館を使う立場だった。ここのホールの職員は音響照明の技術に精通していてスポットライトを当てる技術が高かった。使いやすい施設と感じていた」と振り返った。技術が高い理由は同館に演劇人が常駐してきたからだ。1995年の開館当初は旧村の直営。2006年から指定管理者制度が導入され、公募の結果、同館を本拠地にして公演・稽古を行う同劇団が選ばれた。音響・照明等の技術に長けた劇団員が勤務。今も劇団員の佐藤樹理（1976年生まれ）が同館事業課主任に就いている。

同館の指定管理期間（5年間）は2021年度で満了。2022年度以降の公

図 1　雪の中の滝沢ふるさと交流館と、同館の指定管理者に選定されているNPO法人劇団ゆう理事長の菊田悌一さん（手前）（2021年12月撮影）

募の現地説明会には3者が参加し、劇団ゆうだけが応募書類を出した。選考の結果、同劇団が再び選ばれた。市教委生涯学習スポーツ課長の朝岡将人（1970年生まれ）は「地元の人たちで構成される劇団ゆうは、地域コミュニティの中核を担っている」と理由を述べた。

指定管理料は3852万4000円（2020年度決算）。建物管理費や人件費が中心で、自主事業費用は含まれていない。自主事業の費用は劇団自らが資金を集めて実施する。「この金額では職員の人件費を上げられない」（熊谷）のが悩みだ。

理事長はリンゴ農家

NPO法人劇団ゆう理事長の菊田悌一（1950年生まれ）は旧滝沢村に生まれ育った。3haの果樹園を所有してリンゴ農家を営む。2014年には果樹園の一角に「りんごの森保育園」（園児数130人）を設立して理事長に就任。「リンゴを育てながら命の大切さを教えている。同時に自己表現を図り、個性の異なる相手を認め合う教育を進めてきた」と話した。

なぜ劇団をつくったのか？　話は1970年代にさかのぼる。菊田は地元の青年団に加わり、演劇活動を始めた。3作目の作品「田植時」から菊田が脚本を書くようになった。青年団の全国大会に出場して優秀賞を3度受賞した。「最優秀賞には手が届かなかった。悔しかった」と振り返る。35歳で青年団を勇退した。

菊田は40代に達した1991年、青年団時代の仲間を募り、劇団ゆうを結成。演劇を再開した訳は「都市化の進展や人口増加で滝沢村民の連帯感が薄れていった。子どもたちに夢と感動体験の機会を持たせたいと願った」（菊田）からだ。子どもが出演するミュージカル作品を中心に上演活動を展開。

出演者の総数は1公演で60人から150人にのぼる。レパートリーは30余り。内訳は菊田のオリジナル作品が10余り、世界の名作と他の劇団員のオリジナルが各10程度という。滝沢小学校の元講堂を借りて稽古を重ねるうち、同校が他に新築移転したので、跡地に交流館が建てられた。

交流館の指定管理者選定後の初代館長は日向(ひなた)清一（1950年生まれ）だった。33年間のJA（農協）職員を経て、家業の農家・米穀業を継ぐために退職した直後に任じられた。のち市議選に当選して今は市議会議長である。

自身は40代で劇団に入団し出演もした。菊田と中学高校の同級生である日向は「滝沢を本拠にして活動する劇団のお手伝いをしたくなった」と言う。そして「菊田理事長はリーダーになる資質が備わっている。劇団を維持運営するには多額の費用がかかるが、支援のお金が集まるのは菊田さんの人徳のおかげ。彼自身、劇団に対して相当額の持ち出しをしてきた」と打ち明けた。

高校時代の日向は部活でトランペットを吹いていた。これを知った菊田が脚本に手を入れてトランペットを吹く場面を入れてくれた。日向は「気配りのある人なんだ」とつぶやいた。

大震災の被災地支援

劇団の財政は年間6500万円前後。先の指定管理料に加えて劇団が行政の補助金を獲得したり、企業の協賛金を得たりする。正会員30人、親子会員34人、賛助会員104人（2020年度）らが会費を支払う。

滝沢で地盤を築いた劇団ゆうは東日本大震災（2011年3月11日）で転機を迎えた。震災以前から宮古市で活動を行っていた。しかし三陸海岸沿岸部は津波に襲われ、お世話になった方々が多数被災した姿を見て、震災2カ月後、宮古西中学校で慰問公演「ピーターパン」を上演した。帰ろうとすると、市内の赤前小学校児童が同中学校門で待ち構え、「自分たちの小学校にも来てください」と訴えた。この願いを聞いた菊田は「公演を鑑賞するだけでなく、地元の子どもたちにも出演してもらいたい」と発案。校長らに「一緒にやりませんか」と呼びかけた。

図2 「ピーターパン」を演じる佐藤千春さん（手前）と舞台の子どもたち（劇団ゆう）（劇団ゆう提供）

劇団員は宮古に通って地元の子どもたちを指導。「美女と野獣」を上演した。

多くの笑顔に接した菊田は沿岸部各地での実施を切望、復興庁、県、日赤、企業などを訪ね歩き、「被災地では、一過性の慰問ではなく、地元の子どもたち自身が出演する演劇活動こそが必要だ。ぜひ支援を」と訴えた。

菊田によると、沿岸部で大津波の被害に遭わずに当時健在だった公立文化会館は、北から洋野町、山田町、大船渡市の3施設だったという。この3施設を拠点にして年に1度の公演を10年余り継続している。入場料は取らない。

1公演に300万円かかるといい、多様な補助金や助成金等を獲得して資金を調達した。

たとえば名作「アニー」の場合、主人公が3歳や5歳の場面では被災地の子どもたちが出演して踊り、大きな声で歌う。このために劇団員が定期的に駆けつけて事前練習を指導する。アニーが10歳になった舞台は、劇団ゆう本体（滝沢市）の劇団員が出演する。

菊田は感激した面持ちで次のように語った。「子どもたちが成長して成人になると、劇団ゆうの稽古に参加したいと希望する。釜石から、大船渡から、宮古から、滝沢市の稽古場まで車で通ってきてくれる」。高速道路が未整備の時代は、沿岸部から滝沢まで片道3時間ほども要したそうだ。

奥州市でも毎年、地元の子どもを指導して公演してきた。滝沢を含めて現在は県内5カ所で定期公演を重ねている。「すべてを含めると劇団関係者の総数は約1000人にまで広がる」（菊田）という。

若い世代に引き継がれて

劇団が最も上演した演目は「ピーターパン」だ。過去計50公演のうち

49公演で主役を演じた劇団員がいる。佐藤千春(1981年生まれ。舞台名は旧姓の小川千春)の当たり役なのだ。劇団は大人組、青年隊(高校生)、子ども組(小中学生)、ひよこ組(園児)に分かれており、彼女は子ども組の1期生。県内の短期大学に進学して幼稚園教諭・保育士の資格を取得。幼稚園教諭を6年間、ふるさと交流館職員を6年間、それぞれ務めた。2020年からは、菊田が開いた先述の保育園の園長に就任した。同園は演劇活動を取り入れた幼児教育を行っており、同園教職員46人のうち5人は劇団員である。

佐藤千春は「劇団ゆうに加わって生活のすべてが演劇になった。学校で嫌なことがあっても、演劇のおかげで乗り越えられた」と回想した。「短大生のころ将来は東京のミュージカル劇団に入ろうと夢見た。しかし俳優の常田富士夫さんから『岩手で金になれ』と諭され、滝沢で生きていくと決めた」と述べた。テレビの長寿番組「日本昔ばなし」の声優で知られる常田富士夫(1937～2018年)と菊田は古くからの知り合いで、劇団ゆうのナレーションなどを無償で引き受けてくれていた。佐藤千春は劇団の常務理事を拝命、主役を演じながら、高校生らの指導を行う。自ら脚本も書く。

劇団ゆうは2021年で創立30周年を迎えた。菊田も70代に入った。元気だが、いつかは後継者問題が浮上する。2021年春には20～30代の若い10人が劇団理事に登用された。佐藤千春は「菊田さんから直接、言葉で『後継者に』と言われたことはない。しかし自覚はしている」と筆者に話した。一方で幼児教育に強い関心を持ち、園長を続けたい希望を抱く。今後、熟考することになるだろう。

劇団30周年を記念して「アニー」が上演された。今回初めて佐藤千春の長女杏樹(あずき)(2010年生まれ)が主役に抜擢された。母子の舞台姿に菊田は「若い世代が劇団を引き継いでくれる」と確信した。　(2022年3月号)

2 こどもたちとともに歩む演劇教育とまちづくり

福岡県筑後市・サザンクス筑後「こどものためのえんげきひろば」

1907回目の活動

JR新幹線・博多駅から鹿児島本線の区間快速に乗り換えて58分。終点の羽犬塚駅は福岡県筑後市（人口約5万人）に位置する。2022年6月24〜26日に初めて訪れた。市立文化ホール「サザンクス筑後」（館長：齋藤豊治・九州大谷短期大学名誉教授）が1999年から取り組む表現教育講座「こどものためのえんげきひろば」（現在は表現共育講座「こどものえんげきひろば」）の活動が開始以来、四半世紀近くを迎えたのを機に調査に出向いた。6月25日（土曜）午後、同館内で中高校生向けのアドバンスクラスが行われた。受講の女子8人が机に座り、8月に公演する「曲がれ！スプーン」（脚本・上田誠）の読み合わせを行った。

サザンクス筑後の事務局長、久保田力（1964年生まれ）が脚色・演出を担当。「7月24日までにセリフを覚えてほしい」と伝え、113ページの分厚い脚本を配ると、受講生から「無理ッ」「7月31日までだったら何とかいける」の歓声が上がった。先立つ小学2年〜中学生クラスでは、自己紹介をしたり、パントマイムで表現したり。いずれも笑顔が広がった。

同ひろばは毎週土曜に開講。参加費は月額2000円。例年8月に中高生の公演を行い、3月には小学生も交えた全体発表会を催す。コロナ禍の2020〜2021年度は中止・延期を余儀なくされ、2022年度は久しぶりの通常公演である。

本番が近づくと他の曜日も稽古に励み、年間100回近く活動する。6月25日は事業開始から数えて「1907回目」（久保田）。受講生は800人余りに達した。

2021年度まで業務委託を受けていた加賀田美沙子（1984年生まれ）が久保田と協力して同ひろばの指導を担当してきたが、結婚・妊娠を機に退任した。2022年度は同ひろば受講生だった若い2人がアシスタントの業務委託契約を行った。白い洋服の後藤瑞貴（みずき）（1992年生まれ）は関西外国語大学を卒業。食品会社に就職したが「声優になりたい」と退職して上京。声優養成所で学び、アプリゲームの声優を務めた。2021年5月に帰郷後、サザンクスを訪れて「戻ってもいいですか」と尋ねると「もちろん」の返事を得た。「中学のときにいじめに遭った。学校に居場所がなかったが、ひろばに来ると受け入れてもらえた」と回想する。緑色Tシャツ姿の田中つばさ（2000年生まれ）は隣の八女市出身。病院で調理補助の仕事をしながら毎週土曜日に通う。「コミュニケーションの苦手な私に、久保田さんはいつも『否定するな』と言ってくれた。恩返しがしたい」と話した。

図1 「えんげきひろば」の小学生らのクラスでは、歓声を上げながら身体で表現する姿が見られた（サザンクス筑後で）（2022年6月撮影）

かつては専属劇団も

同館は1994年に開館した。大ホール（1311席）と小ホール（500席）を備え、稼働率は90%超の人気ホールだ。公募で指定管理者制度が導入され、2006年以来、公益財団法人筑後市文化振興公社が選定されてきた。期間は5年。指定管理料は年間7493万円。例年は年間40ほどの自主事業を行う。チケット収入も含めると1億4000万円の事業規模だ。

同ひろばに加えて、芸術家らを小学校に派遣するアウトリーチ事業（2022年度から「アートミーツ」と改名）も柱の1つ。2011年から続けてきた。総合学習、体育、国語の時間などを活用して、ダンスをしたり、演劇をつくって遊んだり……。市内の全11校で実施する。幼稚園・保育園にも出向く。

2022年には演出家・俳優養成セミナー「演劇大学in筑後」を開くなど、社会人向けのプログラムにも力を入れている。

「サザンクスといえば市民ミュージカル」で知られている。開館10年と市制50年を記念したオリジナル作品「彼方へ、流れの彼方へ」(脚本・竹内一郎) は2004年に初演。市民、市内の九州大谷短期大学の学生ら約100人が出演した。東京公演を行った実績もある。同ひろばの受講生で幼稚園教諭の久間明日香 (1998年生まれ) は小5で東京公演に出演。「東京を訪れたのも、飛行機に乗ったのも初めてだった。北千住の劇場で受けた満席からの拍手は心に残っている」と話した。

2007年には専属劇団をつくるための講座が始まり、翌2008年〜2019年に歌って踊る専属劇団が活動した。九州大谷短期大学と連携した活発な取り組みが評価され、2010年に地域創造大賞 (総務大臣賞) を受賞した。

文化振興条例制定を求めて

同館には異色の演劇人らが勤め、自主的に演劇事業を企画してきた。ひげを生やした館長の齋藤豊治 (1953年生まれ) は音楽座の初期のメンバーだった。劇作家の斎藤憐(れん)らと東京で演劇活動を展開後、1989年、自然豊かな九州で子どもを育てたいと移住。同短期大学で教える一方、オリジナル作品「彼方へ……」の演出を引き受けた。フリーの久保田と知り合い、同公社を紹介した。子どもたちから「リキさん」と呼ばれる久保田は、福岡県那珂川市に生まれた。父親が多額の借金を抱えたため、大学を1年で中退。19歳から筑紫地区の子ども劇場の事務局で働いた。地元で劇団を立ち上げ、脚本家兼演出家に。

フリーの活動を経て、1999年の「えんげきひろば」開始時から講師を引き受け、2004年にはサザンクスの事業管理係長として公社職員に採用された。2017年から事務局長に就任した。

毎年1月に同館で開かれる成人式。同ひろばの受講生が晴れ着姿で駆け付ける。「ただいま」の声が響き、久保田ら職員が「お帰り」と応じる。「ここは『第2の家』」(久間) との証言も聞かれた。受講生たちはその後、劇団四季の俳優、公務員、警察官、裁判所書記官、新聞記者、幼稚園教諭、保育士になるなど、実に多彩な人生を送る。公社は、指定管理者公募の際、継続して選定されたいと希望している。公社が管理者である文化施設はサザンクスだけなので、公募に敗れれば仕事を失うからだ。齋藤も久保田も「最大の懸案は、筑後市に文化振興条例も、文化振興計画もないこと。市長の交代に伴い行政方針が変わることが心配される。市の文化行政に『こうしていこう』という明確な根拠がほしい。条例や計画がないので、指定管理者の公募に対してもどのように対応するべきかに困っている」と打ち明けた。ともに「今後、文化振興条例制定や計画策定の機運を盛り上げていきたい」と誓う。

図2　サザンクス筑後の外観（手前は事務局長の久保田力さん）（2022年6月撮影）

同市の文化行政は市教委社会教育課が所管する。2015年から教育長を務める中村英司（1955年生まれ）によると、文化振興に関する計画には生涯学習計画と教育振興基本計画がある。その上に市教育大綱が設けられている。中村は「サザンクスで取り組む演劇の取り組みは大いに評価できるが、計画には書かれていない」と認めた。自身は「演劇の力は教育に有効だ」と受け止め、中学校長時代は全学級で学校劇をつくり披露しあっただけに「演劇は総合芸術なので、出演する、絵を描く、音楽をつくる、など子どもの得意分野それぞれに出番がある」と考えている。

筆者の聞き取り調査に対して中村は「現在の教育大綱に『文化財』のことを書き込んだが、次の大綱には『文化芸術とスポーツを通したまちづくりの推進』などの言葉を盛り込むことも検討したい」と述べた。

文化施設の外に飛び出して

久保田は「次」に走り始めた。文化ホールから飛び出して地域とつながるのだ。表現教育を行うために2021年4月、サザンクスとは別に非営利なプレイ集団「YOU. 遊」を結成。加賀田美沙子が制作を担当し、同ひろばアシスタントである後藤瑞貴、田中つばさも参加して計5人で立ち上げた。

久保田は「学校アウトリーチ事業を続けてきたが、学校は教師と児童の空間。地域の人たちと出会えない」と悩みを披歴した。

加賀田は高校時代から演劇部員。九州大谷短期大学・演劇放送コースを卒業後、地元アマチュア劇団を経てサザンクス専属劇団で活動した。思うところあって上京。ミュージカルカンパニーの養成所で学んでいたとき、久保田の誘いを受けて帰郷。同ひろばを指導した。旧姓・富安から愛称「トミー」。「サザンクスは『久保田さんありき』でやってきた。しかし限界もある。これからは館を出て市外でも事業を進めていく」と加賀田は決意を語った。

たとえば2021年12月21日のクリスマス会。筑後市の隣町・大木町の町立ホールに集まった2つの保育園の園児を前に、同年9月に完成したばかりの新作「小さな王子様の冒険」（30分余）を演じた。久保田は2022年3月には筑後市の公民館長会議に出席して表現教育の重要性や効果を説明したところ、反響を得て、8月、公民館を会場に子ども会行事の一環として事業を企画。学童保育の施設からも声がかかった。

今のところレパートリーは「小さな王子様……」1つだけ。サン・テグジュペリ作「星の王子様」をもとに久保田が脚色した。俳優が少ないので、耳をつけたり、帽子をかぶったりして、1人で複数のキャラクターを演じ分ける。子どもの五感を刺激するため「見て」「触って」の作品づくりを心掛け、青い布、ピンクや緑の風船、折り紙などを使う。久保田は次のように力説した。「公民館長や民生・児童委員のみなさんに説明すると、大半は『えんげきひろば』の実績をご存じではなかった。サザンクスの活動とともに、プレイ集団を通じて表現教育をさらに広め、地域に文化芸術のプラットフォームをつくっていきたい」。成果が待たれる。　(2022年9月号)

【補記】

表現教育講座「こどものためのえんげきひろば」は、発足25周年を迎えた2023年度、表現共育講座「こどものえんげきひろば」に改称した。

サザンクス筑後の指定管理者である公益財団法人筑後市文化振興公社は2023年12月、第3回日本アートマネジメント学会賞を受賞した。九州大学での表彰式では、「こどものえんげきひろば」の受講生らが元気いっぱいに歌と踊りを披露した。

3　運営ボランティアが「卒業」後、環境活動の担い手に

京都市・地域創造人材を輩出する「京エコロジーセンター」

ボランティアの活躍

京都市伏見区を走る名神高速道路のそばに異色の外観をした建物が見えてくる。地上3階建て（地下1階）延べ2700m²。京都市環境保全活動センターである。愛称・京エコロジーセンター。略して「エコセン」は建物自体が展示なのだ。屋根に太陽光パネルが設置され、壁に穴の開いた断熱材が用いられた。窓の羽板を調整して夏の日差しを防ぎ、冬には太陽光線が入る工夫も施されている。屋上にはビオトープ（生物生息空間）が設けられた。地下には70tの雨水タンクを備え、トイレの水に活用する。

京都市の地球温暖化対策室が所管する市立の環境教育施設だ。気候変動枠組条約の第3回締約国会議（COP3）が1997年、京都市内で開催。「京都議定書」が採択され、各国が温室効果ガス削減量の目標を史上初めて明記した。このCOP3開催を記念して、2002年に「エコセン」が開設された。指定管理者に選定された公益財団法人京都市環境保全活動推進協会が運営してきた。2022年度が20周年。この節目に筆者は2022年12月～2023年1月の3日間同館に通い、多彩な人々に会ってきた。

2022年12月2日（金曜）に訪れた際、同協会環境教育推進室長の新堀春輔（1982年生まれ）が出迎えてくれた。入館無料。1階はミュージアムで、環境問題に関する資料などを展示。2階は企画展の会場。3階には専門書から絵本まで6000冊の環境関連図書を集めたコーナー、会議室、リサイク

図1　京都市環境保全活動推進協会の新堀春輔さん（うしろは京エコロジーセンター）（2022年12月撮影）

ル工房などを備える。台所を模した展示の前で立ち止まった新堀は「トマトの生産にかかるエネルギーの場合、冬の生産は、旬の夏よりも10倍を消費する。できるだけ旬の食物を食べましょう」と分かりやすく語り、「グリーンコンシューマー」の概念を説明した。

同館には豊富な展示があり、ミュージアム機能を有して子どもたちや大人の来場者に楽しみながら環境の大切さを学んでもらう。しかし展示だけではない。筆者が見たところ特筆されるのはボランティアの活躍ぶりである。青いユニフォームを着た「エコメイト」たちで、任期は3年間。

2022年4月現在69人。見学者向けに館内を案内するほか、グループ活動も行う。18歳以上を対象に23期生の募集が2022年10月〜12月に行われた。定員40人。6回の養成講座を経たあと4月から活動を始める。活動は月2回以上。開館前年の2001年に養成を開始して1〜2期生を育てた。

3年後、希望者は「エコサポーター」に登録できる。〈卒業〉後も館内で活動を継続しても構わないうえ、まちに飛び出して活動するのだ。

高速道路の法面を緑化して

まちに出た事例は多数ある。たとえば「名神深草森の会」の活動である。西日本高速道路会社と協定を結び、名神高速道路の「法面」(土盛りの斜面)に植樹して美化を進め、森をつくる。CO_2削減を図る。担当する斜面は東西500m程度。高さ15mほど。2007年の発足以来、会長を務める左京区在住の城山巌夫（1942年生まれ）は「植えっぱなしでなく、草刈りも引き受ける。作業を終えた夕方、近くの飲み屋で一杯。これが実にうまいんですよ」と笑顔で語った。

城山はエコメイト4期生だ。大阪大学経済学部を卒業して関西ペイント（大阪）に入社。購買本部企画部長に就いた。同部は本社にISO14001を適用する本部管理責任者も担当したので、環境問題に関心を持った。「コストが安いだけでなく、環境に安全な原料を購入した」(城山)。定年退職後、エコメイト募集を知り応募した。開館2年目だった。3年後、エコサポーターとして、同会の立ち上げに参画した。

会員約20人。平均年齢は70歳前後という。「会員の高齢化が進むと斜面上部に登るのが大変に。若い会員がほしい」と願う。エコメイト出身者に加えて、通りがかりの近所の人が散歩中に同会の活動を見て、「きれいになった。私も……」と入会してくれる。

図2　名神高速道路の「法面」に植樹してきた名神深草森の会の会長、城山巌夫さん（2023年1月撮影）

樹種をどうするか？　同社と同会が相談して決定。排ガスに強いことが条件である。京都に自生する広葉樹（コナラ、アラカシ、ヤマザクラ、ヤマモミジなど）を選んできた。苗木は同社が購入してくれ、会員が手植えする。植樹の際は、近所の幼稚園児や児童を誘う。同会がフェンスの扉の鍵を預かっているので自由に出入りできる。城山は「ミカン、ユズ、カキなど実のなる木も植えた。野鳥が来るから」と話した。「エコセンに来てよかったのは、主婦、自営業者、学生……実に多様な人々と出会えた」と述懐した。

2023年1月27日（金曜）、現場を視察した。高さ15mほどに成長した樹木がある一方、平たい地面には花壇をつくってあった。パンジー、ベゴニア、ダリアなどを栽培するそうだ。担当範囲内にある高速バスの「京都深草」停留所に至る階段沿いにはアジサイを植えてあった。「乗降客に楽しんでもらいたい」との配慮からだ。

屋上のビオトープ

2022年12月26日（月曜）には、屋上のビオトープを運営するチームの活動を見た。同年の最終活動日。メンバー約20人のうち、男女6人が集まり、ビオトープの維持管理、田んぼ・畑の世話などの越年作業を懸命に行っていた。温州ミカン、ハッサク、ソラマメ、エンドウマメ、ニンジンなどを手入れしたり、枝葉などから堆肥をつくる木製のコンポストを設置したり……。池にござを敷く作業もみられた。前年冬に厚さ2cmの氷が張り、

図3　京エコロジーセンターの屋上に設けられたビオトープ（生物生息空間）。運営するチームの活動が、維持管理作業に励んでいた（2022年12月撮影）

メダカが酸欠のために死んだからだ。凍結防止のため、太陽光で作動する小型噴水器も設置。太陽が顔をのぞかせると、水がぴゅーっと噴き出した。「あーっ」という声が弾け、笑顔と歓声が広がった。

メンバーの森安健至（1940年生まれ）は会社員時代にエコメイト2期生に応募。3年後エコサポーターに登録した。この日は堆肥をつくる木製コンポスト製作に懸命で、「大工ではありませんよ」と冗談を言った。自動車メーカーの元エンジニア。「たくさん車をつくって世の中を良くしようとしたが、地球温暖化の排気ガスを出したことにもなる」と述懐。「ボランティアにはそれぞれの思いがある。健康な限り、環境の活動を続けたい」と述べた。同チームの一員には同館のボランティアを契機に太陽光を活かした市民共同発電所を地域に広げるNPO法人の活動に加わっている女性がいた。みなさん、「エコセン」で人生が変わったようだった。

屋上ビオトープは2020年収録のTVドラマ「科捜研の女」のロケで使われた。主演・沢口靖子ら出演者のサインが館内に飾られていた。

国際的な業務も引き受けて

協会HPに掲載された2021年度決算報告書等によると、協会の収益は約2億6100万円。事業費約2億4200万円。指定管理料は1億6100万円余り。陣容は役員・職員合わせて41人である。新堀は「環境学習プログラムを時代に応じて作り変えたり、市民ボランティアに対するきめ細かなコーディネート業務を行ったりするなど、専門性が欠かせない」と語った。

新堀自身、高校時代の1年間、南アフリカに留学。立命館大学産業社会学部でソーシャルワークを学んだ。卒業後、国際協力機構（JICA）の海外協力隊として2年余りセネガルに赴任。帰国後の2011年、同協会に採用された。

「政令都市のなかで京都市は市民1人当たりの家庭ごみ量が最も少ない。廃棄物処理や気候変動対策など、環境への取り組みの先進都市として、今後も国内外と連携を重ねていく」と述べた。

同協会では国際事業が重要な柱の1つ。JICAと協力関係にあり、北京では日中環境技術情報プラザの開設に関わり、来日研修を受け入れた。

2023年2月に開設されたマレーシアの環境教育施設では協会職員が渡航して展示や人材養成を指導した。

同館には若者たちも出入りする。2022年12月26日には立命館大学の学生団体「natuRable（ナチュラブル）」が親子連れを対象に無料のワークショップを開き、保冷剤を捨てずに消臭剤に活用する指導を行った。4代目代表だった同大学経済学研究科の院生、高木冬太（2000年生まれ）はコロナ禍前の学部生時代、南太平洋のミクロネシア連邦に渡航。ごみの排出問題を視察した。「もう1度ミクロネシアに出向いて学生同士で交流したい」と意欲を見せた。

2021年7月に2代目館長（同協会理事長）に就任した新川達郎（1950年生まれ）は同志社大学名誉教授（行政学・市民参加論・公共政策論）。これまでも環境市民団体の活動に関わってきた。「京都には昔から『始末の心』があり、環境に配慮してきた長い伝統を有する。今後、企業や事業者とも協力を強めていきたい」と話した。

（2023年4月号）

第8章

【演劇・映画×共生社会】文化芸術の分野から誰もが参画できる社会をつくる

8章で焦点を当てるのは共生社会づくりである。2012年制定の劇場法や2018年の障害者文化芸術活動推進法をはじめとする法整備が進められた。だれもが文化芸術活動を鑑賞したり、表現したりできる共生社会の構築が喫緊の社会課題となっているからだ。社会包摂の試みでもあるが、8章では「共に生きる」という考え方を大切にして共生社会という言葉を用いる。以前は健常者と障害者という2つの区分があったように振り返る。しかし、健常といっても、老いが進むと、だれもが病気や障害とともに暮らしていくことになる。(障害者の「害」には抵抗感があるものの、本書では法律用語として用いることにする)

8章で紹介するのは、京都市左京西部いきいき市民活動センター(左京区)で活動するシニア劇団、横浜市中区の単館系映画館「シネマ・ジャック&ベティ」による視覚障害者のための映画鑑賞支援活動、兵庫県立尼崎青少年創造劇場(愛称・ピッコロシアター)による視覚障害者の演劇鑑賞サポートの3つである。

1つめのシニア劇団は、連載原稿当時、劇団員12人の平均年齢が67歳。最高齢は75歳だった。愛称「おざっちゃん」や愛称「くろちゃん」らが元気よく張りのある声を出していた光景を鮮やかに思い出すことができる。自分自身も「演劇をやってみたい」と感じた。2つめの単館系映画館「シネマ・ジャック&ベティ」は、視覚障害者にいかに映画を届けるかの課題に挑んできた。3つめのピッコロシアターは県立劇団を有し、劇場を運営し、演劇と舞台技術の両学校を切り盛りする。多彩な活動を繰り広げてきたなかで、近年は音声ガイドを用いた視覚障害者の演劇鑑賞サポート活動に取り組む。

8章で取り上げた3つの事例には共通項がある。専門的なアートマネジメント人材が存在するところだ。シニア劇団を支援するNPO法人劇研では理事長の杉山準（1965年生まれ）を指摘できる。シネマ・ジャック&ベティにはいつも紺のスーツとベスト姿で出迎えてくれる支配人の梶原俊幸（1977年生まれ）がいる。ピッコロシアターでは指定管理者に選定されている公益財団法人兵庫県芸術文化協会の広報交流専門員、古川知可子（1971年生まれ）の名前を挙げたい。ほかにも優れたスタッフが活動する。共生社会づくりの面でも、アートマネジメント人材の充実が欠かせないことを示唆する。

ピッコロシアターに話を戻そう。音声ガイドを用いた視覚障害者の鑑賞サポートを含む多彩な活動が評価され、2022年12月には第2回日本アートマネジメント学会賞を受賞した。この受賞を機に、2023年6月11日、大阪市此花区の「本のある工場」を会場にして、同学会主催で、同劇団俳優による実演付きワークショップが行われた。この際、毎日新聞社が発行する週刊点字新聞『点字毎日』の編集次長が取材に来られ、当日の様子が同紙の2023年6月27日号紙面にて写真入りで紹介された。『点字毎日』は1922年に創刊され、1世紀の歴史を有する。通算5000号を超える。

この取材がご縁となって、筆者は2023年7～8月に計4回、大阪・西梅田にある毎日新聞大阪本社16階の『点字毎日』編集部を訪れた。編集長、編集次長、専門記者らの話を聞き、改めて点字の大切さを知った。点字新聞と並行して発行される活字版を過去1年分、読み返してみると、博物館や美術館のニュース、映画の情報など、文化的な記事がふんだんに掲載されている現状を学んだ。

福祉充実と文化芸術振興の問題意識は通底していると感じる。福祉と文化芸術のつながりが、より一層深くなる社会を願う。

1 高齢者の表現活動支援

京都市・シニア劇団支援に取り組む「NPO 法人劇研」

熟年だからこそできる演劇

京都市左京区の大文字山がよく見える。西麓に位置する京都市左京西部いきいき市民活動センターを訪れたのは2020年1月6日(月曜)のこと。シニア劇団「星組」の新年初稽古が午後4時〜6時に行われていた。「明けましておめでとう」「今年もよろしく」。新春らしい挨拶が劇団員の間で交わされたあと、両腕を伸ばしたストレッチ体操や後ろ向き早歩きの準備運動を行った。

発声練習では団員1人が前に出て「年金が少なすぎる」「いじわるばあさんになりたい」と叫んだ。他の団員も前進して1列に並び、同じ言葉を唱和した。笑い声が広がった。

続いて次回公演「きらきらひかるこの世の星よ」(細見佳代構成・演出)の稽古に入った。老人ホーム「スターダスト」を舞台にして入居者たちが繰り広げる「老い」をめぐる物語だ。自分が認知症と診断されるのではないかと恐れた入居者が自由を求めて脱走を図る……。稽古では言葉を用いなかった。入居者役の団員が車いすに乗り、ヘルパー役の団員と動きを交わし合う。自ら考えた動作を披露した。食べ物をこぼすリアルな演技ぶりに、そばで見守った他団員から感嘆する声があがった。

星組は、後述するNPO法人「劇研」が2007年に設立したシニア劇団だ。劇団員12人の平均年齢67歳。最高齢75歳。毎週月曜の夕刻、同センター等で稽古する。参加費用は1カ月6000円。参加条件は「50歳以上」だけだ。

2008年に入団した小笹由紀子(1958年生まれ)は「私たちの世代は親の介護を経験しているので高齢者を演じることができる」と語った。京都府立大学文学部社会福祉学科を卒業後、中学教諭を経て向日市の男性と結婚。同市に移り住んだ。同市嘱託職員として介護保険の認定調査を担当。聴覚障害の申請者に対応するため手話教室に通った際、ろうあ者との即興演劇を体験して演じる魅力にはまった。星組を知った当時は49歳。「50歳の誕生日を待って申し込んだ」。団員からは「おざっちゃん」と親しまれている。

図1 シニア劇団「星組」（当時）の練習風景。発声練習ではお腹から声を出していた（2020年1月撮影）

指導者は社会福祉士

星組の指導者は細見佳代（1973年生まれ。龍谷大学非常勤講師）である。小笹によると「先生は指導が上手。劇団員みんなが先生の手の平の上で踊っている感じで、優れたファシリテーター」だそうだ。府立福知山高校1年から市民劇団に入団。立命館大学の学生時代は社会人劇団で活動を続けた。卒業後は東京・吉祥寺の前進座附属養成所で学んだあと、県立劇団の静岡県舞台芸術センター（SPAC）専属俳優として1997年から3年間在籍。思うところあって京都造形芸術大学大学院に社会人入学し、沈黙劇で知られる劇作家・演出家、太田省吾の門下生になった。修士論文『演劇における身体の在り方の考察』では高齢者の身体性に言及した。龍谷大学非常勤講師を務めながらデイサービス施設でボランティア活動を体験。入所者から若い時代の話を聞き取り、演劇作品をつくるプロジェクトを始めた。専門学校の通信教育を受けて社会福祉士資格も取得した。彼女には独自の手法がある。テーマを与えて劇団員に動きやセリフを創作してもらったり、他者にインタビューした逸話を物語にしたりして、作品にまで仕上げる。劇団全体が「作者」という訳だ。人生を聞き取る手法を「私の道プロジェクト」と呼ぶ。

細見は次のように語った。「シニア劇団には演劇経験者はほとんどいない。自分に可能性があると思って志願してくる。定年を迎えると『生産性がない』と思われがち。しかし舞台を通じて人が生きることの意味や意義が垣間見える瞬間がある。生きていていいんだと感じる。そういう瞬間を目指して演劇をずっと続けている」。そして「演技をすることは自分の内側に様々な他者を招き入れること。自分を揺さぶるプロセスである」と言葉を続けた。

京都市内で美容院を経営する「くろちゃん」こと黒岩真智子（1954年生まれ）は「私も演劇経験がなく、最初は裏方を引き受けようと思って入団した。しかし細見先生はとても褒めてくださる。私たちの即興を次の劇に取り入れてくれるので、やりがいがある」と話した。

アトリエ劇研という前史

星組を運営するNPO法人「劇研」とはどんな非営利団体なのか？　話は1984年にさかのぼる。仏文学者の波多野茂彌（しげや）(故人。元大阪市立大学教授）が左京区下鴨の旧居を提供して同年に開設したのが「アートスペース無門館」だった。劇団の枠を超えた自由な芸術空間として愛されたが、11年の活動に終止符を打った。しかし京都の大学で学んだ演劇青年らが「残された機材や小屋を引き継ぎたい」と切望。若者有志が自主運営する形で1996年に「アトリエ劇研」を再開館した。

広さ86m²。客席60ほど。狭い空間ながら舞台芸術祭を主催したり、俳優養成のアクターズラボを行ったり、音響や照明の専門家を養成したり……。無門館のころを含めて、ここから岸田國士（くにお）戯曲賞を受賞した鈴江俊郎、松田正隆ら数多くの演劇人が育った。有志の運営から転じて2003年以降はNPO法人「劇研」が運営を担った。しかし2017年8月末に閉館した。

筆者も関西で働いていたころ観劇のためによく通った。下鴨の閑静な住宅街にあり、芸術創造空間は異質の存在だった。声が響くと近所から苦情が来るので、観劇後、スタッフから「感想を話し合わないで静かにお帰りください」と小声でお願いされたものだった。

「劇研」理事長の杉山準（1965年生まれ）は、京都を代表する演劇プロデューサーの1人だ。長野県出身。同志社大学を卒業後、大手食品メーカーに就職したが、1年で退職して演劇の世界に飛び込んだ。「演劇とは縁のない学生生活だった。卒業直前に公演に誘われ出演したぐらい。ところが、その仲間が本気で劇団活動を続けたので、会社員を辞めて合流した」（杉山）。京都市中京青年の家（その後は京都市東山青少年活動センター）と組んで初心者向けの事業「演劇ビギナーズユニット」を立ち上げた。これがアートマネジメントを行っていくきっかけとなり、2000年からアトリエ劇研の運営に関わるようになった。

図2　役づくりを話し合うシニア劇団「星組」（当時）の団員ら（京都市左京西部いきいき市民活動センターで）（2020年1月撮影）

アトリエ劇研は段差が多くて使いにくかった。2007年に改装工事をした際、段差を減らした。「長く若者たちの拠点だったが、バリアフリーにできたので多世代の交流の場になれば、とシニア劇団を立ち上げた」（杉山）。複数の劇団が設立されたなかで、「星組」は同じ名前で同じ指導者のもと、最も長く活動を続けており、2019年5月に第10回公演を行った。稽古で使っていたアトリエ劇研が閉館になったものの、「劇研」が冒頭の施設の指定管理者に市から選定されたので稽古場を移した。

杉山は「アトリエ劇研の場合、周囲の方々に理解が広がらなかった。反省して、地域に溶け込んだ施設にしたいと心掛け、盆踊りの主催や社会包摂の活動と取り組んでいる」と述べた。

これからの活動

星組の第11回公演は2020年度に京都芸術センターで行われる予定。同センターは京都市が新進・若手芸術家を育てるために2000年に開設した創造拠点で、20周年を迎えるにあたり、年間テーマを「We Age」（私たちは歳をとる）と決めた。この共同制作事業の1つに「星組」の公演が選ばれた。シニア劇団の公演は異例なだけに団員一同張り切っている。

シニア劇団の制作を担当する「劇研」スタッフ梶川貴弘（1979年生まれ。左京西部いきいき市民活動センター長）（現在、保育士）は広島市出身。大谷大学に進学して演劇活動を始めた。演劇ビギナーズユニットに参加して杉山と知り合い、アルバイトを経て正職員に採用された。妻は劇作家・演出家の山口茜（トリコ・A主宰）である。梶川は「うちの劇団は習いごとではない。上質な作品を上演していきたいので作品づくりが真ん中にある。知り合いを客席に誘っても、良い作品だったらリピーターになってくれる。劇団員も良質の作品だからチケットを売りたいと願う」と指摘した。団員は第11回公演を充実させるために聞き取り調査を始めた。

15～90歳の計100人を対象に「私が100歳になったら」と題したアンケートを行い、「老い」のイメージを探る。「高齢者という言葉からどのような生活をイメージしますか」などと質問する。1人2時間のインタビューを重ね、それぞれ400字程度の文章にまとめる。成果は公演時に肖像写真を添えて廊下等で展示するつもりだ。

小笹の言葉が印象に残る。「どんな役でも自分のなかに理解する破片やかけらがある。探ってみると自分の可能性を再発見できる。役づくりを通じて『本当の自分って何？』と思う。いい嫁、いい妻を演じているだけかもしれない。家族を円満にすることも演劇に通じる」。小笹は星組とは別にシニアの友人を集めて2018年に自らの劇団を立ち上げ、代表を務める。「演劇を通じて世界が広がった。90歳になったらどんな演技ができるのか、今から楽しみ。星組で海外公演も体験してみたい」と真剣な表情で語った。

星組の悩みは男性団員が少ないこと。小笹は「男性は恥ずかしがり。本音を出すのが嫌なのかもしれない」と残念がった。今後の課題である。

（2020年3月号）

【補記】

その後、どうなったのか。NPO法人劇研の理事長、杉山準さんに連絡したところ、「シニア劇団・星組」は現在、NPO劇研の運営から独立、「50歳からのハローシアター」として、メンバーの年齢や体力に合わせた柔軟な活動を行っているそうだ。活躍を期待したい。

2 視覚障害者の映画鑑賞支援・交流事業

横浜市・映画文化の振興を目指す「シネマ・ジャック＆ベティ」

1952年からの老舗映画館

単館系映画館「シネマ・ジャック＆ベティ」（以下J＆B、横浜市中区若葉町）はJR関内駅近くの伊勢佐木町商店街から少し西側に入った9階建てビルの1～3階で営業している。大岡川がそばに流れ、外国籍の人々の多い地域だ。青い内装のジャック（96席）と赤い内装のベティ（115席）を有する。2020年8月8日（土曜）～14日（金曜）には午前8時55分から午後11時20分まで計16作品を上映した。終戦記念日に寄せて伊映画「ひまわり」、邦画「野火」など戦争を題材にした作品が目立った。韓国映画「パラサイト　半地下の家族」、邦画「劇場」などの話題作も登場した。

上映作品の選定は支配人の梶原俊幸（1977年生まれ）が主に担当する。「若者からシニア世代までお越しいただきたいと願い、幅広い作品を選んできた」と語る梶原の風貌はパーマをかけた長髪姿。いつも紺のスーツとベストを着用する。クラシックの演奏者のようだ。

新型コロナウイルス感染防止のため2020年4月8日～5月31日に休館した。再開後も席数の2分の1以下に入場者を制限する日々。例年の来館者は年間12万人だが、現状のままでは入場者が著しく減少して「2020年度は相当深刻な売り上げ減が必至」（梶原）だ。経営の危機を迎えて「再開後に使える鑑賞券＋支援者氏名のスクリーン掲出＋特製ポストカード」のセットをつくり、1人3000円でネット販売した。2週間で2000人以上が購入した。

図1 「シネマ・ジャック＆ベティ」の外観。（2020年8月撮影）

企画や舞台挨拶は多い日で1日

図2　いつも紺のスーツ姿で出迎えてくれる支配人の梶原俊幸さん。1階には映画のチラシが多数置かれている（2020年8月撮影）

3つ、4つ。「ひばりチャンネル」は毎月第3日曜の朝、歌姫・美空ひばり出演の旧作映画を上映する。ひばりが横浜出身なので、2008年から続けてきた。終了後の1階では、ひばりの実家の鮮魚店経営を引き継いだ親類が魚を出張販売する。梶原自身も月1回、同じ建物1階のアトリエを借りて支配人と映画ファンの交流会を開催する。

J＆Bの前身は1952年開館の「横浜名画座」である。1991年の建替時に現名称になった。一時閉館したが、別の運営会社が2005年に再開。2007年3月からは梶原が代表取締役を務める株式会社エデュイット・ジャパンが経営を引き継ぎ、上映を途切れさせなかった。

視覚障害者のために

梶原は東京都武蔵野市の出身。慶應義塾大学環境情報学部の学生時代、吉祥寺のライブハウスでアルバイト勤務をした。「人が集まって文化が生まれる体験をした」（梶原）。卒業後は学習塾で数学を教えたり、IT関連企業に勤めたりした。慶應の同期が横浜の印刷会社に勤めていた縁で伊勢佐木町界隈に出入りするように。まちづくり団体を発足させて地域情報をネットで提供した。こんな縁から「映画館を引き継がないか」と声をかけられて会社を設立した。当初は観客が入らずに苦戦して無給の状況が続いた。多くの人に映画を届けたいと願い、試行錯誤を重ねた。

2009年、バリアフリーの上映会の運営を手伝った際、横浜市立中学の理科教諭だった鳥居秀和（1959年生まれ）と出会った。鳥居は盲学校（現在は盲特別支援学校）で10年間勤務した経験を持ち、視覚障害者に対する支援技術を身につけた。2009年、任意団体「ヨコハマらいぶシネマ」を立ち上げて代表に就任。J＆Bを会場に毎月第1日曜にバリアフリー音声ガイド付き上映会を始めた。

同上映会ではイヤホン付きのFM放送用ラジオを事前に用意して希望する観客に配布し、訓練を積んだボランティアが音声ガイドを送信する。邦画ならば日本語セリフなので、1人で音声ガイドが可能。映写室から映像の情景を説明する。外国語の映画ではセリフと情景説明のため4〜6人のガイドチームを結成し、応接室のモニター画面を見ながら分担してガイドする。最寄りの駅などから映画館まで誘導するボランティアも必要だ。発足当時15人だった会員は現在30人に増えた。

感染防止のために2020年の年内開催は中止した。いつもなら多いときには参加者40人以上が鑑賞する。盲導犬が静かに館内床に寝そべっている。鳥居によると、観客は神奈川に限らず東京、千葉等の遠方からもやって来る。上映する作品が豊富だからだ。園子温監督「冷たい熱帯魚」(吹越満主演)、三浦大輔監督「娼年」(松坂桃李主演)など年齢制限のある作品も含まれる。音声ガイドのボランティアが丁寧に情景を語るそうだ。鳥居は「音声ガイド付きの上映が行われたとしても、かつては障害者や盲導犬をテーマにした作品が多かった。映画は娯楽なので観客は非日常を体験したい。日活ロマンポルノ作品を上映したこともある」と笑顔で話した。梶原も「障害者も普通の映画好きと変わらない」と証言した。

同上映会の終了後、お茶会が開かれる。障害者、誘導者、音声ガイドらが近くのお好み焼き店等に集まり、フラットに交流する。参加者は感想を述べ合うことで映画を真に理解する。2020年8月2日（日曜）には6カ月ぶりにオンラインでお茶の会だけを再開した。鳥居は次のように意義を語った。「音声ガイドはすべての情景を伝えきれない。この会での会話を通じて、言えなかった映画のシーンを伝える。障害者からは『あのとき窓から流れていた音楽がいい』との感想が述べられる。音声ガイドでは気づかなかった音が映画にある。見えている人、見えていない人が対等に話し合う」。音声ガイドの活動を始めて鳥居の人生は変わった。2014年に横浜市教員を退職して川崎市視覚障害者情報文化センター職員に転じ、録音図書づくりを担当した。さらに2020年8月末で退職。J＆Bでの活動を続けつつ音声ガイドを制作する会社を興す予定だ。

映画館同士の交流

同映画館は支配人を含めて社員5人。アルバイト10人。副支配人の小林良夫（1980年生まれ）が勤務ダイヤを決めたり、映写装置の管理を引き受けたりする。富山大学人文学部の朝鮮言語文化コースを卒業後、横浜の印刷会社に入社。このとき同僚の大学同期だった4つ年上の梶原と知り合い、誘われて映画館経営に加わった。韓国インチョンにあるシニア世代向け映画館「ミリム劇場」との交流を担当する。同劇場経営者が突然に訪問してきたことから交流が始まった。同劇場が韓国政府機関の助成金を獲得し、日韓映画館の相互上映会を企画。2019年6月にはインチョンで「あん」「万引き家族」「カメラを止めるな！」など邦画7作を上映。梶原、小林ら社員全員が渡韓した。同9月にはJ＆Bに会場を移して韓国映画を上映した。2020年度は感染拡大のために無期延期となったが、今後も継続したいと意気込む。

横浜とインチョンは首都近郊の貿易港として栄え、似たような都市環境にある。小林は「韓国にはシルバー劇場があり、著作権の切れた作品を熟年層に安価で見せている。高齢化の進む日本でも参考になる」と指摘した。

広島県尾道市にある映画館「シネマ尾道」との連携も計画。梶原は「映画館同士の交流は珍しい。インチョンだけでなく尾道とも可能だと思った。しっかりと交流すれば面白いことが起こりそう」と述べた。

横浜の映画文化

横浜市によると、市内の映画館は1931年に26館、1958年に75館、1988年に44館、2013年に14館を数えた。1958年時点の市民1人当たり鑑賞数は「年間12回」だったが、近年は「1.2回」にまで減った。政令指定都市等を比較すると、館数では東京23区229館、大阪38館など。人口10万人当たりでは北九州4.44館、熊本3.38館、神戸3.08館など。横浜は同0.75館で全体平均の1.56館を下回る（いずれも2018年度）。同市が2013

年11月17日に限定して市内映画館を調査すると「その館でしか上映していない映画数」の第1位はJ＆Bの「9本」だった。

J＆Bは館外上映や他団体との連携にも積極的だ。毎年4月は大岡川桜祭りに合わせた夜桜上映会、9月には横浜中華街映画祭、10月にはジャズ映画祭、11月には若手支援の横濱インディペンデント・フィルム・フェスティバル、1月にはフットボール映画祭、3月には学生短編映画上映会などと続く。梶原は「横浜市主催の文化事業にできるだけ協力して映画上映会を催してきた」と回想した。

2019年10月、同市が設けた第68回横浜文化賞のうち、梶原は「これから期待される」若手・中堅に贈られる文化・芸術奨励賞を受賞した。1952年からの伝統ある賞で、同市文化振興課長の野田日文（ひふみ）（1965年生まれ）は「文化振興において行政のできる範囲は限られているが、J＆Bはわが市主催の文化事業にも勝手連的に応援していただけるなど、本当にありがたい映画館。地域に根付きながら、これからも横浜の映画文化の振興に活躍してくださると期待する」と評価した。

感染拡大に伴いJ＆Bも変容した。従来はチケット購入順で好きな席に座る自由席制だった。2020年7月30日以降、全席指定席制を新規導入。チケットもネット等から購入できるように変更した。値段は従来のまま。梶原は「今の若者は事前にネットを通じて確実に席を確保したい。映画館に足を運んでもらう対策を練った」と話した。「映画の日」だった2020年8月1日（土曜）には、前日までに230枚のチケットが売れ、早速効果があった。感染防止のために席数が半減したぶん「1席1席を大切にして埋めていくしかない」と覚悟している。映画館の灯をともし続けるための試行錯誤がこれからも続く。

（2020年10月号）

3 俳優が取り組む視聴覚障害者への鑑賞サポート事業

兵庫県・尼崎青少年創造劇場「ピッコロシアター」

日本初の県立劇団を有して

上方落語協会副会長である5代目桂米團治（よねだんじ）の独演会が2021年2月7日（日曜）、兵庫県尼崎市の県立尼崎青少年創造劇場（愛称・ピッコロシアター）の大ホールで開かれ、爆笑の声が弾けた。1978年の開館後、同市在住だった人間国宝・桂米朝（故人）の一門を招いた事業を主催。会場では白い杖を手にした視覚障害者が落語を楽しんでいた。落語は話芸なので、視覚障害者にも鑑賞しやすいところがある。

同じ舞台芸術でも演劇の場合は視覚障害者に魅力を伝えにくい。セリフに加えて色鮮やかな衣装、凝った舞台美術、役者の派手な動きが展開され、視覚情報が大きいからだ。このため視覚障害者が演劇を鑑賞する機会は限られる。聴覚や身体等に障害のある人への対応も同様に遅れている。劇場法（2012年）や障害者文化芸術活動推進法（2018年）等の制定もあって、文化施設では障害者に向けた鑑賞サポートの充実が今日的課題に浮上した。

障害のある人たちにも劇場文化を楽しんでもらいたい。そう願った同シアターでは2015年に音声ガイドのサービスを始めた。ガイド付き公演に来場した視覚障害者は5年間で延べ約120人。2017年からは聴覚障害者へのサービスも行う。いずれにも取り組むのは先駆的である。2019年には、ひょうごユニバーサル社会づくり賞を受賞した。同シアターは全国でも異色の公共ホールである。開館5年後の1983年に演劇学校、1992年に舞台技術学校を併設。1994年には日本初の県立劇団（ピッコロ劇団）を立ち上げた。劇場、2つの学校、専属劇団を含めて「ピッコロ」と呼ばれる。貸し館業務中心の「施設」が多いなかで、「文化機関」的な存在だ。

ピッコロの指定管理者には公益財団法人兵庫県芸術文化協会が選定されている。2018年度の総収入は4億4500万円。内訳は県指定管理料1億600

万円、県補助金2億2800万円、文化庁補助金5500万円、事業・入場料・施設使用料計5600万円だった。

キーパーソンは広報担当職員

図1 劇団、2つの学校が併設された兵庫県立尼崎青少年創造劇場（ピッコロシアター）の外観（2020年2月撮影）

鑑賞サポートの実現を提唱したのは広報交流専門員の古川知可子（1971年生まれ）である。近畿大学文芸学部・演劇芸能専攻の1期生として演劇を学び、卒業後に財団法人兵庫現代芸術劇場（のちに県芸術文化協会）の正規職員に採用された。発案は10年前にさかのぼる。2011年初頭、学生時代にアルバイトをした企画制作会社の役員と会った際、音声ガイドを初めて知った。すぐ日本ライトハウス情報文化センターへ聞き取り調査に出向いた。「うちの劇場でぜひやりたい」と思い立ち、幹部会議で検討してもらった。東日本大震災の直後だったので被災地支援が優先され、実施は見送られた。その後も古川は厚生労働省の施設・国際障害者交流センター（ビッグ・アイ）を訪ねて調査を続けた。

翌2012年に大鳥裕士（1952年生まれ）が館長に就任。2015年には西岡宏季（1963年生まれ）が直属上司の業務課長に赴任。彼らに音声ガイドの重要性を丁寧に説明した。西岡の回想。「西日本の自治体ホールでは実施されていないと聞き、『一番ならやろう』と言った。ピッコロは、施設が古いけれど、劇団と学校というソフトが充実している。うちがやらなくてどうする？と瞬時に思った」。2人で関係先を回り、現状と課題を学んだ。

古川は「職員からの提案を真摯に受け入れてくれる上司や職場環境に恵まれた。ピッコロはイチからものをつくる劇場なので、手間がかかることにも取り組める。今後もっと内容を充実させ、実施回数を増やしたい。他の公共ホールに広げていくことにも協力したい」と語った。

俳優たちの尽力

目の不自由な観客が演劇を「観る」とはどういうことなのか？　客席とは別のところにいるガイド役が舞台を見ながら、セリフとセリフの間に舞台美術の様子、俳優の動き、衣装等を説明してミニFM放送で流す。音声受信機を持った客席の観客がイヤホンで聞くという仕組みだ。ピッコロでは2015年から2年間、専門アナウンサーを招いた。2017年以降はピッコロ劇団と協働して手づくりに。同年8月の「〈音楽劇〉赤ずきんちゃんの森の狼たちのクリスマス」、2018年8月の「さらばドラキュラ」、2020年2月の「夢をみせてよ」（いずれも同劇団公演）では、劇団員の風太郎（ぷうたろう）（1962年生まれ）が音声ガイドを担当した。まずは台本を読み込み、総仕上げ稽古に出てセリフの隙間を探す。赤ペンで自ら考えた説明文を台本に書き込む。本番では音響照明の調整室等に1人で入り、暗闇のなか手元灯りだけで「きざな吸血鬼が牙をむき出し、オンディーヌさんの首筋をガブリ」「派手な衣装の団員たちが出てきましたよ」「上から大きなテントも降りてきました」などと語る。社会人の障害者や特別支援学校生徒たちが聞き入る。2020年の「夢をみせてよ」は県立芸術文化センターで開かれ、盲導犬、介助犬、聴導犬もやって来た。

公演終了後、風太郎は劇場ホワイエに姿を現して障害者から感想を聞く。実際の衣装や舞台装置の一部に触ってもらう。「聞きやすかった」と言われて拍手が沸くと、やりがいを感じる。「若いころは自分を表現したいと願っていたが、今は人に喜んでいただけることが表現という仕事の意義なのだと気づいた」とつぶやくように話した。

この尽力が評価され、2020年度の関西現代演劇俳優賞大賞を受賞した。2017年から始めた聴覚障害者への鑑賞サービスも当初は専門業者に依頼した。2019年から劇団員の菅原ゆうき（1991年生まれ）が名乗り出た。「歌うシンデレラ」の子ども向け公演（2019年8月）や中学生向け公演（2019年11月）では、舞台両脇に字幕表示できるパネルスクリーンを設置したりしてセリフを伝えた。観客にタブレット端末を渡すときもある。菅原は台本を熟読し、演出内容に沿って音楽や効果音を表現する。音の強弱は文字の大きさで工夫する。「ハクション」を3回言うセリフでは、最初は小さな文字で、2回目は中程度の文字で、最後は大きな文字で表現する。「ドンドコドン」の効果音ではリズムに合わせて「ドン」「ドコ」「ドン」とPCを操作する。驚いたことに、自作する字幕は1公演だけで1100枚に達するのだ。

図2　字幕表示用パネルスクリーンの位置を指さす古川知可子さん（左）と館長（当時）の大鳥裕士さん（ピッコロシアター大ホールの客席で）（2021年2月撮影）

菅原は高校まで熊本で育ち、大阪に出てきた。ピッコロ演劇学校を卒業後、劇団員に採用された。「実際に稽古を見ながら字幕をつくる。公演ごとにセリフの間合いも変化する。劇団員でないと制作も操作も難しい。いろいろな方に舞台を楽しんでもらえる一助になれば」と笑顔で話した。

兵庫県の文化政策

兵庫県は歴代知事が文化政策に熱心で独自の施策を進めてきた。ピッコロシアター開設は坂井時忠の在任時だった。当時の尼崎市は重工業地帯。事業所での演劇活動が盛んだったので発表する場が求められた。そこで同市が敷地を提供し、県が建物を設置した。このため貸し館も大切な業務で、年間稼働率は貸し館と主催事業を合わせ90％台で推移する。

館長の大鳥によると、同県はCSR（カルチャー、スポーツ、レクリエーション）の拠点になる施設の整備を進めた。財源を捻出するために法人県民税（県税）に1％程度を超過課税して文化予算に活用した。大鳥は県職員出身で人事課長、県民文化局長、県自治研修所所長を経てピッコロに赴任。「ピッコロの良いところは規模が小さいので身軽に動ける。思ったことをすぐに実行できる。悩みは県芸術文化協会の固有職員（プロパー職員）の若い層が薄いこと。阪神・淡路大震災を経て、県は行財政構造改革のもとに職員定数を削減してきた。県芸術文化協会も職員採用が抑制された。

古川より下の世代の育成が急務」と話した。

興味深いのは県職員と同協会職員の壁が低いこと。県と同協会の新規採用職員は一緒に研修を受ける。あるいは係長級に昇任予定の若手県職員向け合宿研修では、ピッコロ劇団員が研修所に出向き、「人前でいかに自分を表現するか」などのワークショップを指導して実演してもらう。「受講生には好評なうえ、県職員にピッコロの存在を知ってもらえる」（大鳥）効用がある。ピッコロ劇団の設立直後の1995年1月に阪神・淡路大震災が発生。2月になると避難所への慰問活動を始め、子ども向け演目等を披露した。大学生協職員からピッコロに転職したばかりだった先述の西岡も軽トラックを運転して舞台資材を運んだ。「あの貴重な経験を踏まえて〈地域と交流する劇団〉がうちのミッション」と西岡は言葉に力を込めた。

NPO法人尼視協理事長の広部景子（1948年生まれ）は、風太郎が初めて音声ガイド役を務めた2017年公演の最終リハに立ち会った。「幕が開く前に風太郎さんが舞台美術や配置を説明してくださり、よく分かった。このとき私から『説明を多くし過ぎないように』と申し上げた。想像する楽しさがなくなってしまう。最近、随分と説明がすっきりしてきた」と振り返った。そして「点字新聞を読むと、東京の劇場では視覚障害者向けサービスに取り組んでいたが、関西では行われていなかった。地元・尼崎で音声ガイド付きの公演を楽しむことができて本当に幸い」と話した。

ピッコロを訪ねるたびに、いつも「劇場や劇団は公共財なのだ」と痛感する。今後も活動を見守り続けたい。

（2021年4月号）

【補記】

大鳥裕士さんは2022年3月に館長を退職。新しい館長には林隆之さんが2022年4月に就任した。

8章の前文で紹介したように、ピッコロシアターは2022年12月、第2回日本アートマネジメント学会賞を受賞した。共生社会を目指した取り組みが評価された。

第9章

【文化ホール・芸能拠点×まちづくり】

地域に開く
新しい文化施設のかたち

9章では、文化施設が今どうなっているのか、どのようにまちづくりと関係するのかに焦点を当てる。文化施設の管理と運営を見つめることは筆者の研究の原点である。2003年の地方自治法第244条改正に伴う指定管理者制度の導入、あるいは自治体文化団体のマネジメント状況を調べるために、長く、地道に、各地の文化施設を巡ってきたからだ。これらの成果は、松本茂章著『日本の文化施設を歩く　官民協働のまちづくり』(2015)、松本茂章編著『岐路に立つ指定管理者制度　変容するパートナーシップ』(2019)、松本茂章編『はじまりのアートマネジメント』(2021)（いずれも水曜社）を出版することで、世に問いかけてきた。

9章では5つの事例を紹介する。大阪府八尾市のプリズムホール、東京都新宿区の芸能花伝舎、兵庫県の西宮市フレンテホール、愛知県の長久手市文化の家、神戸市の神戸文化ホールである。

八尾の事例を冒頭に配置したのには訳がある。女性館長の人柄や優れたスタッフに魅せられて何度も足を運んできたうえ、大阪府内の自治体のなかで先駆けて開館した公立ホールだったので、その分、老朽化に早く見舞われ、改修工事を迫られたからだ。自治体の財政事情は決して豊かでなく、改修費用は求めた額よりも削られた。それでも1階ロビーを市民の集う「コモンズ」にするため懸命に工夫して、市民が集える場を提供した。この結果、これまではホールを利用しなかった市民層と新たなつながりが生まれ、事業数も増えたという。

だからこそ、紹介したいと願った。今後、建物が古くなってくる全国各地の自治体にとって、八尾市の先例は決して他人事ではない。必ずやってくる近未来であることから、ケーススタディになると考え、9章の冒頭に配置した。

芸能花伝舎も開館以来関心を抱いてきた。新宿区立淀橋第三小学校の元校舎を改修して芸能文化拠点にしたところで、高層ビル街のなか、存在感を放っている。西宮市フレンテホールは家族経営の指定管理者が運営するアットホームな雰囲気が特色だ。

筆者は、公立文化施設の調査研究を大切にしたい、と願う。施設を建設する際の経緯、建物の設計、その後の活用、老朽化したあとの改修具合など、自治体文化施設を調べると、地域の文化的なDNAが伝わってくるからだ。文化施設のありようをみると自治体の文化的水準が浮かび上がる。

本書を企画した当初は、雑誌連載後の状況を伝えるために相当数の原稿を加筆修正するつもりでいた。しかし、連載原稿を読み返すうちに、「現場を訪れた外部者が感じた一瞬の記録」として、これはこれで貴重であると思うに至った。大幅に書き換えると、当時の空気感や雰囲気が失われてしまうことを懸念した。当時の状況を切り取り、活字で残すことに大きな意義があると考えた。「まさに今」の文化施設の現状と課題をリアルに伝えていくことが、今後の文化政策の改善やアートマネジメントの充実に貢献できると思うからである。

「文化の現場」は日々姿を変えていく。けれども、文化施設と地域との関係を調査して活字として残す試みは、貴重なものだと信じたい。文化施設のありようには地域固有のストーリーがあると気づいたからだ。他地域の文化施設とは決して一緒ではない。このため筆者は、これからも各地の文化施設を訪ね歩き、地域独自の物語を発掘していくつもりだ。本書を読んだ若い世代の方々に、「文化施設で働きたい」「アートマネジャーとして活躍してみたい」と感じていただければ幸いである。

1 自治体ホールにおける「コモンズ」創出の試み

大阪府・八尾市文化会館「プリズムホール」

プリズムホールを「開かれた場」に

公立文化施設としては、とても珍しい光景が大阪府八尾市で見られた。2023年5月14日（日）午後3～9時に、同市文化会館（愛称・プリズムホール）の1階で「ドイツビアフェス」が開かれたのだ。自治体の文化ホールというと、市民が演劇や音楽といった舞台芸術作品を鑑賞したり、自らが表現したりする場だと受け止められがちであるだけに、この「社会実験」は目を引いた。

プリズムホールにとっても初の試みだった。ドイツで開かれる世界最大のビールの祭典「オクトーバーフェスト」のために製造された独政府公認のブルワリー（醸造所）のビールが会場に持ち込まれ、来場者を楽しませた。

値段は300mℓで1100円、500mℓで1500円。4種類の飲み比べセットは1900円。本格的な味だけに紙コップでは満足できない。そこで「グラスデポジット制」が採用された。購入者は1杯目のビール代金に加え、グラス保証金（1000円）を支払う。2杯目以降はビール代金のみを支払い、飲み終わってグラスを返却すると保証金が払い戻される。

この日は午後2時から2階の大ホールで、著名なジャズピアニストの山下洋輔らが出演するリサイタルが開かれた。その聴衆らも加わり、ビアフェスには延べ200人以上が来場。売り場には行列ができた。リサイタルのチケットとビール前売り券を一緒に購入すると「100円割引」に。公立文化施設の企画としては粋な計らいだった。

図1 「ドイツビアフェス」で提供されたビールとグラス（プリズムホール提供）

ビアフェスとリサイタルは、いずれもプリズムホールの指定管理者である公益財団法人八尾市文化振興事業団が主催した。「貸し館」ではなく、事業団の自主事業だった点は興味深い。1階のカフェ・レストランが協力した。ドイツの赤い帽子が飾られ、ビールと共に販売された焼きたてのソーセージ類の香ばしい匂いが館内に漂った。

プリズムホールは1年4カ月の間、休館して大規模改修工事を実施。2022年8月2日にリニューアルオープンした。事業団の業務執行理事で同ホール館長の大久保充代（1964年生まれ）に狙いを尋ねると、次のように答えた。

「事業団が市の指定管理者公募に応じて選ばれた際、『まちのにぎわいづくり』に貢献したいと強調した。オープンな場で開催されたビアフェスもその一環だ。1階では、催しの開演前の期待感や終演後の余韻という非日常を楽しんでいただくだけでなく、地域住民にも来ていただきたいと考えた」

さらに言葉を継ぎ、「1階で展開する事業に協力してもらえるよう、カフェ・レストランの出店者の公募は事業団が自ら行った」と述べた。

背景を説明しよう。多くの自治体文化ホールでは、併設される喫茶店などは施設設置条例に基づいて置かれるのではなく、「目的外」で営業している。その場合、喫茶店などは行政側（設置者）と契約するため、指定管理者とは別の存在となり、両者の意思疎通は難しい。指定管理者による管理・運営の「対象外」となるからである。

対して八尾市は、指定管理者による飲食も含めた館のにぎわいづくりを目指し、カフェ・レストランの運営も指定管理者業務に盛り込んで公募した。このため指定管理者に選定された事業団が、自ら出店者の募集を行ったのだ。

事業団は「カフェ・レストラン運営及びにぎわい創出事業者　募集要項」を作成。単なる飲食業者を募るわけではないことを強調するため、募集要項には「文化会館では1階表玄関に喫茶軽食室（以下『カフェ・レストラン』）を構えることとなっており、その存在は『会館の顔』として非常に重要」との一文を盛り込んだ。筆者の知る限り、公立文化会館では珍しい試みだと思われる。

1階全体は広さ約2900m²。うち中央に位置するエントランスロビー「光のプラザ」は約380m²。天井までの高さが28mもある吹き抜け空間になっており、開放感がある。

図2　リニューアルされたプリズムホールの1階。開店したカフェ·レストラン（奥）とオープンスペース（手前）の間仕切りは移動式になっている。(右は館長の大久保充代さん)

東端に位置するカフェ・レストランは65.7m²で、客席は26席。「ターコイズブルー」と命名された。午後10時まで営業している。改修前に営業していた店舗は古いタイプの店構えで、壁に囲まれた閉鎖空間だったので、改修時に固定壁を取り外した。事業団は出店者から月額の家賃と、売上額から一定率の協力金を受け取る。

出店者には「地場野菜など八尾特産農産物の提供」を要望。八尾で取れる枝豆を生かした飲み物「枝豆シェイク」と、地場野菜の小松菜を用いた「ナポリタン」をメニューに入れてもらった。

エントランスロビーとカフェ・レストランの間には、オープンコーナー(60.7m²）があり、店内と同様に26席を設けている。

これら3つの場の間には開閉式のガラス張り扉を取り付けたものの、通常は開けてある。一体感があり、イベントを開きやすい。改修前の同コーナー部分には「お客様窓口」があり、貸し館の受け付けやチケット販売などを行っていたが、改修後は2階に移し、1階をオープンな場にした。

都市イメージの向上

プリズムホールは1988年に開館した。地上5階・地下2階で、延べ1万4658m²。「都市格の向上」を唱えた当時の市長の肝煎りで、老朽化した市役所の建て替えよりも優先して建設に踏み切った。

リニューアルオープン後のプリズムホールは、1階(エントランスロビー、カフェ・レストラン、オープンコーナー）を改修したほか、2階にはお母さんたちの要望に応えてベビールームを新設した。そして大ホール（1317席）、小ホール（多目的ホール、330席）、情報・交流コーナー、レセプションホール、和室（25畳）、リハーサル室、練習室（2室）、会議室・研修室（4室）、展示室、回廊ギャラリー——などで構成される。

他都市に先駆けて本格的な文化ホールが整備されたのには訳がある。地元関係者の話を総合すると、八尾を舞台にした日本映画「悪名」シリーズ（出演・勝新太郎、田宮二郎ら）でつくられたイメージや、威勢の良い河内弁の印象などから「文化都市」とは縁遠いと思われがちだったので、都市イメージを向上させたいとの願いが込められたとされる。このような熱い思いに基づいたプリズムホール建設だけに、当時から市民の声に耳を傾け、市内在住の文化人らで構成する「建設市民委員会」を設けて設計に当たった。

開館から30年余りを経過したところで、幾つもの悩みに直面した。例えば、国土交通省が新設した「特定天井」制度への対応が問われた。東日本大震災（2011年）の際、文化ホールの天井が落下するケースが相次いだため、市消防本部から改善策を求められたのだ。さらに、老朽化した舞台設備（機構、音響、照明）の改修が急がれた。大小ホールの客席が狭く、こちらも改善が求められた。屋上の防水・外壁改修、電気設備・給水タンク・エレベーターの更新年数も超過していた。

そして、時代の要請であるバリアフリーやユニバーサルデザインへの対応が必要だった。このため階段の手すり設置、通路の段差解消、車いす席の増設、トイレ改修などを行った。大小ホールの客席は、座面幅を従来に比べて「4cm」広げた。背もたれの板の厚みを薄くすることで、前後の間隔も少し広げた。

2022年7月30日に開かれたリニューアルのオープニングイベントには筆者も参加した。この日は地元の郷土芸能である河内音頭、プロピアニストの演奏、ゴスペルのクワイヤ（歌うチーム）の共演が大ホールで行われ、市在住の河内音頭取り・美好家肇（八尾本場河内音頭連盟会長）らが歌声を披露。エントランスロビーでは児童合唱団のコンサートなどが行われ、夜には地元FM局によるDJナイトが催された。

1階を「市民に開かれた場」にしようという懸命な姿勢が伝わってきた。そこで翌2023年に再訪し、「1階がどのように使われたのか」を調査した。

「プリズム・アート＆シアター・プロジェクト」の開始

リニューアルオープンに当たり、事業団は「プリズム・アート＆シアター・プロジェクト」と題した取り組みを開始。出展・出演者を募集した。「プリズムホールであなたのアートを輝かせよう」とアピールした。

出展・出演の条件は、最短1日から最長2週間まで、ジャンルは不問（ワークショップもOK）、参加費は無料、応募資格は「八尾にゆかりのある方」（プロ・アマを問わない）——とした。審査会を設けて可否を判断した。選定基準は「館内のにぎわいを創出する催しであること」「八尾らしさのある催しであること」などだった。

採択されると、出展・出演者はプロジェクトの参加者として、事業団発行の広報誌で紹介される。1階を使用する場合、会場費は無料とした。

2022年度の申し込みは47件。予想以上の反響だった。1件のみ、音量の大きさから認められなかったが、他はすべて採択された。

行われた事業はどんなものだったのか。リニューアルオープン直前の第1弾（2022年7月30～31日）は29事業。開館直後の第2弾（2022年8月）は5事業。年明けの第3弾（2023年2月など）は12事業。そして2023年度の前期（2023年4～9月、第4弾に相当）は14事業。本稿執筆時点（2023年7月）で計60事業に達した。内訳は、展覧会（ワークショップ併催も含む）が45事業、パフォーマンス（音楽など）が15事業である。

出展・出演者は1人、あるいは2～3人など。絵描きを楽しむ親子の展示（観覧者90人）、古民家を描いた元職業画家の作品展（同103人）、リコーダー演奏を趣味とする市民の音楽会（聴衆43人）など、それぞれは小規模な催しだが、確実に観覧者や聴衆を集めた。合計すると、2023年6月末までの参加者は5338人に達した。

プリズムホールの稼働率は、以前から高いことで知られていた。新型コ

図3　調乳専用浄水給湯器（手前）を備えたベビールーム（プリズムホールで）（右は副館長の北芝敦子さん）

ロナウイルス禍前の2018年度は大ホールが85.4%、小ホールが78.6%だった。自主事業の企画力も優れているとの評があった。しかし、この「プリズム・アート＆シアター・プロジェクト」という異色な事業の盛況は、従来の路線では吸引し切れなかった市民層が存在することを浮き彫りにした。

館長の大久保は、次のように筆者に述べた。「このプロジェクトに申し込んできた方々の多くは、事業団の職員がこれまで存じ上げない方たちだった。小規模ながらも表現したい方たちで、そうした方々に事業団の手が届いていなかったと強く反省している。予想外の反響を得て、貴重な社会実験になった」。そして「今回申し込んでいただいた方々は比較的、若い方が多かった。今後はより一層、広範囲な方々とつながりたい」と言葉を続けた。

プロジェクトを所管する副館長の北芝敦子（1973年生まれ）は「事業を提案してきた市民には、子育てと仕事を頑張っている女性が多い。私たち職員も子育てしながら働いてきた。事業団としては、子育て中の女性の活動を支援したい。子どもが大きくなってから、再出発で活動を始めたいと希望する女性をサポートし、活躍できる場を提供していきたい」と誓った。

多様な顔を有する八尾市の魅力

中河内地方に位置する八尾市は、人口約26万人の中核市だ。JR大阪環状線沿線のターミナル駅・鶴橋駅（大阪市）から近鉄大阪線の準急に乗車し、10分ほどで近鉄八尾駅に到着する。同駅から線路沿いに歩いて5分、ガラス張りの外観が目を引くプリズムホールに至る。

八尾市は西隣の大阪市内に通勤・通学する人たちのベッドタウンである。地場産業が盛んな工業都市でもある。このまちに筆者が関心を有した理由は主に3つある。1つに、八尾は典型的な大都市近郊都市で、「普通の自治体」である。高級住宅地では決してない。2つには、古くから「難波」と「大和」をつなぐ交通の要衝だったため、豊かな文化遺産に恵まれている。例えば市内の高安地区は能楽・高安流の発祥の地とされる。3つには、昨今の自治体における未曽有の財政難を考えると、文化施設の老朽化は新築ではなく改修という手法を迫られるので、他自治体の参考になる。

八尾市は、奈良盆地から流れ出す大和川が河内平野に達する所に位置する。江戸時代中期に大和川の付け替え工事が行われ、従来の北向きから真っすぐ西の堺市方面に向かう流れに変わった。付け替え後の川床は新田に変容。砂地だったので水はけがよく、綿栽培に適した。このため、商品作物としての木綿栽培が盛んになった。紡績などの地場産業も栄えた。しかし近代になって次第に安価な外国産木綿が輸入され、八尾の綿栽培は大正時代に衰えた。紡績工場はブラシ生産などの異業種に転換して生き残り、地場産業が今も盛んだ。

一方、近代には幾つかの鉄道が敷かれて大阪市内に通勤・通学しやすくなり、住宅地が広がった。住宅都市と産業都市の両面を兼ね備える。

「コモンズ」の場づくり

プリズムホールの変革は、文化会館を「コモンズ」の場にしたいという市側の意向を受けての試みでもあった。2022年4月施行の芸術文化基本条例に基き、同年6月に策定された芸術文化推進基本計画で「文化的コモンズ」の大切さが指摘されたからだ。

「コモンズ」とは、日本語で言えば「入会地」。市は地域の多様な文化的営みを共有し、分かち合える場所を「文化的コモンズ」と位置付けた。「地域の共同体の誰もが自由に参加できる『入会地』のような文化的営みの総体」と説明する。

計画は、「コモンズ」の多様な形成主体を結び付け、ネットワークを構築するコーディネーターを育成する、文化会館のあらゆるスペースで身近にアートの展示ができる場を創出し、発表機会を拡充する、作者参加の展示販売会などを開催し、アーティストの思いを共有できる機会をつくる――などと強調。そしてプリズムホールの指定管理者、つまり市文化振興事業団が実施する事業の入場者数を2019年度の1万5617人から、2024年度には2万2000人に増やすことを目標に掲げた。

八尾市魅力創造部長の新堂剛（1963年生まれ）によると、同部は産業商工、労働支援、観光・文化財、文化・スポーツ、農業・みどりの5課を統合し、2021年度に発足した。「ものづくり文化」「観光文化」をまとめた形である。それだけに、新堂は「文化会館だけでなく、まちなかが文化の現場になってほしい。工場や喫茶店でも写真展や音楽ライブができるようになれば……。企業や事業者とアーティストがつながることで、文化があふれるまちになっていく」と期待する。

プリズムホール1階を市民に開放する「プリズム・アート＆シアター・プロジェクト」は、市全域に「文化的コモンズ」を展開するためのパイロット事業の一面を有していた。

しかし、どの自治体も財政難に見舞われ、文化関連予算の確保に苦しむ。同市も例外ではない。新堂によると、プリズムホールの改修費について、当時所管していた文化国際課は「45億円」を財政当局に求めたが、市全体の財政状況を総合的に勘案した結果、「25億円」に減額された。このため廊下や壁などの再塗装は見送られ、洗浄するにとどまったという。

公立文化施設の予算査定が難しいのは「誰が使うか」という論議が必ず出るところだ。市民に加え、市外の利用者もいるからである。この点に関し、新堂は「文化は『まちのイメージ』をつくる。その振興は『まちのイメージアップ』につながり、結果的に地価の上昇や商店の売り上げ増につながる。居住人口が減少しているだけに、関係人口を増やすためにも市内、市外と明確に区別せず、文化の場を使っていただきたい」と率直に語った。

新堂が重視するのは、八尾市が「ものづくりのまち」である点だ。魅力創造部の調べによると、市内にある製造業の事業所は3000余り。2019年実績の製造品出荷額等は大阪市、堺市、東大阪市に次いで府内4位だ。付加価値額（従業員30人以上）では3位という。

新堂は「町工場のまちといえば東大阪市が有名だが、部品製造業が多くを占める。対して八尾には機械や化学のメーカーがあり、自らの事業所で最終製品までつくり上げる企業も多い」と説明。「八尾市内の事業所から『自分のところにも場がある。ここを文化活動に使ってほしい』という声が上がることを歓迎する」と述べた。

こうした市側の思いを受け、館長の大久保は「今後はアートにちなんだ地場企業のデザインや商品の展示なども、積極的に行っていきたい」と応じた。

多彩な市民活動

八尾市の芸術文化基本条例や芸術文化推進基本計画は、市の芸術文化振興審議会（会長＝藤野一夫・芸術文化観光専門職大学副学長）が2021年以降に重ねた論議が礎となった。委員の1人として、合同会社「茶屋吉兵衛」社長の萩原浩司（1964年生まれ）が加わっていた。2023年5月には、同条例に基づき設置された「やおうえるかむコモンズ推進会議」副会長の1人に就任した。

萩原の祖先は、江戸時代に創業された木綿問屋「茶屋吉兵衛」を経営していたという。「かつては石田三成の部下の武将だった。関ケ原で敗れた後、武士をやめて恩智村（現在の八尾市内）にやって来た」（萩原）。大和川を付け替える際に協力し、工事資金を拠出。完成後に河川敷の払い下げを受け、広大な土地を綿畑にしたことで河内木綿が作られ、木綿問屋として成功した。東は水戸藩、西は高松藩まで各地と取引した。

1888（明治21）年に萩原織布工場を設け、1935（昭和10）年には萩原織布株式会社を設立。ドイツからディーゼルエンジンを取り寄せた。しかし太平洋戦争後は海外から綿が輸入されて斜陽になり、廃業。書店経営に乗り出した。

萩原が同市恩智に所有する木造の屋敷は、敷地が500坪。築250年余りの母屋（国登録有形文化財）、1908（明治41）年に建てられた米蔵、さらに木綿蔵も残されている。近年、母屋や米蔵、木綿蔵などを改修して「茶吉庵」と命名。落語会や美術展、音楽会を開く。さらにテナントを入れ、にぎわいづくりの場に。中庭にはバーベキューを楽しむ人たちが集まる。

萩原は「『コモンズ』は、言葉としては知っていた。市芸術文化振興審議会の委員になり、意識を高めた。八尾で言えばプリズムホールだけでなく、お寺、商業施設、私たちのような古民家など、人々が集う文化的なサテライトを市内に増やしたい」と述べ、自らも「文化的コモンズ」づくりを実践する。併せて「プリズム・アート＆シアター・プロジェクト」に参加を希望する団体・個人の審査も引き受けている。

同プロジェクトは市内の演劇活動にも刺激を与えた。空き家再生や住宅整備を手掛ける株式会社「空き家総合研究所」代表取締役の田口貴士（1990年生まれ）が、2022年8月28日（日）にプリズムホールの小ホールで演劇「HOME BASE」を上演したのは、同プロジェクトの一環だった。戦後間もなく、府立八尾高校野球部の部員が畑になったグラウンドを整備し、練習に励んだ姿を描いた。主催は空き家総合研究所。共催に市文化振興事業団が名を連ねた。

田口は2022年1月に「八尾演劇プロジェクト」の活動を始め、公演会場を探していたところ、事業団や「プリズム・アート＆シアター・プロジェクト」の存在を知った。プリズムホール1階での上演は難しく、小ホールを有料で借りる形で応募し、公演を実現した。

この過程で大久保や北芝ら事業団の職員と知り合う。事業団が出演者募集や公演広報に全面的に協力し、中学生ら21人の出演者が集まった。2回の公演に計316人の観客が来場し、ワークショップを含めた参加者数は延べ991人に達した。手応えを感じた田口は「演劇教室（劇ゼミ）」を構想して開講。毎週月曜に市内で練習する。「八尾で始めた劇ゼミを全国各地に広げたい」と願う。

田口は近畿大の学生時代、大学公認の劇団「覇王樹座」（サボテン座）に所属。卒業後も自身の劇団を結成して役者や戯曲作りに励んだが、結婚して2児を設けたこともあり、会社経営の道に入った。今でも「市内の中学校の多くは演劇部がない」状況を懸念。「演劇活動は子どもたちの居場所づくりに貢献する」との信念から演劇創造を志す。事業団職員らは田口の心意気を感じ、「八尾に演劇教室が OPEN」と大書した募集チラシをプリズムホールで配布している。

田口は「八尾は演劇都市ではなく普通の郊外都市だから、八尾で劇ゼミが可能ならば全国のさまざまなまちでも可能だ」と考えている。そして「ピアノを習っていた子どもの頃、プリズムホールで発表会に参加した。その後、大学生時代や卒業後に関わった小劇場演劇は観客50人ほどの規模だったので、プリズムホールに縁がなかった。八尾演劇プロジェクトを始めなければ、ずっとプリズムホールの職員と知り合うことはなかったかもしれない」と振り返った。

女性が生き生きと働く現場

八尾市文化振興事業団の正職員は17人、パート職員は7人（2023年7月末現在）。正職員のうち8人が女性で、3人が子育て経験者だ。チーフ以上の役職者の半数は女性。筆者には「女性が生き生きと働く現場」との印象があり、しばしば通ってきた。

それでも事業団は、順風満帆というわけでもない。市による指定管理者公募のたびに苦労を重ねてきた。以前はプリズムホールに加え、市生涯学習センターの指定管理者にも選ばれていたが、2019年の公募では民間の共同企業体に敗れ、その業務を失った。

このため事業団は、プリズムホールの指定管理者業務を守りたいと気持ちを固め、2020年の公募には職員総ぐるみで臨み、再び選定された。2023年度の指定管理料の内訳は、事業運営のソフト予算3300万円、施設管理運営費2億678万9000円である。

いずれにしても、公立文化ホールの運営を変革した試みは、他自治体の参考になると思われる。プリズムホールの今後を見守りたい。

（『地方行政』2023年9月11日号）

2　元小学校校舎を芸能文化拠点に

新宿区「芸能花伝舎」

伝統芸能の魅力を伝える

「お願いしますッ」。浴衣姿の子どもたち男女20人が床に正座して一礼を行った。扇子を前に置き、両手をそろえて深々と頭を下げる。2021年10月26日（火曜）夕刻、新宿区西新宿6丁目にある芸能花伝舎で展開された光景だ。三味線で演奏した童謡「さくら　さくら」のメロディーが流されると、小学校4～6年の児童たちは踊り始め、師匠らが「くるっと回って」「手をかざして」と熱心に指導した。

2021年度にスタートした「芸能花伝舎クラブ」の1期生たちで、この日は日本舞踊の稽古を行った。日本芸能実演家団体協議会（略称・芸団協）が主催。文化庁の地域部活動推進事業等の補助金を受けた。稽古を見守っていた芸団協・振興事業課係長の布目藍人（1977年生まれ）によると、学校教員が多忙すぎる対策として文化部の活動を地域に移管していく動きの一環だ。運動部の活動は徐々に地域クラブに移ってきているが、文化部も地域移管の必要性があるという。

しかし芸能の指導者が少ない地域もあり、芸団協が運営に乗り出した。布目は「放課後に行われる学童クラブのように、花伝舎クラブが多様な子どもたちを受け入れる場になれば」と意気込んだ。2021年10月5日に始まり、日本舞踊・三味線・落語の3つすべてを体験でき、寄席や劇場に出向く鑑賞ツアーに参加するなど異色のカリキュラムを組んだ。「伝統芸能の魅力をたっぷり感じてもらいたいから」（布目）である。

参加費は全18回で2万5000円だ。一方、芸団協は2008年から「キッズ伝統芸能体験」（東京都や芸団協等の主催）を続けている。能楽、長唄、三曲、日本舞踊の4コースに分かれて全16回を受講。国立劇場（三宅坂）の大劇場や宝生能楽堂で発表会を行う。参加費は1万5000円。これまで延べ約4000人の子どもたちが体験してきた。プロの道に進んだ場合もある。倍率の高い人気事業なのだが、悩みもあった。「キッズ」は1コース1回の受講に限られるうえ、同一コースは重複受講できない。先述の「クラブ」を実施することで、何度でも重複受講できるようになった。

図1　2021年度から始まった芸能花伝舎クラブの風景。子どもたちが浴衣姿で参加していた（2021年10月撮影）

かつては淀橋第三小学校

公益社団法人の芸団協がなぜ「クラブ」や「キッズ」を催すのか？　話は芸団協が発足した1965年にさかのぼる。俳優・歌手・演奏家・舞踊家・演芸家・演出家・舞台監督など、あらゆる実演芸術分野の実演家で構成される団体を正会員にして結成された。2012年に公益認定を受け、現在70団体が加わる。活動の柱は2つ。1つには実演にかかる著作隣接権者の権利の擁護と公正な利用を目指す実演家著作隣接権センター（CPRA）の運営である。

2つには芸能花伝舎の運営や次世代を育てる講座開催などの実演芸術振興事業である。振興事業費は年間4億4900万円（2019年度決算）。各種の調査研究も行う。会長に人間国宝の能楽師・野村萬が就任している。

参与（役員待遇）の大和滋（1950年生まれ）は芸能花伝舎の開設準備から関わってきた。青山学院大学文学部の学生時代から芸団協でアルバイトに従事。1975年に卒業してそのまま正規職員に採用された。大和によると、芸団協事務所は新橋、銀座、渋谷区・初台のオペラシティと移ってきた。家賃負担が大きいうえ、各団体の稽古や研修を行える「芸能会館」を持つことが「芸団協設立時の悲願」（大和）である。事務所と稽古場を兼ねた場所を探し求めた。候補に浮上したのは千代田区、港区など4カ所の廃校。このうち新宿区立淀橋第三小学校の元校舎に白羽の矢を立てた。

大和の回想。「我々の願いは長期間の賃貸契約だった。所有者の新宿区とじっくり話し合った。当初は1年の提示だったが、最終局面で10年契約を約束してくださった。当時の中山弘子区長の理解を得た」。2004年11月、区と芸団協は「新宿区における文化振興に関する協定」を締結。地域の文化を盛り上げることを約束した。

区から土地と元校舎を借りて芸能花伝舎が2005年4月に誕生。新宿駅から徒歩15分。メトロ西新宿駅から徒歩6分。林立する高層ビルの足元にある。元教室等を活かして11の創造スペースを設け、稽古、ワークショップ、研修会、会議、撮影などに貸し出している。体育館では本番と同様の稽古を行う。「また貸し」を認めてもらい、落語芸術協会、日本音楽家ユニオン、日本俳優連合、日本バレエ協会、日本バレエ団連盟など計17団体の事務所（芸団協を含む）が入居して家賃収入を得ているので、日々、多彩なジャンルの実演家が集まるようになった。「久しぶり」「元気にしていた？」。実演家の挨拶が玄関で飛び交う。稽古場を相互訪問する。「だれもが小学校校舎に通ったので親しみを感じる」（大和）ところなのだ。

自己負担した改装費は1億8000万円。区に支払う賃貸料は2005年からの10年契約が年間約3900万円。2015年からの10年契約は年間約3800万円。支払える理由は創造スペースや体育館の利用が進んだからだ。2019年度の利用率は同スペース87.1%、体育館97.3%に達した。ほぼ満杯状態である。新型コロナウイルス感染拡大の2020～2021年度は少し落ちたものの、依然として人気を集める。日本を代表する音楽家のミュージックビデオの撮影が行われたり、雑誌の撮影場所になったりするなどの使用料も得る。

落語の拠点でもある

芸団協に加盟する落語芸術協会の事務所が花伝舎の2階に入居する。所属の落語家たちが定席である新宿末廣亭に出演するので、以前から新宿区歌舞伎町に事務所を設けていた。花伝舎が開かれた直後の2005年5月に移転してきた。同協会常務理事兼事務局長の田澤祐一（1960年生まれ）は芸団協の廃校プロジェクト委員を務めた。「落語芸術協会、日本音楽家ユニオン、日本俳優連合の3者が真っ先に事務所移転を決めた。芸団協の改修資金づくりを支援するため、3団体が各500万円の保証金（10年償還）を入れた。落語芸術協会の桂歌丸会長、日本俳優連合の森繁久彌理事長らが決断された」と回想した。

学校校舎の再利用にあたって、地元住民のなかから「芸能人がやって来ると風紀が悪くなる」と危惧する声が上がった。若いファンが詰めかける事態を懸念した。当時、芸団協副会長だった三遊亭金馬が淀橋町会の役員会を訪れ、「どうかご贔屓に」と挨拶すると役員らは信頼して了承してくれた。金馬は新宿区に生まれ育った名誉区民だった。

花伝舎では、開館した2005年から5月5日に参加無料の「芸術体験ひろば」が開かれてきた。乳幼児から大人まで楽しめるので、例年延べ5000人余の参加者でごった返す。コロナ禍の2020～2021年は中止になったが、例年は30余のプログラムが用意されて体験・鑑賞できる。淀橋町会も焼きそばや唐揚げなどの模擬店を出してくれ、いつも売り切れる。主催には芸団協や落語芸術協会などが加わる。

さらに落語芸術協会は毎年5月下旬に「芸協らくごまつり」を開催。花伝舎の全部屋や体育館を借りた「ファン感謝デー」で、現会長の春風亭昇太をはじめ協会幹部が総出になって出演する。漫才、曲芸、奇術も披露される。加えて同協会はコロナ禍以前、地元の淀橋会館で、同町会の住民らに無料の落語会を開いてきた。毎回100人が詰めかけ、笑いが飛び出す。「日ごろお世話になっているので。地元の祭りにも参加して半纏を着る」と田澤は語った。

新国立劇場の研修所

花伝舎には新国立劇場の演劇研修所が置かれている。公益財団法人新国立劇場運営財団の研修主管を務める梅田潤一（1960年生まれ）によると、渋谷区・初台にある新国立劇場は1997年に開場。翌1998年にオペラ研修所が、2001年にはバレエ研修所が開設された。さらに演劇研修所が2005年に誕生する際、同劇場に研修所専用の稽古場がなかった。そこで一定の

図2　元淀橋第三小学校の旧幼稚園棟に入居した新国立劇場の演劇研修所（2021年11月撮影）

改修費を負担のうえ、家賃を芸団協に支払い、演劇研修所が淀橋第三小学校と同じ敷地内の幼稚園棟に入居した。3年制で1年生最大16人、2〜3年生12人。筆者が2021年11月12日に訪れた際、歌のレッスンの最中だった。元気な歌声が研修所に響いていた。

芸団協は2007年、元プールを取り壊して新たな稽古場を完成させた。この費用1億5000万円も自己資金だ。専用稽古場のない新国立劇場のバレエ研修所などに貸して安定した家賃収入を確保した。梅田は「新国立劇場と花伝舎は自転車で10分と近い。歩いても20分強。こんな便利な場所は見つからない。花伝舎がなければ演劇研修所を立ち上げることができなかったかもしれない。芸団協の大和さんが演劇研修所の設立準備を知り、声をかけてきた。演劇研修所にとって絶妙のタイミングだった」と振り返る。研修生の利点は何か？と尋ねると、梅田は「何より自分たちの専用稽古場を持っていること。芸術創造に集中できる安心感がある」と述べた。梅田自身、劇団「遊◉機械／全自動シアター」の制作出身で、稽古場に困っていた経験を有する。

筆者が稽古場の風景を眺めると、背筋をピンと伸ばしたバレエの女子研修生たちが踊っていた。

落語芸術協会の田澤は言った。「花伝舎に若い人たちが出入りするとうれしくなる。目標を持っているので目がキラキラしている。いいものです」。芸能花伝舎から未来の名人やスターが育つことを期待したい。

（2022年2月号）

【補記】

筆者は2023年10月14日（土曜）にも芸能花伝舎を訪れた。元小学校だけに懐かしい感じがして、しばしば足を運んでしまう。管理課係長の宮川拓人さんによると、コロナ禍で一時、利用者に影響が出たが、2023年度は回復してきたという。また訪ねたい。

3 家族経営の指定管理者が運営するアットホームな公立文化施設

兵庫県西宮市「西宮市フレンテホール」

地震と公立文化ホール

2018年6月18日（月曜）午前7時58分に発生した大阪府北部地震は震度6弱を記録した。関西では1995年1月の阪神・淡路大震災以来の大きな揺れに見舞われた。電車は全面ストップし、多くの帰宅困難者を生んだ。JR東海道線も電車が立ち往生して乗客が線路上を歩いた。同線・西宮駅（兵庫県西宮市）の南口には加古川、明石、神戸西部等から大阪方面に出勤するサラリーマンやOLらが行き場所もなく、立ちすくんだり、座り込んだりした。

同駅南口に面した5階建て商業施設「フレンテ西宮」最上階にあるフレンテホールには、館長の衣川大輔（1970年生まれ）と妻で副館長の絵里子（1982年生まれ）が宝塚市の自宅から車で駆け付けた。舞台業者に設備を点検してもらい安全を確認。点検を終えた正午過ぎ、5階事務所の窓から下を見ると、駅前が群衆であふれているではないか……。2人は西宮市の了解を得てホールの無料開放を決意した。「暑い日だった。2時間も電車内に閉じ込められていたので、みなさん、疲労困憊されていた」（大輔）。

大輔が同駅に駆け込むと駅長も快諾。駅員がハンドマイクで、向かいの同ホールが無料開放されて休憩できる旨を広報してくれた。絵里子は「スマホの充電器もいくつか準備しています。帰宅できずお困りの方はぜひお使いください」とSNSで発信した。午後2時11分にフェイスブックへ投稿した内容を見たのは2万8776人に達した。午後4時02分にツイッターへ投稿すると2007件のリツイートが寄せられた。それだけ困っていた訳である。絵里子の回想。「スマホの電源があっという間になくなってしまっていた。ホール職員の手持ち充電器のほか、建物1階の携帯電話修理店からも機材をお借りして5～6台の充電器を確保できた」。ホールのいす

図1　衣川大輔館長（当時）と衣川絵里子副館長（当時）(2018年10月撮影)

で延べ150人が体を休めた。横になった会社員の姿も見られた。夕刻から阪急と阪神が動き始めたが、午後7時まで残った10人余りには絵里子が温かい紅茶を差し入れた。

指定管理者に選定されて

2人は以前、神戸市立灘区民ホールに勤務していた。大輔は副館長で、絵里子はディレクターだった。同市から選定された同区民ホール指定管理者は、建物総合管理会社「日本管財株式会社」（東証一部上場）と「文化律灘合同会社」の共同事業体である。新たに絵里子を代表社員とする「合同会社HA2B」（ハブ）を設立し、これら3社で共同事業体を構成した。

2017年8月のフレンテホール指定管理者公募に応じ、10月31日に吉報を受け取った。大輔は「これまで3度、公募に敗れていたので、今回も難しいと感じていた。吉報を電話で聞いたとき、妻の肩をバンバンたたいて『フレンテ、取れたぞ』と叫んでしまった」と笑顔で振り返る。

同市によると、選考は書類審査10項目と面接の110点満点で行われ、同事業体は最高の87.50点を獲得した。

6項目と面接で他社より高い得点を得た。同事業体の示した金額は他社より170万円程度上回ったが、事業計画等が評価された。契約期間は2018年4月から5年間。指定管理料は年間約3250万円である。従来の指定管理者だった同市文化振興財団は応募しなかった。市が財団に市民会館経営に専念させる方針を打ち出したためである。

大輔は宝塚市生まれ。大阪経済大学卒業後、電化製品の量販店に勤務。阪神・淡路大震災のとき、取扱商品が飛ぶように売れたために設置が追い付かず、自ら工事に回ったところ、腰を痛めてしまう。心配した父親が息子に黙って同市文化振興財団1期生採用に願書を提出。応募52人から採用された。

1996年4月に財団に入りソリオホールやベガ・ホールに勤め、国際合唱コンクールなど多くの事業に携わった。誘われて2008年に民間の神戸新聞松方ホールに転職し、絵里子と出会った。

絵里子は神戸大学卒業後、2006年に同ホールに採用され、3年間で100本の音楽事業を担当した。思うところあって3年で退社。他の公立ホールに勤めた。2人は2009年4月に結婚して4歳の長女を育てている。異なる公立文化ホールの勤務を経て灘区民ホールで一緒に働いた。「主人は公立ホールの運営が天職。『公立文化施設の運営をさせてあげたい』という気持ちがあった」と絵里子は打ち明ける。

共同事業体代表である日本管財の本店営業本部第1グループ長、松原茂紀（1969年生まれ）は「自主事業も行うのでわが社単独では運営が難しい。設備点検や清掃を受け持ち、文化事業の運営は衣川さん夫婦に任せている。灘区民ホール時代から2人をよく存じ上げており、力量や能力を買って組んだ。実績から信用できると判断した」と話した。指定管理者に選定された全国の事例は代表企業として24件、構成企業として31件という。しかし小さな合同会社と組んだ共同事業体はきわめて異例だそうだ。

かつては吹奏楽団の本拠地

衣川夫婦はアイデアが豊富である。2018年6月の地震から2カ月後の8月、大輔が「仕事帰りに気軽に立ち寄ることのできる場を設けたい」と発案した。お酒好きの絵里子が「駅前には常連客向けの酒場はあるけれど、気軽に飲める場がない。ワインやビールなどのお酒を出しては」と助言。黒いグランドピアノのある練習室でライブイベントを開くことにした。

12万円を投じて照明器具を新設。同9月28日夜、女性ピアニストの弾き語りを主催したところ、用意した30席は満席の盛況だった。

11月14日にはピアノ&打楽器の女性2人が、同15日にはピアノトリオの男性3人が出演。2人は「公立施設でもこんな使い方ができるという提案をしたかった」と語った。

新たなスタートを切ったフレンテホールだが、かつては吹奏楽の本拠地

図2　西宮市フレンテホールの外観（2018年10月撮影）

として知られていた。西宮市吹奏楽団（85人、愛称・市吹（しすい））が1994年4月の開館以来、2016年2月まで22年にわたり練習場に使っていたからだ。市の方針変更で現在は練習場を市民会館に移した。市吹は1964年、同市教委によって設立され、今津中学校や夙川（しゅくがわ）公民館で練習していた。団員長を務める羽渕健介（1956年生まれ）は「夙川公民館は池の中にあるので湿気に困った。大雨が降ると土のうを積んで防水したほど」と振り返る。当時の財団理事長の尽力で開館したフレンテホールに本拠地を移した。「駅前で便利だったうえ2カ所の楽器庫を設置してもらえた。天井が高くて使いやすかった。移転後の初練習の際は『本当に恵まれている』と感激した」という。

翌1995年1月17日、阪神・淡路大震災が発生。市内で1000人を超える犠牲者が出た。羽渕が早朝、自宅から単車で駆け付けると、同ホールの天井は落下していたが、楽器庫はまったく壊れておらず、すべての楽器が無事と確認できた。

「傷1つなかった。フレンテホールのおかげだった」(羽渕)。団員の安否確認に丸2日かかった。毎年春の定期演奏会は延期され、隣の尼崎市吹奏楽団の定演に友情出演したのが同年6月。しかし市吹は不死鳥のようによみがえる。同月に再開館した同ホールで猛練習を重ね、2カ月後の同年8月、奈良県文化会館での第45回関西吹奏楽コンクールに出場して金賞に輝き、全国大会出場を決めた。他の金賞受賞団体が感激の声を上げるなか、「市吹の団員は表情を引き締め、会館前庭に集合して西宮市の方角を向いて黙とうを捧げた」(羽渕)。同年10月の全国大会でも見事金賞を受賞した。フレンテホール最後の練習は2016年2月12日に行われ、団員は万感の思いできれいに清掃した。

地域と密接したホール運営を目指して

関西人は大阪と神戸の間の地域を「阪神間」と呼ぶ。戦前から経済人や文化人が移り住み、優良な住宅地として知られてきた。西宮市は「文教住宅都市」をうたう。イメージの良さに加えて、大震災後、高層や中層のマンションが数多く建てられ、子育て世代が移住してきた。国勢調査によると、大震災の 1995 年人口は 39 万 389 人だったが、2015 年は 48 万 7850 人に急増。児童数も増えて 2016 年に高木北小学校が新設された。

2018 年 4 月現在、保育所等の待機児童は 413 人に達する。大阪と三宮へ各 15 分と便利な JR 西宮駅には 2003 年以降すべての快速電車が停車するようになり、乗降者数は 2004 年度の 3 万 7644 人から 2017 年度は 4 万 1690 人と 10.7%増加した。同駅徒歩 3 分にある同市卸売市場の建替計画がまとまり 2025 年には 37 階建て集合住宅（320 戸）が完成予定だ。フレンテホール周辺の人口が増える。絵里子は「いろんな方がつながる場にしたい。気軽に相談してくだされば、だれかを紹介できる。お客様をお迎えするレセプショニストも養成したい」と夢を膨らませる。

2018 年 12 月にはダンスのメソッドを活かした「ママのためのからだのワークショップ」を開催する。2019 年 6 月には子ども連れでも気軽に参加できる音楽会を予定。中間支援の役割を果たして地域社会の抱える課題解決に貢献したいと願う。合同会社の HA2B とは「体に空気、心にアート」の英語の略語である。絵里子が「地域のハブ（結節点）になりたい」と名付けた。2 人のチャレンジは始まったばかりだ。 （2019 年 1 月号）

【補記】

日本管財株式会社・文化律灘合同会社・合同会社 HA2B で構成する共同事業体は、2023 年 4 月から、引き続き、フレンテホールの指定管理者に選定された。期間は 5 年間。西宮市の HP によると、自主事業の提案が特に優れており、管理運営実績があり安定的な業務が期待できる、とされた。

2023 年 4 月、人事異動が行われ、衣川絵里子さんが館長に、大輔さんが副館長に、それぞれ就任した。衣川夫妻のチャレンジはこれからも続く。活躍を見守りたい。

4 郊外住民の参加でつくる文化施設

愛知県長久手市「長久手市文化の家」

市民主導の事業企画

米国の作詞作曲家・歌手のライオネル・リッチーの名バラード曲「バレリーナ・ガール」が生演奏される舞台で、白いレーストップの上着に長めのチュチュをまとったバレリーナが華麗に踊った。席が埋まった客席は大いに盛り上がり、オンライン配信でも180人が視聴した。2021年6月19日の土曜日。音楽とバレエをコラボしたコンサートが愛知県の長久手市文化の家で開催された。全20曲のうち半数がバレエとの競演。企画・主催した市民の相原愛（1970年生まれ）は2017年から同様事業を継続。「バレエダンサーの演じる場が日本では少なすぎる。多くの人たちに魅力を伝えたい」と願った。

相原は幼稚園からバレエを始めた。現在はバレエの講師や同用品販売を手掛ける。結婚後の2000年、長久手市に転居した。2005年開催の愛知万博会場で聴いたジャマイカのレゲエ音楽に魅せられ、2007年、同家でレゲエコンサートを主催する。市民の提案を応援する市民企画事業があったので申請した。

本番当日、音楽演奏に加えて映像を流し、同国のソウルフードを販売して「ジャマイカ一色に染めた」（相原）。3500円のチケット300枚を完売して、バンド5人を東京から招く等の諸費用を捻出、赤字を出さなかった。「元気な女性がいる」と市内で知られるようになり、同市の社会教育委員や第5次総合計画策定委員等に請われた。2021年3月まで同家の運営委員を務めた。

市民企画事業では会場を無償提供する。資金提供はできないものの、職員が運営を手伝う。館長の籾山（もみやま）勝人（1963年生まれ）も2007年のレゲエコンサートでは舞台照明を引き受けた。「同事業の実施は過去35回。相原さんのやる気は思い出に残る」と回想した。

開館当初から自治体直営で

1988年開館の文化の家は延べ1万7888m²。森・風・光の3ホールと生涯学習機能を備えたアートリビング施設を有する。自治体直営を続け、新型コロナウイルス感染拡大前は年間100～140の自主事業を繰り広げた。職員20人（正規14人、会計年度雇用6人）。専門職員4人が常駐しているので、市民企画が受け入れ可能なのだ。照明は籾山1人、音響は館長補佐兼事業係長の生田創（そう）（1971年生まれ。現・館長）ら2人、制作は1人。他の市職員は3～5年で異動する。

籾山は舞台制作会社社員のころ、岐阜県内の公立文化会館で施設管理を担当。1992年には自治体職員に採用されて文化センターに勤務した。市昇格前の長久手町が同家の建設準備室を設けた1997年に転職。2021年4月から館長を拝命した。「人口3万8000人、一般会計80億余の町が総額72億円を投じて文化の家を建設した。町長の英断だった」と話し「当時の町内は道路が未整備で砂利道が多かった。地下鉄東山線は名古屋市名東区の藤が丘駅が終点なので同駅からバスに頼った。夜の舞台がはねたあと、路線バスの運行が終わってしまって本当に困った」と振り返る。

同家では創造スタッフ6人（音楽、美術、演劇など）を雇用。年間各55万円の委託費を支払う。週に2～3日、練習や創作のために来館するほか事業企画を手掛ける。

自主事業のなかで、短編演劇の出来映えを競い合う「劇王」は全国的に知られた事業だ。日本劇作家協会東海支部と連携して籾山らが始めた。「劇王」の名称を独占せず、どこでも使用OKにしたので、今では日本各地で同名事業が実施されている。

創造人材がそろう同家は今、指定管理者制度の導入問題で揺れる。行政改革の重要事項として、市は全施設に指定管理者制度の導入を検討。同家も例外ではない。同市くらし文化部長の浦川正（1965年生まれ。現・副市長）によると、体育館等は導入の方向ながら、同家では困難ではないかと

図1　森のホール（最大 717 席）は、舞台が良く見えるように馬蹄形につくられた。演劇・コンサート・オペラ等に合わせて客席数を変えることができる（長久手文化の家で）（2021 年 7 月撮影）

される。「文化の家は専門職員を雇用して数多くの自主事業を行い、社会包摂や市民協働等に取り組んできた。対して営利企業が指定管理者に選定されると、お金にならない事業を避ける恐れもある」（浦川）からだ。

未導入には明確な理由が必要になる。そこで浦川は「事業業務の直営を維持するものの、管理業務には同制度を導入してはどうかと考えている」と話した。浦川自身、2013 〜 2014 年度の 2 年間、館長補佐として同家に勤務した。「芸術家たちと一緒に仕事をする得難い経験を通じて公務員として成長できた」と言った。

〈市民館長〉の誕生

浦川の在籍時、文化の家は大きなヤマ場を迎えていた。貸し館の際に「市内団体を優先利用させるかどうか」が論議になったのだ。設備の良さ等が評判を呼び、市外の利用者数も伸びた。このため「市民団体が利用を希望しても抽選に当たる確率は 3 分の 1 程度」（籾山）に。苦情も出て市民優先制度を試行した 2013 年度、市民・利用者・施設職員らで構成するワーキンググループを立ち上げて本格実施の是非を検討した。会議を重ねて「計 1000 時間」を費やした結果、「市民優先枠を設けない」「市民参画を進める」ことで決着。話し合いは「文化の家はだれのものか」という根源的な論議に及んだ。

館長補佐（現・館長）の生田はすべての場に立ち会った。「市民と一緒に物事を進めるのがいかに大変なことか、とても勉強になった。それまでは開館時に策定されたマスタープランに書いてあるという理由で事業を決めていた。文化の家にはどんな使命や役割が求められるのか、市民であれ、職員であれ、改めて考える絶好の機会だった」と回想した。

市民優先枠をめぐる論議は次の館長人事に反映される。初代館長は町長、2代目は元県立芸大学長、3～4代目は同市部長の兼務だったが、5代目には市民の広中省子（1957年生まれ）が選ばれたからだ。広中は南山大学文学部哲学科を卒業後、東海テレビに就職。同社社員と結婚して専業主婦となり3人の子どもを育てた。1983年に長久手町に転居した「新住民1期生」である。子どもの成長に伴い、1987年以降おやこ劇場に関わり、開館時のマスタープラン策定から参画してきた。日進おやこ劇場運営委員長、子ども・おやこ劇場東海連絡会運営委員長も引き受けた。

広中は「おやこ劇場の活動を通じて、公立文化会館をめぐる他市の状況をよく知った。貸し館中心の他市に対して、文化の家は自主事業が充実しており、長久手の良さを改めて痛感した」と話す。館長就任後、過去のしがらみにとらわれず、既得権として続いているとみられた事業を整理した。どんな事業でも5年で区切りをつけるルールを考案した。同家ではクラシック音楽の催しが多い。広中は「3世代が楽しめるように、もう少しなじみやすい事業もお願いした。伝統芸能をもっと手掛けてほしいと指示した」と語った。2020年度末に退き、2021年度はアドバイザー。「これからも市民の1人として文化の家を見守っていきたい」と述べた。

人口急増のまち

長久手市は名古屋市の東に隣接する典型的なベッドタウンである。2005年に愛知万博が開かれたあと2012年には市に昇格した。万博主会場には瀬戸市が有力だったものの、自然保護の観点から長久手市にあった愛知青少年公園の敷地を利用して開催された。万博アクセスのために磁気浮上式鉄道「リニモ」（藤が丘—豊田市・八草）が開通したおかげで名古屋都心に通いやすくなったうえ、万博駐車場が区画整理されて住宅地に転じた。人口は6万人まで急増した。1年間で10%増を記録したこともあった。将来6万5000人まで達すると見込まれる。国勢調査によると住民の平均年齢が全国で最も若い自治体だ。愛知県立大学、愛知県立芸術大学、愛知医科大学、愛知淑徳大学が立地する大学都市でもある。県立芸大の教員や卒業生らが住みついたこともあって市内の芸術家数は人口１万人当たり「1.53人」という。全国屈指の多さだ。

順風満帆に20年余を経てきたように映る同家だが、主に２つの課題があると思われる。１つには開館当時に奔走した人たちの後継者をどう育てるか、である。開館時に500人いた友の会会員は半減した。年間1500円の会費を集めて歌手・森山良子の音楽会を開くなど活発に活動できていた。しかし主力層の50代専業主婦が今では70代になるなど高齢化した。開館当時から運営に携わる籾山や広中らの〈第一世代〉の勇退後、いかにして当時の熱意を維持していくのかも気がかりだ。

２つにはベッドタウン特有の課題を抱える。人口急増の半面、自治会加入率は40%台にとどまる。同市くらし文化部長だった浦川は「市民は居心地の良いホテルのお客さまで、市役所がフロント（受付）という関係性から抜け出せない。役所内では『ホテル長久手』と呼ばれるほど。市民自らで問題解決に取り組んでもらえるようになれば」と期待した。これからの文化の家は単なる文化芸術の鑑賞の場だけでなく、長久手を古里と受け止め、主体的に活動する市民を育てるという社会的な機能を果たすことができるのか、が問われている。

長久手を訪れた2021年7月25～26日は暑い日々だった。市内各地を車で走り回り、万博跡地に整備された愛・地球博記念公園（モリコロパーク）にも足を伸ばした。園内には2022年秋にスタジオジブリの世界観をテーマにしたジブリパークが開業する予定である。このように長久手が新時代を迎えるなか、文化の家も新たな役割を担うことになる。

（2021年10月号の連載原稿をもとに加筆修正した）

5 都市広報戦略としての公立文化ホール改革

神戸市「神戸文化ホール」と座付き楽団

神戸市設置の楽団と合唱団

ドイツの音楽事情を調査してきた筆者は、帰国後間もない2022年10月1日（土曜）、神戸市立の神戸文化ホールを訪ね、同市室内管弦楽団（23人）の第155回定期演奏会を聴いた。音楽監督の鈴木秀美（1957年生まれ）の指揮で、ショパン作曲「ピアノ協奏曲第2番ヘ短調作品21」が奏でられた。

中央に置かれたフォルテピアノを弾いたのは若手の川口成彦（1989年生まれ）だ。ショパン国際ピリオド楽器コンクール（ワルシャワ）で第2位を受賞した新進気鋭のピアニスト。ピリオド楽器とは「楽曲が作曲された当時に使われていた楽器」を意味し、「古楽器」とも呼ばれる。フォルテピアノとは18～19世紀前半の様式のピアノを指す。川口は同コンクールと同じ曲を演奏したのだが、モダンピアノと比べると小型で、音は小さく繊細な音色である。聴衆は懸命に聴き取った。「ショパンが生きていたときの音」を追体験でき、満場の拍手が送られた。

会場で見守った公益財団法人神戸市民文化振興財団の演奏担当部長、森岡めぐみ（1963年生まれ）は安堵の表情を浮かべていた。「大きなホールだけにフォルテピアノの音が聴こえるのかどうか？　不安でたまらなかった。ドキドキして夜も眠れなかった」と打ち明けた。音楽監督の発案で川口の起用を決め、森岡らの事務局員が交渉して実現した。

11月13日（日曜）には同楽団と姉妹団体である同市混声合唱団（44人）の合同定演が行われた。合唱団音楽監督の佐藤正浩（1963年生まれ）が指揮に立ち、プーランクの宗教曲「グローリア」を披露。兵庫県出身の世界的なソプラノ歌手・中村恵理が透き通るような声で「アーメン」と歌いあげた。

図1　神戸市民文化振興財団に採用された森岡めぐみさん（右）と柿塚拓真さん（神戸文化ホールの大ホールで）（2022年10月撮影）

印象的だったのは舞台背後に日本語字幕装置が取り付けられ、ラテン語の歌詞を把握できたこと。アイデアを出した森岡は「内容を理解すれば聴衆は目を輝かせる。クラシック音楽はコツを知ると10倍面白くなる」と話した。

いずみホールからの転身

森岡は転勤族の父とともに西宮市や東京都で暮らした。神戸海星女子学院中学・高校で学び、神戸のまちで思春期を過ごした。演劇部の部長を経験した。関西学院大学文学部を卒業後、銀行系リース会社に勤務。新神戸オリエンタル劇場のボランティアに関わった。「舞台の仕事をしたい」と願っていた25歳のとき、いずみホール（大阪市中央区）の運営スタッフ募集広告を見つけて応募。1989年、開設準備室に採用され、翌1990年に開館した。「ホールをつくる仕事は本当に楽しかった。ここから音楽が生まれていく過程を見ることができた。劇場の魅力や場の力を知った」。

同ホール音楽ディレクターだった礒山雅（ただし）（故人、元国立音楽大学招聘教授）に私淑した。「すべてをお教えいただいた。日本語字幕の必要性は礒山先生のご持論でした」と語る。出産を経て同ホール情報誌『ジュピター』編集長に就き、広報やチケット販売に奔走。補助金・助成金の獲得を担当した。さらに企画部次長に昇任して制作に関わった。業界では「広報といえば森岡」「森岡といえば広報」とされるほど、よく知られたアートマネジャーである。

充実した日々だったが、定年退職まで3年に迫った2020年のある日、音楽監督の鈴木から連絡をもらった。「2021年4月から神戸市室内管弦楽団の音楽監督になる。めぐみさん。来ないか」。神戸への地域貢献を決意した。

2021年6月30日付で住友生命いずみホール（2020年に改名）を退職。

7月1日付で文化財団に転じた。

異色の理事長

なぜ森岡をスカウトしたのか？　話は2016年にさかのぼる。歴代の文化振興財団理事長にはすべて神戸市OB職員が就いていたが、神戸新聞社常務だった服部孝司（1951年生まれ）が2016年4月、理事長に就任したからだ。市職員以外からの起用は初めて。服部の回想。「2015年10月、副市長が新聞社を訪ねて来られ、理事長に迎えたいと要望された。市長の願いだという。実に驚いた」。市が美術展を開く場合、地元紙が主催者に入り、開幕式などで市トップを知っていたが、特別の仲ではなかった。常務留任の予定から急きょ退社して理事長職に。社会部記者だった服部は芸術大学卒業という異色の経歴である。文化生活部長、地域活動局長（現・事業局長）を歴任して文化事業の経験を有する。人柄は温厚。市トップから白羽の矢を立てられた。

服部によると「財団は長く神戸市文化スポーツ局の下請け組織だった。幹部、一般職員とも市から出向して2～3年で交代した。財団固有職員はお手伝いにとどまり、ほぼ全員、有期雇用。財団運営や楽団運営のノウハウが蓄積されていなかった」と分析した。理事長に就任した同じ2016年4月、大きな組織改革が行われた。弦楽中心の室内合奏団（1981年設立）と混声合唱団（1989年設立）を運営してきた同市演奏協会が、文化財団と合併する運びになったのだ。「演奏協会が赤字なので財団と一体化することに。事前に聞かされていなかった。じり貧の経営状態のなかでの赴任だった」（服部）。

資金が足りない。どうするか？　服部は考えた。民間企業から多額の寄付を集める京都市の外郭団体を参考に、神戸の経済界を回った。阪神・淡路大震災後、神戸市の「貯金」が底をつき、文化予算に回す財源が乏しくなった。文化ホールに対する補助金が震災前の6分に1に減額された。この実情を経済人に訴え文化支援のための組織の立ち上げを提唱した。寄付を求める趣意書を書いた。経済人6人が共同代表を務める「神戸文化マザーポートクラブ」が発足。現在の会員は70社余に増えた。「100社が目標」だ。寄付で神戸出身の音楽家らを支援する。財団は同クラブの事務局を担う。服部の理事長就任後、生まれ変わった財団は懸命な再建策を図る。

2018年には神戸市室内合奏団から神戸市室内管弦楽団に改名した。同年にホルンとオーボエ各1人を採用。2022年にフルート1人とトランペット2人を採用。2023年4月にはファゴットとクラリネット各1人と打楽器2人を採った。メンバーを固定化して演奏を充実させ、聴衆を増やす。2021年4月、指揮者・チェリストの鈴木秀美を4代目音楽監督に招聘。さらに楽団を切り盛りできる音楽マネジメントの専門人材が欠かせないと考え、森岡のスカウトに至る。

社会包摂事業の専門家

森岡の採用に3カ月先立つ2021年4月、演奏担当課長に任じられたのが柿塚拓真（1983年生まれ）である。定期演奏会のプログラミングや社会包摂事業などを担当する。日本センチュリー交響楽団（大阪府豊中市）の事務局に在籍中は、まちに出るアウトリーチ事業などで活躍。同楽団が指定管理者の豊中市文化芸術センターに派遣された。楽団・ホール両方の運営に関わった人材は例を見ない。相愛大学音楽学部を卒業後、社会保険庁職員を務めており、元国家公務員でもあった。

森岡の採用が内定したのち、服部は知人の音楽関係者にさらなる人材探しを相談。柿塚の名が挙がった。2021年1月、JR神戸駅近くの喫茶店で、柿塚が音楽関係者に会ったところ、財団への転職を打診された。採用後、驚いたことがあった。「普通の楽団ならこの時期に翌年度の事業の80%は決まっている。ここは何も決まっていなかった」と打ち明けた。音楽監督、森岡らと意思疎通を図りながら実現した音楽会が冒頭で紹介した定演である。7月23日（土曜）開催の「こどもコンサート」では県内に伝わる相撲甚句（じんく）を題材にしたレゲエ音楽の新曲を披露。扉を開放したり、客席の照明をつけたままにしたりする工夫を凝らした。

新生の室内管弦楽団は、鈴木が音楽監督に就任以降、初めて上京。2023

年2月13日（月曜）、紀尾井ホールで東京公演を行った。指揮の鈴木自身がチェロを弾いた。同時に「魅惑の都市・神戸の良さをもっと知ってほしい」と美味の神戸ワインを聴衆全員にプレゼントした。楽団は音楽文化の振興にとどまらず、観光・食文化などをPRする役割も担うのだ。

図2　地下鉄大倉山駅そばにある神戸文化ホールの外観。音楽監督の名前と写真の懸垂幕が掲げられていた（2022年10月撮影）

神戸文化ホール（大ホール2043席、中ホール904席）は1973年に建てられ、老朽化が進む。市はJR三宮駅南側で都市再開発事業を計画し、新神戸文化ホール（大ホール、中ホール）を設ける考えだ。大ホールは2027年ごろに完成予定。楽団と合唱団の本拠地は、市西部寄りの大倉山から市中心部の三宮に移転する。

「自治体文化財団・公立文化ホール・座付きのプロ音楽集団」という3つがセットになった神戸市の取り組みは、貸し館中心である日本の文化行政のなかで、きわめて稀であり、一石を投じる。2022年に新設した定期演奏会会員制度では、入会すると本番前に文化ホールを借り切って行うリハーサルを無料見学できる。座付きならではの恩恵だ。

2022年から女性プロデューサーを招いたアートマネジメント講座を実施。さらに神戸大学、芸術文化観光専門職大学、群馬県立女子大学、武庫川女子大学など5大学の学生が参加するインターンシップ事業も同ホールで始めた。理事長の服部は「関西のクラシック業界では、神戸文化ホールに目が向いていなかった。せいぜい阪急西宮北口駅そばの兵庫県立芸術文化センターまでが視野に入っていた。京阪神のうちの『神』が抜けていた。新しいホールの建設を契機に、神戸の音楽文化を盛り上げたい」と期待する。神戸に新しい風が吹いてきた。

（2023年1月号の原稿をもとに加筆修正した）

第10章

文化の現場から地域の未来が見えてくる

1 どのような「場」でも「文化の現場」になり得る

筆者は冒頭の1章で「文化の現場」が拡張したことに言及した。確かに文化の現場が広がったことは事実である。しかし本書に掲載した豊かなケーススタディを読み終えたあとでは印象が変わってくる。すなわち、「文化の現場」が拡張したというよりも、「文化」の概念が広がったのではないか。

文化芸術基本法の第2条にうたわれたように、文化振興の施策は「観光、まちづくり、国際交流、福祉、教育、産業等」の関連分野と有機的な連携を強めることになる。従来の「文化」はどうしても文化会館や博物館・美術館等で展開されがちだったものの、食文化、地場産業の振興も大切な文化政策の一環となる。「文化」はもっと広くとらえ直されることになる。

本書で取り上げた事例を見るとき、新たな地平線が見えてくる。たとえば神奈川県小田原市の小田原かまぼこ通りでは、道路上で長さ87.95mの蒲鉾を蒸し、ござを敷いて、大勢の人たちで食べる催しが繰り広げられた。従来、水産業の振興は農水省の所管だが、食文化という視点で見れば、小田原の独自の文化の発露であろう。道路の活用という視点から見れば、国土交通省の課題となる。

JR姫路駅前の芝生広場が若手ミュージシャンの演奏の場になっている兵庫県姫路市の事例をみるとき、文化施設の役割の見直しが必要なのかもしれないと思ってしまう。ストリートや駅前広場などの活用は今後、地域創生のために重要なカギとなるだろう。千葉県松戸市ではファッションホテルを芸術家の滞在制作の場に転じた事例を調査した。「宿場」だった歴史を踏まえている。大阪府豊中市の大阪空港そばのモノレール駅舎で展開するストリートピアノ演奏の事例も、「地元に空港があるまち」らしい取り組みである。地域の特性を活かした試みだ。

奈良市入江泰吉記念写真美術館、あるいは和歌山市立有吉佐和子記念館の事例からは、古里の偉人を顕彰する施設であるとともに、界隈を散策することで回遊性のある「まち歩き文化観光」を誘発しようとする拠点としての狙いが込められている。

「文化」の概念が拡張したからこそ、地域のどんなところでも「文化の現場」になり得る時代がやってきたのだ。

しかし、文化施設が不要である、と安易に言うことはできない。地域を元気にするために、そして人々が集うために、文化施設は大きな役割を果たすからだ。本書で紹介した事例だけでも、1階を大きく改修して「市民の広場」づくりを図った大阪府八尾市のプリズムホールの実験は興味深い。荒浜小学校校舎を震災遺産として残した仙台市の試みは2023年8月に来場者50万人を突破した。さらに人口1300人弱の過疎の山里に芸術家の移住を促す奈良県川上村の「匠の聚」開設、徳川家ゆかりの戸定邸を保存・活用してまちのシンボルにする千葉県松戸市の取り組み、「映画のまち」だった記憶を未来につなごうとする神奈川県鎌倉市の川喜多映画記念館、江戸時代の雰囲気を伝える足軽組屋敷を活用した滋賀県彦根市の活動、環境活動の担い手を育てる京都市の京エコロジーセンター……など、施設があってこその斬新なチャレンジが全国各地で繰り広げられている。

文化施設であれ、文化施設でないところであれ、バラエティに富んだ「文化の現場」を有するところが元気になっていく、と期待したい。

2 文化の現場には幅広い分野の地域文化デザイン人材がいる

筆者は日本アートマネジメント学会会長を拝命している。アート（文化芸術）をマネジメント（経営・運営）する人材の大切さを言い続けてきた。「社会」と「文化芸術」のつなぎ手の役割の重さに対する理解が日本では不足傾向にある。仕事にならず、ボランティア活動になってしまいがちで、持続可能にならないと懸念してきた。アートマネジメント（文化芸術経営）の重要性については、本書では触れる余地がないので、詳しくは松本茂章編著『はじまりのアートマネジメント』（水曜社、2021年）をご覧いただきたい。

文化芸術を活かした地域創生も同様で、地域と文化芸術をつなぐ専門人材が必要である。文化芸術と地域の実情に精通した人材が、両者の間の「橋渡し役」となる。同時に、受け入れる地域側の意識も変わらなくてはならない。自治体が地域を創生するために専門人材を招いたとしても、専門的な知識や経験に敬意がなければ事態は動かない。予算に恵まれ、場所があっても、この人材が不在であると、成果があがらないケースをこれまで多数見てきた。

こうした専門人材は、状況次第で、アートマネジャー、プロデューサー、コーディネーター、ディレクター、などと多様に呼ばれるが、本書では「地域文化デザイン人材」という言葉を用いる。

松本茂章編『はじまりのアートマネジメント』（水曜社、2021年）の2章「アートマネジメントの理論」（25～74ページ）によると、文化芸術経営を考える際の3つの視点が示されている。1つには団体・組織の持続可能な経営・運営、2つには事業のプロデュース、3つにはファンづくりのマーケティング、である。

この3つの視点は地域創生にも適用できると考えている。すなわち1つには地域創生団体の持続可能な経営・運営である。2つには地域創生を目指す各種催しの企画・実践である。3つには地域のファンをつくるための発信力・広報力である。このために、本書でいう「地域文化デザイン人材」には、地域の成り立ち・地勢・風土を知る人文科学的知識（歴史学、地理学、文学など）を有し、地域社会や自治体の仕組みを読み解く社会科学的知識（行政学、経済学など）を習得する能力を備え、地域創生団体を切り盛りする経営力・経理力を持ってほしい。さらには人々を魅了したり人々の気持ちを受信したりする豊かなコミュケーション能力（人間的魅力）を備えておきたい。

とはいえ、そんなスーパーパーソンは世の中にいるはずもなく、分業しながら一緒に働く協働力、あるいは一緒に創り上げていく共創力が急務となってくる。地域創生を目指したNPO法人、財団法人、社団法人などの非営利団体の設立が求められ、官と民を巻き込んだ環境整備が急がれる。そこで働く「地域文化デザイン人材」を巡って、各地では今後、取り合いになったり、奪い合いになったりする予感がある。実際、本書に登場する人材たちも各地を異動している場合が見受けられた。

それにしても、本書には豊富な事例を掲載することができた。

たとえば、島根県美郷町のインドネシア・バリ島文化を活かした山里振興の取り組みでは、バリ島から帰国して移住した田中利典・紗江夫妻が地域文化デザイン人材であると思われた。ガムラン楽団やバリ舞踊団に加わって演じたり、特産の山菜を活用してインドネシアの調味料「サンバル」を生産したりする。さらに移住してきた後輩たちの良き相談相手にもなっている。田中夫妻は、高齢者とも、移住した若者たちとも、町役場の公務員とも、それぞれ友好関係にあることが確認できた。

福井県若狭町にある鯖街道熊川宿で民宿などを開業した株式会社デキタ代表取締役の時岡壮太も、異色のUターン人材である。同県出身で早稲田大学理工学部建築学科を卒業後、東京のコンサルタント会社に勤務して東京都中央区築地のまちづくり計画などを担当していたが、一念発起して故郷に戻り、起業した。古里での事業だけでなく、東京のカフェを誘致した。地元で湧く名水の存在を東京にアピールしたいと考え、名水を瓶詰めして東京スカイツリーの足元にある「ソラマチ」で販売した。東京からUターンしたからこそ、若狭の名水という地域の価値に気づいたのではないか。

現代の文化芸術だけが「地域文化デザイン人材」を求めている訳ではな

い。地域の文化遺産を守りつつ活用する人材も不足している。松本茂章編『ヘリテージマネジメント　地域を変える文化遺産の活かし方』（学芸出版社、2022年）を出版した理由は、「文化遺産活用人材」の育成を急がねばならないと考えたからである。いかにして専門人材を見つけ、育成していくのか？　地域や自治体にとって喫緊の課題であることを問題提起した。

だからこそ、本書では積極的に「文化遺産活用人材」に言及してきた。たとえば兵庫県丹波篠山市の事例では、重要伝統的建造物群保存地区で行われるアートプロジェクトの実行委員長の中西薫や都会から移住してきた芸術家らの姿を活写した。千葉県松戸市にある徳川家ゆかりの戸定邸を守り活用してきた戸定歴史館名誉館長の齊藤洋一らの姿も参考になるだろう。

横浜市の単館系映画館「シネマ・ジャック＆ベティ」を経営しながら視覚障害者の鑑賞サポートを行う支配人の梶原俊幸、京都市でシニア劇団を運営して高齢者の表現活動を支援する杉山準、など貴重な人材は各地にたくさん存在する。

「地域文化デザイン人材」は民間だけに限らない。公務員や自治体文化財団職員も同人材の一員になり得る。アオバナに情熱をかける同市農商連絡調整員の井上升二（県立湖南農業高校元校長）や草津市立街道交流館の館長を務める八杉淳も、地域文化デザイン人材の１人であろうと筆者は思う。子どもを対象とした演劇教育に励んできた福岡県筑後市の公立文化施設・サザンクス筑後事務局長の久保田力。さらには１階を市民の広場につくりかえた八尾市立プリズムホール館長の大久保充代や副館長の北芝敦子。彼ら彼女らも、「地域文化デザイン人材」に該当すると思われる。

本書に登場する人材は、全員が「地域文化デザイン人材」と言えるのかもしれない。東京一極集中の弊害が叫ばれるものの、地域にはこれだけの人材の厚みがあることを強調しておきたい。書籍にまとめたことで、地域における専門人材の厚みを紹介することができたのは幸いである。あとに続く若い人材へ励みになれば、とも切望する。

3 地域活性化のためには人々の主体性が大切

「共創」という言葉が近年、よく使われるようになってきた。官であれ、民であれ、みんなで創りあげる取り組みを呼ぶ。本書では主に「協働」という言葉を使ってきた。1990年代から使われてきた言葉だが、本書の内容を吟味すると、「共創」という語感が現代的にはマッチしているのかもしれない。ともに汗を流して一緒に何かを創り出す取り組みこそが、地域創生の必要十分条件なのだと筆者は思う。

対して国家プロジェクトの成果は、どうしてこれほど後世に伝わりにくいのか。建物や会場は残されたとしても、東京五輪（2021年）の前にあれほど叫ばれた「レガシー」（遺産）は見る影もない。五輪後の「負の遺産」という言葉はしばしば耳にするものの、どのような「レガシー」が継承されたというのか。大いに疑問である。

五輪あるいは万国博覧会などという国家プロジェクトでは、国民・県民・市民が一緒に「共創」することができない点に課題が山積する。国家プロジェクトでは、実績のある著名なプロデューサーやプランナーが構想を立ち上げ、企画を練り、実行していく傾向にある。ここでは国民・県民・市民は企画段階から参画することがままならない。国民・県民・市民は単なる集客の「数」として扱われる。

本書で取り上げた地域の取り組みと国家プロジェクトは、趣旨をまったく異にする。本書の事例は、市民・住民らが構想段階や企画時点から参画し、行政や企業などと一緒に汗を流して「共創」していったケースである。

ここで強調したいことは、地域活性化を成功させるためには、地元の人々が自らの意思で関わり、構想や企画に参画し、汗を流すことが不可欠であるという考え方だ。成果は催しの来場者の「数」ではない。この点を間違ってはいけない。

国家イベントにとって、来場者の1人ひとりは単なる集客の「数」であろう。対して文化を活かした地域デザインを重視する視点から見る地域活性化の事業は、地元の人の熱い気持ちや流す汗がなければ成功しない。プロセス（経過）を通じて学び合うことが大切なのだ。

逆に言えば、どれほど文化施設や文化事業などで披露される「コンテンツ」（内容）が素晴らしくても、東京や外国で企画されたものが地域に持ち込まれただけならば、単なる輸入である。地元でデザインされたものではない。「文化×地域×デザイン」の精神には合致しない。

筆者は大阪市此花区に研究室を構えて以降、此花区に愛着を覚えるようになってきた。此花区の人工島「夢洲」では、2025年に大阪・関西万博が開催される予定なので、期待するところがある。大阪・関西万博では国民・府民・市民らが企画から参画できる事業がほしい。その点で、「くすりのまち」道修町（大阪市中央区）で展開する民間主導の「ミュージアムストリート」のありようは興味深く、本書の事例編の冒頭にて取り上げた。

4 官民協働の絶妙なさじ加減とは

筆者が主張する官民協働とは、中央政府・地方政府（行政）と大企業（民間）の組み合わせではない。市民・住民らと行政が力を合わせて共に働くことである。行政と地元力が連携してこそ、地域に新しいものを創り出せると考える。

原点は、筆者が同志社大学大学院の院生時代に研究した地域ガバナンスの精神にある。地域ガバナンスとは「共治」と称される。官であれ、民であれ、共に地域経営に参画する。行政はその1つにアクターにとどまる。民といっても広い。市民、事業者、企業、議会議員、地縁的組織（自治会など）、同志的組織（NPO法人や社団法人など）が挙げられ、これらが一緒に地域経営に加わり、自らの地域のありようを構想・企画し、より良い地域づくりを実践する。官民協働と一口に表現するが、この4文字の実現がいかに遠いものか。「言うは易く、行い難し」なのである。

筆者の思い描く地域ガバナンスは、いわゆる新自由主義とは趣を異にする。新自由主義では、行政が公共サービスの現場から撤退し、民間に委ねていく手法が知られている。エージェンシー化である。しかし、行政が現場の機微を知る機会を失う悩みもある。かえって非効率になる恐れがある。たとえば、地方自治法第244条の改正に伴って導入された指定管理者制度では、数多くの企業、民間事業者が指定管理者に選ばれ、公務員は役所に戻った。しかし「文化の現場を知らない」公務員が公立文化施設の管理者を選ぶ同制度をコントロールできるのか、入札のための仕様書を書くことができるのか、各地から不安視する声が聞こえてくる。

本書には、地域ガバナンスの精神を発揮された事例が満載されている。奈良県大淀町で展開する住民参加の「おおよど遺産」選定や、住民主体の文化財調査会は、地域ガバナンスの発露であろう。実現が難しいのは確かだが、日本中を探せば、官民協働に基づく地域ガバナンスの実践は見つかる。あきらめずに実践していけば、道は広がる。明るい未来が開けてくる。

逆の言い方をすると、これからの自治体職員は、市民・非営利団体・企業・事業者などとの密接なパートナーシップを構築できるかどうか、が力量の見せどころなのである。上司の顔をうかがってばかりいる訳にはいかない。新たな世界に飛び込む必要に迫られる。

官民協働や地域ガバナンスは急に誕生する訳ではない。何らかのトレーニングが公務員にも民間人にも必要だと思う。この場合、文化の現場は、官民協働の実現にとって絶好のトレーニングの場になる。

文化芸術の世界は、価値観が多様化しており、好みも人ぞれぞれで異なる。いかなる文化芸術を展開するのか、どのような事業を企画するのか、このすり合わせに多くの時間を費やして話し合いが求められる。同時に、文化芸術の分野は行政であれ、民であれ、一定の知識量や理解があるので、語り合いやすい。あまりに専門知識が必要だと語り合うこともできない。このような熱っぽい議論、調整、意見交換が地域ガバナンスの機運を醸成すると期待される。

5 地域創生の原石やヒントは文化の現場に転がっている

本書の事例編では、スポーツ文化の力強さに言及していない反省がある。連載時はそれほど意識せずに、締め切りを守るために全力投入していたので、やや芸術寄りの事例が多かったかもしれない。そこで文化芸術を考えるためにも、スポーツ文化から教訓を得たい。なぜなら、外国から輸入された文化芸術には、心のどこかで高尚なものとのイメージがまとわりついている。「舶来主義」とでも言おうか。もちろん西洋から輸入された文化芸術であっても一定の歳月を経て上質で洗練されたものが多いとは思うのだが、日本人が地に足をつけて生み出したものという感覚に至らない場合もある。地域文化とは、大半の人々が共有する「空気感」や「リアルな皮膚感覚」に達しているものと仮定するならば、外国から輸入された文化芸術はどうしても足が地に着きにくい面があるようだ。

しかしスポーツ文化はそうではない。野球（ベースボール）であれ、サッカーであれ、元々は米国や英国から輸入された文化ではあったものの、日本化が施されて、日本人が昔から持っていた「空気感」や「皮膚感覚」になじんでいるように受け止める。たとえば2023年のワールドベースボールクラシック（WBC）、あるいは2022年のサッカーW杯の国民的熱狂、もしくは甲子園球場で展開される高校野球の熱狂（たとえば2023年8月における慶應義塾高校の優勝）を知るとき、国民的な感情移入が行われているとみられる。筆者自身、テレビ画面を見ながら応援した。実際、WBCのテレビ中継は、どの局の中継番組であれ、日本戦はすべて視聴率40%を超えたという。驚異的な数字である。若い人であれ、高齢者であれ、ワクワクした気持ちで高揚感に包まれて、テレビ観戦しながら応援した。

阪神タイガース・オリックスバファローズの優勝パレード（2023年11月23日）では、大阪・御堂筋と神戸・三宮周辺で計100万人の人出があった。一帯は共通の高揚感に包まれていた。

なぜだろうか？　筆者のような昭和生まれの男性は、多かれ少なかれ、少年野球に打ち込んだ経験を有する。とはいえ当時の日本では女性野球が盛んではなかったので、女性にとって野球はそれほど縁がなかったのではないか。このような疑問を女性の研究仲間に投げかけたところ、少女時代、キックベースボールやソフトボールを楽しんだので、野球のルールを知っているそうだ。さらに甲子園の高校野球中継を通じて、投げる、打つ、守るという技量の素晴らしさを理解していると述べ、WBC日本代表選手のプレー技術がどのぐらいすごいものかを分かったのだ、という。

野球やサッカーなどには、自らが選手出身であろうが、選手経験はなかろうが、身体に染みついた共有感覚がある。骨身にしみて知っている情報と言い換えても良い。共通体験に裏打ちされてWBCの野球日本代表、W杯のサッカー日本代表などの技量に感情移入する。圧倒的な情報量が報道され、男性であれ、女性であれ、若者であれ、熟年世代であれ、共通の「空気感」に包まれるからこそ日本全土で盛り上がったのではなかったか。

WBCに出場した選手たちは口々に「1人でも子供たちが野球を好きになってくれたら」と言っていた。彼らには「次世代を育てる」「次世代にスポーツ文化を継承する」という骨身に染みついた精神があるように思われた。

野球を推奨してきたのは中央政府でもなく、自治体でもなく、「民」の力である。地域の文化も、このように「民」の力で地域からデザインしたいものである。地域文化の高揚には「風土」「共通した住民感情」みたいなものがほしい。

この点で、地域の祭礼や伝統行事の存在はとても貴重なものである。たとえば徳島県の阿波おどりは、野球やサッカーに近い、ワクワク感のある伝統芸能の1つだと感じている。「踊る阿呆に見る阿呆。同じ阿呆なら踊らな、ソンソン」というノリの良さ。老いも若きも、体に染みついた文化的共有体験を有するものと受け止める。証拠の1つに、東京都杉並区の高円寺、埼玉県の越谷市を訪れて阿波おどりを調査研究した際、相当の浸透ぶりを感じた。阿波おどりという文化的コモンズが、そこにあった。

このようなワクワクした共有感情は、地域創生には欠かせないものだと筆者はとらえている。文化芸術の力は、人と人の壁を低くする効用がある。

自治体の文化政策担当者には、こうした「文化」概念の拡張、あるいは「文化の現場」の広がりに注視して、新たな文化政策を目指してほしい。

何より、中央政府、地方政府（自治体）の補助金に頼ってばかりでは、おのずから限界があるように思える。近年の「文化の現場」では、指定管理料や行政からの補助金に依存しすぎている印象がある。文化芸術の将来像を見つめるとき、文化芸術団体の持続可能な運営について真剣に考え、対策を立てたい。文化芸術団体の持続可能性を見つめるということは、地域文化の持続可能性を高めることでもある。

地域創生と文化芸術の現場の関係性を考えるとき、次々と新しい地平線、あるいは水平線が見えてくる。現場の数も課題の多さも尽きることはない。何より、目を凝らして探せば、地域創生の原石やヒントは必ず見つかるのではないか。

だからこそ、今後も精進して全国各地を歩き、研究調査を続けていこうと決意している。これからも文化政策、アートマネジメント、地域文化デザイン人材のありようを考え続けたい。

おわりに

2023年度に本書を発行したのには訳がある。筆者が共同代表を務める文化と地域デザイン学会が同年5月21日に発足したからだ。本書を契機に文化×地域×デザイン（制度設計、構想、政策づくり）の理論化に励みたいと願い、先駆けとして事例集を編纂した。そして文化庁が東京から京都に移転して業務を開始した年度であることも少し意識した。中央省庁が東京を離れるのは初めてのこと。時代の大きな節目にあたる。

「文化の現場」における貴重な取り組みを書籍化する際、どのような章を設けるかに苦心した。「文化の現場」の活動が領域を横断するクロスオーバー型に転じてきただけに、各事例を分類することに困難が伴った。学芸出版社の岩﨑健一郎さんに相談したところ、貴重な助言を頂戴した。当初、「文化ホール」「博物館・美術館・図書館」「アートセンター」「歴史的建築物」などの「場」に着目してグループ分けを図ろうとしたのだが、「自分は一体何を読者に伝えたいのか」を見つめ直すことで章立てを組み替えた。

本書には豊富な事例が盛り込まれている。エッセンスを抽出して2章から9章までに配置。計35の意欲的な事例紹介を行い、地域社会の課題解決手法を示唆した。事例編の原稿は冒頭で触れたように時事通信社『地方行政』の連載「文化で地域をデザインする」（2020年9月から連載中）と、月刊『公明』の連載「文化の現場を歩く」（2016年8月号〜2023年4月号）の両連載原稿を再編集した。月刊『公明』の連載原稿は計76回に達したが、掲載できたのは29回である。事業終了や他の書籍に先に掲載した場合など、諸般の事情から断腸の思いで掲載を見送ったのだが、とても残念な気持ちである。精魂込めて現場を歩いた原稿だけに、未掲載事例の関係者のみなさまにお詫び申し上げる。

それでも本書を編纂して良かったと振り返っている。全国各地を訪れた際の風景が鮮やかに蘇ってきた。地元の人々と突っ込んで語り合ったことを思い出し、当時の初心に戻ることができた。筆者のインタビューに応じてくださった関係者のみなさまに心から感謝の言葉をお伝えしたい。

最後に申し添えたいことがある。個人的なことなのだが、妻・郁江の応援があってこそ本書を出版することができた。大きな荷物を抱えて各地に出張するたびに、京都府内の自宅とJR京都駅の送迎を快く引き受けてくれた妻に感謝の気持ちを述べる。調査を終えて京都駅から自宅に戻る帰路の自動車で、聞き取った成果を妻に整理して語ったことが調査のまとめに役立った。笑顔で聞いてくれた彼女にはどのような感謝の言葉を贈っても足りない。一緒になって元印刷工場を片付け、アカデミックスペース「本のある工場」開設にこぎつけてくれた人生のパートナーに本書を捧げる。

＊　＊

筆者が代表を務める文化と地域デザイン研究所は、元印刷工場を改修して2022年5月29日に誕生した「本のある工場」内に住所を置く。以後、定期的に文化と地域デザイン講座の開催を続けている。同講座に集う幅広い人的ネットワークを活かす形で、文化と地域デザイン学会が2023年5月21日に設立された。共同代表には新川達郎・同志社大学名誉教授（公共政策、地方自治論、NPO論、市民参画論）と筆者が就任した。文化×地域×デザインの視点から社会を見つめ、「トランスディシプリナリティ」（超学際）のアプローチで研究に取り組んでいこうと誓っている。

本書で示した通り、時代は、複数の政策課題が交差するクロスオーバーな状況に転じてきている。研究者自身も、異なる専門分野の方々と有機的な連携の試みを迫られるだけに、1つのディシプリン（学問）を超えて、領域横断をうたう新しいスタイルの学会発足を決意した。同学会を立ち上げた2023年度に本書を出版できた幸せをかみしめる。丁寧に、そして懸命に調査研究を重ね、編纂した書籍だからこそ、多くの方々に本書を読んでいただきたい、と切望する次第である。

本書では多様な読者層が想定される。自治体・財団・非営利団体の職員、地域活動関係者、地域の企業・事業者、研究者・学生らである。本書の出版を契機にして、新たな人々との出会いを期待したい。

松本茂章

松本茂章（まつもと・しげあき）
専門は文化政策、文化を活かした地域デザイン。日本アートマネジメント学会会長、日本文化政策学会理事、文化と地域デザイン研究所代表、法政大学多摩共生社会研究所特任研究員。早稲田大学教育学部地理歴史専修卒業、同志社大学大学院総合政策科学研究科博士課程（後期課程）修了。博士（政策科学）。
読売新聞記者・デスク・支局長を経て、県立高知女子大学（現、高知県立大学）教授（2006 ～ 2011）、公立大学法人静岡文化芸術大学教授（2011 ～ 2022）を歴任。全国各地の文化施設等を訪ね歩き、時事通信社の行政専門誌『地方行政』などに連載を執筆している。2022 年 5 月、元印刷工場を改修してアカデミックスペース「本のある工場」を開設した。
単著に『芸術創造拠点と自治体文化政策　京都芸術センターの試み』(2006)、『官民協働の文化政策』(2011)、『日本の文化施設を歩く』(2015)。編著に『岐路に立つ指定管理者制度』(2019)、『文化で地域をデザインする』(2020)、『はじまりのアートマネジメント』(2021)、『ヘリテージマネジメント』(2022)。共著に『入門　文化政策』『地域の自立的蘇生と文化政策の役割』『都市自治体の文化芸術ガバナンスと公民連携』など多数。

イラスト：松本郁江

地域創生は文化の現場から始まる
全国 35 事例に学ぶ官民のパートナーシップ

2024 年 2 月 10 日　　第 1 版第 1 刷発行

著　者………松本茂章

発行者………井口夏実
発行所………株式会社 学芸出版社
〒 600 - 8216
京都市下京区木津屋橋通西洞院東入
電話 075 - 343 - 0811
http://www.gakugei-pub.jp/
E-mail: info@gakugei-pub.jp
編　集………岩﨑健一郎

ＤＴＰ………村角洋一デザイン事務所
装　丁………美馬智
印　刷………イチダ写真製版
製　本………新生製本

ISBN 978 - 4 - 7615 - 2879 - 9